100 GREAT PHILOSOPHY BOOKS
THAT CHANGED THE WORLD

三笠書房

◇はじめに

哲学にふれると、自分にとっての世界が、広く、可能性に満ちた場所になる！

わたしたちはまったく安全に、過去に、しかも数百年も前の時代に、あるいは千年以上も前の大昔に、短い時間で飛んでいけるタイムマシンを持っている。そのタイムマシンとはある種類の書物のことである。

この本もそのタイムマシンの一つである。どの頁をめくっても、それぞれの時代の世界に住んでいたすぐれた人々がいったい何をどういうふうに考えていたのか、わかるからだ。

本書は、これまでの世界に影響を与えてきた１００冊の哲学書について、そのおおまかな内容をわかりやすく、なるべく学術用語を最小限にしか使わないようにして説明しようとした読み物である。それでもなお、一般的でない用語、あるいは独特な意味を含んだ造語などを使わなければ説明しにくい場合は、あらかじめその意味を簡単に解説した。

本書に選んだ書物は、いわゆる哲学書と呼ばれているものばかりではない。世界に影響を与えた思想の核となったいくつかの書物もまた、広い意味での哲学書とした。つまり、次のような特徴を持った書物である。

◇その当時までの常識を打破し、新しい思想、新しい考え方をもたらしたもの。
◇さまざまな意味で社会に衝撃と変化を与えたもの。
◇新しい世界観を展開させたもの。

◇心と体について、これまでになかった視点を与えたもの。
◇学問の範囲を越えて広く長く親しまれ愛読されてきたもの。
◇文化や科学のターニングポイントのきっかけを与えたもの。

くり返すが、本書は解説書ではなく、哲学や思想に少しばかりでも興味を持とうとしている一般人に向けた概説書的な読み物である。つまり、おおまかにしか各哲学書の内容を説明していない。

しかし、世界の各哲学書の特徴的な点を中心に説明する工夫(くふう)をした。したがって、その哲学や思想で展開されている考え方の魅力を少しは引き出せたかもしれないと思う。

それぞれの哲学の内容本文から選んだいくつかの文章を、冒頭に置いた。その哲学をよく表していると思われる特徴的なフレーズ、あるいは有名なフレーズ、あるいはその哲学の見解を表しているようなフレーズなどである。ここを読むだけで、その哲学の個性的な考え方や表現が感じとれるだろうと思う。

なお、本書に引用した文献、参照した文献は千冊をこえるため、巻末での記載を割愛しなければならなかった。同時に、その翻訳者たちのたゆまぬ努力と勤勉には深く謝意を表する。

"本物の哲学書"に挑戦してみたくなったら……

本書をきっかけに、本物の哲学書を少しだけでも読んでみようという人のために、哲学書の難易度ランキングをそれぞれの冒頭に付しておいた。

その基準として、本書では紹介できなかったバートランド・ラッセルの『プリンキピア・マテマティカ』を最高難度10とする。数学の高度な才能と知識がなければ理解して読むことができないからだ。だから、このランキングでは1から9までをふり分けることになる。ただし、このランキングは読者としてのわたしの主観と印象によっている。

書名が有名であっても、その本を誰もがすんなりと読めるというわけではない。また、書名が難しそうでもリラックスして読めるということもあるから、このランキングは目安として役立つだろう。

ランクの数字の小さい1~3は、多くの人が容易に読めるものだ。これらは古くならない内容を含んでいる。自分の人生を豊かにすることにも、教養をつけるためにも、確実に役立つものである。

4~6のランクの書物は、ある程度の根気と読みとりの力が必要となるだろう。7~9にランクされているものは、予備知識や解説書の助けなどが必要となるだろう。しかし、小さな数字をつけられた本が低レベルで大きな数字をつけられた本が高尚で重要だというわけではない、また、意味が深い本だというのでもない。大きな数字の本は、言い回しが複雑、論理展開がわかりにくい、全体としておおむね長い、という特徴があり、要するにたんに読むのに時間と努力が必要になる、というだけのことである。

どういう形であっても哲学とかかわると、生活は変わっていく。なぜならば、ふだんの考え方、ものの見方が自分でも気づかぬうちに広くなっていて、広いがゆえに可能性を以前よりもずっと多く手にすることができるようになるからだ。いいかえれば、自分にとって世界が広い可能性に満ちた場所になるのである。それが、自分のこれからの人生を好転させること以外の何であろうか。

白取春彦

もくじ

Part 1

人生をめぐる思考

人間を洞察する

世界を別の目で見る

政治・社会をめぐる考え方

Part5 言葉をめぐる探求

Part6 科学や方法について

Part7 空想的な世界観の思想

宗教をめぐる考え方

編集協力◎入江佳代子

Part 1

人生をめぐる思考

『自省録』マルクス・アウレリウス
『人生の短さについて』(『道徳論集』から) セネカ
『義務について』キケロ
『教説と手紙』エピクロス
『プロポ』アラン
『幸福論』バートランド・ラッセル
『ニコマコス倫理学』アリストテレス
『老子(道徳経)』老子
『偶然性の問題』九鬼周造
『同情の本質と諸形式』マックス・シェーラー
『友情論』アベル・ボナール
『死と愛』ヴィクトール・フランクル
『私たちはどう生きるべきか』ピーター・シンガー

100 GREAT PHILOSOPHY BOOKS
THAT CHANGED THE WORLD

『自省録』

マルクス・アウレリウス

難易度
1

あたかも一万年も生きるかのように行動するな

「変化を恐れる者があるのか。しかし変化なくしてなにが生じえようぞ。宇宙の自然にとってこれよりも愛すべく親(したし)み深いものがあろうか」

「自分の内を見よ。内にこそ善の泉があり、この泉は君がたえず掘り下げさえすれば、たえず湧き出るであろう」

「つねに同一の人生目的を持たぬ者は一生を通じて一人の同じ人間でありえない」

（神谷美恵子訳）

マルクス・アウレリウス・アントニヌス
（Marcus Aurelius Antoninus）

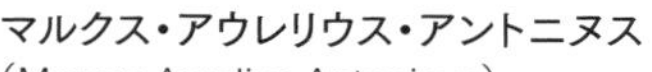

121~180（皇帝在位161～180）　ローマ帝国（イタリア）生まれの第16代皇帝。58歳没。

ローマの賢帝が「人間はいかに生きるべきか」を自分自身に問うた本

この『自省録』というタイトルは意訳であり、ラテン語の原題を直訳すれば「自分自身へのもの」ですが、他に**「自分のために」「自分のための覚え書き」「自己への戒め」**というふうに意味がだいぶ広くとれることとなります。

39歳でローマ帝国皇帝となったアウレリウスが自分のためにだけ書きとめたもので、短く簡潔なギリシア語文章の覚え書きとなっています。私的なものだということが重要で、**これは誰にも読ませる目的がなく、そのためまったく何の虚栄（きょえい）もごまかしもなく、自分の本心から生まれた思想**だということを意味しています。だから、哲学的な思考が書かれているばかりではなく、次のように意気消沈（いきしょうちん）している自分自身を叱咤激励（しったげきれい）するつぶやきも見られます。

「働け、みじめな者としてではなく、人に憐れまれたり感心されたりしたい者としてでもなく働け。ただ一事を志せ、社会的理性の命ずるがままにあるいは行動し、あるいは行動せぬことを」（神谷訳）

『自省録』が書かれたのは、マルコマンニ戦争（162年から始まったローマ帝国の北方国境でゲルマン人らが始めた数々の戦争の総称）の後半、アウレリウスの晩年10年間とされています。この戦争に従軍していた彼は勝利した直後、陣中で病没しました。

内容は独自の哲学論理の展開ではなく、自分の教養と人生の気づきから得た良い生き方についての集成となっています。

アウレリウスの唯一の著作ともなる『自省録』から読みとれる主な思想はざっと次のようなものです。

◇人は、肉体と魂（息）と英知から成立している。
◇英知が本来の自己であり、神の知性の一片である。
◇世界は変化する。この変化なくして何も生まれない。
◇私たちが生まれてきたのは、善をなし、互いに協力するためである。
◇自分の運命を愛し、この現実をなごやかに受け入れよ。

「自分が選べないもの」に思い煩うな！　アウレリウス流困難との向き合い方

アウレリウスが少年時代から強く影響を受けたのはエピクテトス（55頃〜135頃）の思想でした。解放された奴隷だったエピクテトスはいわゆる**ストア派**の哲学者で何も書き残していないのですが、門弟（もんてい）が記した彼の言行録によってその思想と行動が知られていました。

このストア派という名称は、哲学者ゼノン（前340〜前265?）がギリシアのアテネのアゴラ（公共広場）の横に哲学の学園を開いたとき、その場所がストア・ポイキレ（彩色柱廊（ちゅうろう））だったことに由来しています。

ローマ帝国の有名な政治家セネカ（本書17頁参照）もストア派の哲学者でした。

アウレリウスはアテネの哲学の学校の講座に奨励金を与え、またプラトン学派、アリストテレスの逍遥学派、エピクロス学派、ストア学派を創設しました。読書と瞑想を好んでいたアウレリウス自身はもちろんストア派の哲人として分類されることになります。

ストア派の哲学の中心にあるのは「倫理学」です。しかも理想的な賢者になることを目指します。この場合の賢者とは世間の事柄からまったく自由な人のことをいいます。

その理想状態にいたれば、不安定な情動から離れ去って理性（ロゴス）だけが働くアパテイア（心の平穏、あるいは不動心）に達します。現代でも「禁欲的」という意味で使われる「ストイック」という表現は、このストア派哲学の理想からきているのです。

では、人生上で必ず生じてくる災難や事故についてはどのように対処するのか。

その場合はまず、自分の自由にならないものと、自分が選べないものと、自分が選べて自由にあつかえるものをはっきりと分けてしまいます。そして、自分が選べないもの（生まれや血筋、自然のありよう、生き物としてのありよう、など）に対して善だとか悪だとか判断するならば、その善悪を誰か他人のせいにしたり、憎んだりすることになります。しかし、それは不正なことです。だから、**自分が自由に選べることについてのみ善悪の判断をする**のならば、人は不正を犯すことにはならないというわけです。

その他の事柄については、どうでもいいこととして求めもせず避けもしないようにします。たとえば、いつ死ぬかとか、健康や病気についてとか、名誉と不名誉などについてはどうでもいいことに分けてしまえばいいわけです。そういうふうにして暮らすようにすれば、わたしたちは平安を得ることができるのです。

政治家、思想家らがこぞって「座右の書」に挙げる古典名著

アウレリウスの『自省録』について、19世紀の政治哲学者ミル（本書268頁参照）は「古代精神の最高の倫理的所産」と評しています。また、18世紀の詩人ゲーテ（ドイツ最高峰の詩人）もまた『自省録』をよく読んでいました。

アウレリウスを尊敬し手本にしていたローマ帝国の皇帝の一人は、30歳で皇帝になったユリアヌス（331頃～363　キリスト教への優遇政策を廃止したため「背教者」と呼ばれた）でした。彼も学芸や哲学を好んでいましたが、32歳で戦死しました。

時代を問わずに多くの人を引きつける『自省録』の魅力は、読みやすい短文の集まりであること、多くの人に通じる人生論として共感しながら読めること、世界観に特定の宗教色が少ないこと、まったくきどりのない心からの言葉で実感が語られていること、読む人に安心と静けさを与えることなどでしょう。

賢人のつぶやき

われわれの人生とはわれわれの思考が作りあげるものに他ならない

『人生の短さについて』(『道徳論集』から)

セネカ

(原題 DE BREVITATE VITAE 49)

英知が与える人生の豊かさ

「時間は無形なものであり、肉眼には映らないから、人々はそれを見失ってしまう。それゆえにまた、最も安価なものと評価される」

「生きることの最大の障害は期待をもつということであるが、それは明日に依存して今日を失うことである。運命の手中に置かれているものを並べ立て、現に手元にあるものは放棄する。君はどこを見ているのか。どこに向かって進もうとするのか」

(茂手木元蔵訳)

ルキウス・アンナエウス・セネカ
(Lucius Annaeus Seneca)

紀元前1頃〜65　スペインのコルドバの富裕なローマ市民の家に生まれ、ローマで弁論術、修辞学、哲学を学ぶ。悲劇作家、政治家。皇帝カリギュラ、皇帝ネロに教育係として仕える。ネロの命令で自殺をさせられる。65歳頃没。

古代ローマの哲学者が説く「時間術」
「いつも忙しくて、時間がない！」そんな人におすすめの一冊

多難な時代に公人としてどうしようもない状況に生きていたセネカが書いていたものが、今では『道徳論集』として編纂（へんさん）されていて、そのうち49年作の一篇が『人生の短さについて』と題されています。これはローマの食糧長官に宛てた手紙の内容の一つで、**忙しい実務だけで自分の人生をだめにすることを避け、自分を生きるために「徳の愛好」をするように**勧めているものです。

この場合の「徳の愛好」とは、アパテイア（心の平穏、あるいは不動心）の状態で生きることであり、善とはそのことだとされています。もし自分の中にアパテイアを持たないのならば、競争と忙しさと欲望に満ちた人生はまたたくまに過ぎ、ついには自分を生きることがなかった結果になってしまうというわけです。

「彼らがどんなに僅（わず）かの間しか生きていないかを知りたくはないか」（茂手木訳以下同）

過去の偉人と〝会話するように〟本を読みなさい！

ふつうの人たちの人生はあまりにもめまぐるしいものにすぎず、一方すぐれた者たちの人生は悠然（ゆうぜん）としたものだとセネカはいいます。

しかし、そのすぐれた人たちとは能力や手腕に秀（ひい）でた人たちという意味ではなく、英知の探求と獲得に専

念している人のことです。自分の仕事をしていながらも英知に専念する者だけが自分の時間をたっぷり持っているのであり、こういう人たちこそ本当に生きているのだというのです。

では、どうすればそういう人間になれるのか。過去のもっともすぐれた人たちの家族や友人になることです。彼らの時代に入って彼らと生き、とことん話しあえばいいのです。そうすれば、毎日助言を求めることができ、どんな質問をしても軽蔑(けいべつ)されることがなく、さらに自分についていては正しい評価がもらえ、いずれ彼らのように自分自身を自由に表現することができるようになるというのです。

要するにセネカは、**古典として残されている賢人たちの書物を読み、彼らがまさにここに生きて語っているように感じるほどに没頭すべき**だと述べているわけです。

「彼らは君に永遠への道を教えてくれ、誰もそこから引き下ろされない場所に君を持ち上げてくれるであろう。これは死滅すべき人生を引き延ばす、いな、それを不滅に転ずる唯一の方法である」

そうなるためには、世間の人々のように生きてはならないのです。

「君は自分を衆人から切り離すがよい。年齢不相応に今まであちこちへと追い回されていた君は、結局のところ、静かな港に帰るがよい」

賢人のつぶやき

人生は短いのではない。我々がそれを短くしているのだ

『義務について』

キケロ

（原題 De officiis 紀元前44）

人間の四つの徳とは？

「義務についての問題は全部で二種類ある。一つは善の究極に関係する。もう一つは個々の教えのうちに現れる。すなわち、実生活のあらゆる面について形を整えるような教えである。…中略…私がこの書で説明しようとするのはこのような（個々に教えられる）義務についてである」

（高橋宏幸訳）

マルクス・トゥッリウス・キケロ
（Marcus Tullius ）

紀元前106 ～紀元前43　アルピヌム（現在のイタリアのアルピーノ）の騎士階級の家に生まれる。弁護士、ストア学派に連なる哲学者であり、43歳でローマ帝国の執政官にまで昇りつめる。民主的な共和制ローマの復活を願っていたが、政敵に殺害される（送られてきた暗殺者の前での自害）。63歳没。

平民からなり上がった〝最強の論客〟の教え
ヨーロッパの「紳士」の概念の始まり!?

『義務について』はキケロが息子に宛てた手紙で高貴な生き方をするように説くという形をとって、**人の義務について**述べたものです。

ただし、義務といっても、それは社会とか政治体制から課される一種の強制を内側に含んだ義務のことではなく、**人生における徳**について述べたものです。

それは、知恵（知性、洞察、理解、など）、正義（自分の務めをはたし、信義を守ること、など）、勇気（高潔さ、屈しない精神、など）、節度（自分の言葉と行動の秩序と限度をわきまえること、など）の四つの徳であり、それら四つはみずからの行ないとして表すべきもの、実践道徳となっています。だからキケロは、**「義務こそ節操のある立派な生き方を教える源泉」**だというのです。

しかし、それは他人から立派だと認めてもらいたいがための徳ではありません。そうではなく、

「われわれの探し求める徳性である。たとえ尊ばれずとも立派であり、たとえ誰からも賞賛されずとも本性的に賞賛すべきだと正しくわれわれが言える徳性である」（高橋訳以下同）

ということになります。

この徳の実践は、自分の利益にあらがう場合もあります。キケロはこう書いています。

「恥ずべきことは決して有益ではないということを確固たることとしよう。それはたとえ、有益なものを獲得できるように思うときでも変わらない。というのも、恥ずべきことを有益だと考えること、まさにそのことが有害きわまりないのである」

これを一言にすると、**有益に見えることを行なうときであっても、正しさを犠牲にすることがあってはならない**というわけです。

要するにストイックな生き方をすることを勧めるのですが、それも当然のことで、そもそもストイックの語源は古代ギリシアから続く哲学のストア派からであり、キケロの思想もその系譜（けいふ）に連なっているからです。しかも、キケロはストア派中期の哲学者パナイティオス（前185頃〜前109頃　ディオゲネスの弟子で、ローマの貴族たちにギリシアのストア派思想を教えた。著作は残されていない）の道徳の教えに影響された形で書いています。

時代を越えて読まれる「ラテン語学習の教科書」

キケロの最大の功績は、**ギリシアの哲学用語の大部分をラテン語に翻訳することによってローマの言語と精神に植えつけたこと**です。当時のローマでは、政治権力こそが最大に意味のあるものとされ、哲学などは役立ちもしないたわごととされていたのです。

もちろん、彼の『義務について』も、地域、時代を越えて大きな影響を与えました。キリスト教神学者アウグスティヌス（本書408頁参照）もキケロの著作を読み、結果としてキリスト教倫理に影響をもたらすことになりました。その後、キケロは忘れられていたのですが、14世紀半ばのイタリアのルネサンスの時代に、詩人フランチェスコ・ペトラルカ（１３０４〜１３７４）が古文書の中からキケロの手紙類を見つけ、キケロがラテン文化を代表する人物となってよみがえりました。

そして（ラテン語が世界共通の学術言語であった）19世紀までキケロの著作がもっとも多く読まれており、その文章がラテン語学習の教科書となって使われていました。キケロから影響を受けた有名な哲学者としては、カント、ミル、オルテガ、ハンナ・アーレントらがいます。

また、キケロこそ人文主義（ユマニスム、英語ではヒューマニズム）という概念を形成した人であり、ヨーロッパでの「紳士（しんし）」の概念内容の始まりが『義務について』から生まれてきたのです。

賢人のつぶやき

命があるかぎり、そこには希望がある

『教説と手紙』

エピクロス

(原題 Epistolae, Fragmenta)

生きることは快楽だ!

「欠乏しているものを欲するあまり、現にあるものを台無しにしてはならない。現にあるものも、われわれの願い求めているものであることを、考慮せねばならない」

「自己充足の最大の果実は自由である」

「平静な心境の人は、自分自身にたいしても他人にたいしても、煩いをもたない」

(出隆・岩崎允胤訳)

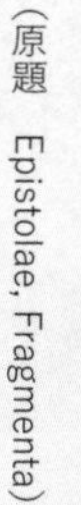

エピクロス
(Epikouros)

紀元前341頃～前270頃 サモス島生まれのギリシア人哲学者。兵役(へいえき)ののちにアテナイに共同生活式の学園(「庭園学校」と呼ばれた)を開いて教えた。72歳頃没。

死を恐れたり不安に思ったりすることは無意味！心の平静、精神的な快さを求める哲学

エピキュリアンという言葉は「美食家（グルメ）」という意味で使われる場合が今は多く、たまに「快楽主義者」という意味で使われます。しかし本来は、エピクロスの哲学を信奉する人のことをそう呼びます。

エピクロスの思想を伝える著作としてまとまったものはなく、残されているものは少しの教説と手紙類と断片だけです。それを集めたのが『教説と手紙』です。

エピクロスの哲学は一般的に快楽主義の哲学だといわれがちですが、快楽というよりもむしろ**「自己充足を快い」**とする哲学だといえます。あるいは、**「平静な心（アタラクシア）を手にせよ」**という教えです。

エピクロスは原子論などについても述べていますが、その論が不徹底であるため、彼独自の倫理学のほうがいっそうきわだっています。その倫理学の特徴は、**物事を見極める方法**をとります。たとえば、死については次のように認識します。

死が怖いのはいつかというと、自分が死を意識しているときです。死を意識していないとき、死は存在しないも同じです。災いが怖いのも、その災いを意識しているときです。

そしてまた、死は何ものでもないとエピクロスはいいます。

「死はわれわれにとって何ものでもない、と考えることに慣れるべきである。というのは、善いものと悪い

ものはすべて感覚に属するが、死は感覚の欠如だからである」(出・岩崎訳以下同)

したがって、**死は存在せず、この生には何も恐ろしいものがない**ことになります。

「持っているもの」ではなく「楽しんでいる状態」が人生の豊かさを生む

エピクロスの倫理学の要(かなめ)は、**考え方と行ないを選択すること**です。その選択によって価値が変わってきます。たとえば、次のような考え方と行ないをします。

「あたかも、食事に、いたずらにただ、量の多いのを選ばず、口にいれて最も快いものを選ぶように、知者は、時間についても、最も長いことを楽しむのではなく、最も快い時間を楽しむのである」

こういうふうに生をとらえるエピクロスにとって、美しく生きるとか、賢く生きるという方向性自体には意味がなくなり、生きるということそのものがつねに好ましいものとなります。生はそのまま快楽になるのです。

生きることは基本的に快い。ただし、快く見えるもの、快いだろうと予想されるものすべてが現実に快さをもたらすのではありません。あることの快からもっと多くの不快が出てくることがあるし、今は苦しくともいっそう大きな快が待っていることもあります。だから、快だからといって、そのすべてを選んではならず、冷静によく考えるべきなのです。

エピクロスが大きな善とするのは、自己充足することです。**自己充足している状態のときこそ、真の自由があると**考えるからです。

また、そのときには心が平静です。自己充足というこの大きな善はすぐ近くにあるのではなく、すでに自分にあって、まさに自分が楽しんでいる状態なのです。

煩わしいことからは「隠れて生きよ」

エピクロスは「隠れて生きよ」という有名な言葉も残していますが、これは当時の不穏な社会情勢を避けて生きることを意味しています。**他人の欲得の騒がしさに巻き込まれていては、自分の生を快いものにできなくなる**からです。

エピクロスの教えは生前からギリシア、イタリアを越えて広がり、後世にいたっては共和政ローマの詩人のフィロデモス（前110〜前35）、哲学者で詩人のルクレティウス（前99〜前55）に影響を与え、詩として表現されました。

その後も現代にいたるまで、『教説と手紙』は広く読まれています。というのも、エピクロスの哲学が理屈をこねまわしたものではなく、誰にもひとしく思いあたる人生経験から生まれた実感をともなった倫理学だからです。

賢人のつぶやき

少しに満足しない者は、何にも満足しない

『プロポ』

アラン

（原題 Propos）

その思いを言葉にしてあげよう

「かなり困難な行為に注意力を残らず注ぎ込んでいるひと、そのひとは完全に幸福である。自分の過去や未来のことを考えてしまうひとは、完全に幸福であることはできない」

「礼儀作法の主な効用は、おもてに出してはならないと思っていることを現実に精神から消去することにある」

（山崎庸一郎訳）

アラン
（Alain 本名はエミール＝オーギュスト・シャルティエ Emile-Auguste Chartier）

1868～1951 フランス帝国のノルマンディー・モルターニュ＝オー＝ペルシュの生まれ。アンリ四世高等学校の教師。46歳のときに志願兵として第一次世界大戦に参加。83歳没。

便箋2枚に長年綴った新聞コラム。アランの『幸福論』として世界的に人気

言葉という意味を持つ「プロポ」は、アランが当時の新聞や雑誌にコラムとして書いた文章で、その総数は5000におよび、そのうちのいくつかを抜粋してまとめたものが一般的にはアランの『幸福論』として広く知られています。

もちろん、幸福についてのみ書かれているわけではなく、この日常で起きている事柄全般についてさまざまに言及しています。しかし、ふつうの人が一読だけで理解できないような哲学的観念や特定の思想をふりまわすことなど絶対にせず、いつも現実の物事に即して、誰もがうなずけるレベルの見解を述べています。そのため、読む人の時代が異なっていてもどの文章も古くならないのです。その意味で、いつまでも読みつがれる哲学エッセイとなっています。

デカルトを学んだアランは無神論者でしたが、だからといって、宗教をむやみに攻撃するわけではなく、宗教が人生に必要なものとして存在することを事実として認めていました。したがってアランは、**真の宗教感情とは実在するものを愛することだと信じたい**と述べ、その意味では、**だれも宗教なしに生きることはできない**のだと述べるのです。

宗教的な事柄以外についてもそういうふうに、アランは生活する人間の立場から、多くの人がなんとなく違和感を覚えていながらも言葉にできないでいることを言語化してみせたのです。

時代を越えて愛される「やわらかい哲学エッセイ」

厳密にいうと、アランは哲学者というよりも、フランスの**モラリスト**に分類されます。ところで、モラリストというのはいわゆる道徳の啓蒙家（けいもうか）のような人を指してはいません。むしろモラリストたちはしばしば、非道徳的な意見、あるいは現今の価値や文化を疑いながら相対的にとらえたうえでの意見を述べていることが多いのです。

というのも、モラルの原意とされているラテン語のmos（モース）は「習慣、慣習、習性」といった広い意味を持っていて、したがってモラリストとは「**人間の慣習や習性を観察し、社会風俗や時代の人々の慣行（かんこう）や考え方についての小論を書く人**」ということになるからです。よってモラリストには、有名どころでは、セネカ、パスカル、モンテーニュ、ヴォルテール、ラ・ロシュフコー、ゲーテ、ショーペンハウアー、ニーチェ、ジッド、ワイルド、カミュまでもが含まれることになります。

モラリストは誰もが読んで理解できる文章を書くことによって、学術的な論考を書く哲学者よりも多くの読者を持つことになります。しかも、教養としてなんらかの哲学を踏まえており、人々の考え方に直接的な影響をおよぼすことが多くなっています。

賢人のつぶやき

幸福になろうと欲しなければ絶対に幸福にはなれないのは明白だ

『幸福論』

バートランド・ラッセル

（原題　The Conquest of Happiness　1930）

人は死なない

「幸福な人とは、客観的な生き方をし、自由な愛情と広い興味を持っている人である」

「幸福な人たちの最も一般的で、他と区別される特徴と私には思われるもの…中略…すなわち、熱意である」

「幸福な人とは…中略…自分の人格が内部で分裂してもいないし、世間と対立してもいない人のことである」

（安藤貞雄訳）

バートランド・アーサー・ウィリアム・ラッセル
（Bertrand Arthur William Russell）

1872 ～ 1970　グレートブリテン及びアイルランド連合王国ウェールズの最古の貴族の一門に生まれる。ケンブリッジ大学トリニティ・カレッジで数学と哲学、ベルリン大学で政治と経済を学ぶ。24歳から論文出版。第３代ラッセル伯爵、数学者、哲学者、ケンブリッジ大学教授、平和運動活動家。1950年にノーベル文学賞受賞。97歳没。

自分の人生を自由に生ききった天才数学者がたどりついた競争、ねたみから自由になる「現実的な幸福論」

数学者であり論理学者でもあるラッセルの著書は、専門家以外の人にはあまりにも難解なものですが、一般向けに書かれた『幸福論』はとてもわかりやすく、ラッセルの人生論ともなっていて、世界で広く読まれてきたものです。ラッセルの『自伝的回想』によれば、彼の人生を支配したものは**「愛情への欲求」「知識の追求」「人類の苦しみに対する耐えがたいまでの同情」**の三つであったといいます。そのすべてに対してラッセルは真摯（しんし）に取り組んだのでした。

実際に平和運動、婦人解放運動に参加して投獄までされ、晩年には、理論物理学者のアインシュタイン（1879〜1955）とともに核兵器廃絶のための共同宣言（ラッセル＝アインシュタイン宣言、1955年）も出しています。

また、女性との恋愛関係が多く、4度結婚しています。

そんなラッセルが『幸福論』ですすめる幸福になる生き方のコツは次のようなものです。

◇権力欲や虚栄心は持たない。（自分に気を向けない、ずっと競争をしない）
◇世間の声に左右されない。
◇近くの親しい人から充分に認められるような生き方をする。
◇受動的な楽しみを少なくし、努力をする。

◇幸福に不可欠の要素の一つは、どうしても欲しいと思っているものをいくつか手にしていないこと。
◇手がけるものに熱心に取り組み、自分についてのこだわりをできるだけ少なくする。

幸せになりたければ、〝自分の外界〟に目を向けなさい！

この『幸福論』の最後でラッセルは、**生の最大の喜びを見出す人は人格が分裂していない人、また世間と対立していない人**だと述べています。そういう人は自分の子や孫と自分が別の存在だと感じることがなく、したがって死をこの自分の終わりだと思っているのです。つまり、生命の流れと深く結ばれていることを実感し、そこに歓喜を見出しているのです。ラッセルは無神論者だったのですが、生命と自分が結ばれている歓喜というこの深い感想は、ウパニシャッド、ブッダ、道元、イエス、エックハルトなど生の秘密を体験した多くの宗教者、覚醒(かくせい)にたどりついた人々とまったく同じ質のものとなっています。

それはまた、ラッセルの次のような愛情論とも響きあっているのです。

「最上のタイプの愛情は、相互に生命を与えあうものだ。おのおのが喜びをもって愛情を受け取り、努力なしに愛情を与える。そして、こうした相互的な幸福が存在する結果、おのおのが全世界を一段と興味ぶかいものと感じる」（安藤訳）

賢人のつぶやき

幸福になる一番簡単な方法は、他人の幸せを願うことです

『ニコマコス倫理学』

アリストテレス

（原題　Ethica Nicomachea）

最高の善は中庸だ！

「無生物を愛しても、これは愛（フィリア）とは呼ばれない。…中略…相互応酬的な好意であってこそ愛なのである」

「有用のゆえに愛しているひとびとは自分にとっての善を愛しているのであり、快楽のゆえにしているひとびとは自己にとっての快を愛している…中略…それゆえ、解消しやすき愛である」

「恋愛は多くは情念的であり快楽を動機とする」

「愛というものは、愛されることによりも、むしろ愛することに存する」

（高田三郎訳）

アリストテレス
（Aristoteles）

前384～前322　マケドニア王国のギリシア植民地で貴族階級の家に生まれる。17歳から師プラトンの学校アカデメイアで哲学を20年学びつつ講師をしてから、アテネに自分の学校リュケイオン（伝える人の杖（つえ）という意味）を開いて教えた。61歳没。

2000年以上も読み継がれる古典中の古典！万学の祖が説く「幸福な人生」

アリストテレスがあつかったのは、論理学、物理学、形而上学、動物学、心理学、天文学、気象学、政治学、倫理学、詩学、修辞学、政治学、弁論術、と広範囲です。

要するに、学問のほぼ全域をアリストテレスは哲学と呼んでいたわけで、しかもそれらの分類と体系化を行なったという貢献があるために、**「万学の祖」**あるいは**「あらゆる学問の父」**とも呼ばれています。それでも、残されている講義原稿がすべてではなく、散逸してしまったものがたくさんあるとされています。

アリストテレスの倫理学があつかう範囲はあまりにも広いので、ここでは「愛」についての文章をいくつかだけ引用してみました。一読してわかるように、愛についてのアリストテレスの思考は現代人の考え方とそれほど異なっているわけではありませんし、人としての経験と知見から語られる愛の哲学となっています。

しかし、アリストテレスのとなえる倫理がそのまま現代にも通用するというわけではありません。なぜなら、奴隷制度を認めているし、女性を下位の人間としているからです。

幸福については、最高の善であるとしています。その善に達するには、魂がその能力を発揮している状態だといいます。具体的には、**理性的であること**です。理性的とは、理由づけて考えることができる状態という意味です。

そんなふうに理性的な状態であるときに、最高の善である**「中庸（ちゅうよう）」**（ギリシア語でメソテースといい、現代英語ではgolden mean）の状態にあるというのです。過度と不足の中間よりもやや過度寄りのこと。

おもしろいのは、アリストテレスは都市国家（ポリス）のありかたにもこの中庸を求めていて、したがって愛と善の論考につながるものとして国制について述べています。つまり、公共の利益のための国制にすべきだから、（当時の）ポリス市民が権限を持つようになる共和制が最適だとされます。民主制は、貧困者や無産の人たちで支配されるからよくないというわけです。

注意しておきたいのは、アリストテレスが「魂」という言葉を使うとき、それは現代人の多くが安易にイメージしてしまう霊魂ではないということです。

霊魂というのはあいまいで神秘的なイメージにいろどられているか、死後には肉体を離れて存在し続けるものと思われている場合が多いのですが、アリストテレスがいう意味での魂とは**「心」**という意味です。魂はギリシア語でプシュケーであり、プシュケーは呼吸をも指しています。

なお、『ニコマコス倫理学』のニコマコスとはアリストテレスの息子の名前ですが、若くして戦死した息子がアリストテレスの原稿を倫理学として編纂(へんさん)したとは思われないので、実際にはアリストテレスが開いた学園リュケイオンの後継者が編纂にたずさわったようです。

その思想は哲学を超えて、政治学や自然学にまで影響

アリストテレスの考え方は現代人にとって決して新鮮なものではなく、その多くがあたりまえすぎて退屈だと感じられることもあるでしょう。

というのも、わたしたち（学校教師も含め）は一度も意識することなく、**アリストテレスの考え方や思想を受け継ぎ、それが土台になった（西洋的な）教育を受けてきたから**です。別の言い方をすれば、アリストテレスは学問というものの基礎づけをしたのです。

それればかりか、昔からの学問の名称の多くはアリストテレスの著書のタイトルや用語をそのまま引き継いだものになっていることがしばしばです。たとえば、政治学は英語でポリティクスといいますが、これはアリストテレスの時代に都市国家のことをポリスと呼んでいて、アリストテレスがその都市国家について述べたことをポリティカとしたため、政治学がポリティクスとなったのです。

アリストテレスがその哲学から創出した用語は他にもたくさんあり、たとえば、「個物」「存在」「本質」「実体」「事物」「形而上」（形がなく、五官で把握できないもの）などで、以来それらの用語は時代を超えて多くの人に使われ続けています。

またその他に、アリストテレスの見出した**「三段論法」**は、何かについて結論を出すときのわたしたちの考え方の基本となっています。

この三段論法とは、二つの大小の前提から一つの結論へと進んでいく思考法であり、たとえば、「すべての人間は死ぬ」が大前提となる場合、「ソクラテスは人間である」が小前提です。「よってソクラテスは死ぬ」が結論となります。

これが人類最初の形式論理体系なのですが、アリストテレスは動物を爬虫類(はちゅう)、哺乳類(ほにゅう)などと体系的に分類していったときにこの方法をたまたま見出したのです。

賢人のつぶやき

哲学は驚きからはじまる

『老子（道徳経）』

老子

流れるままに生きよう

「陶土をこねて、器物を作るが、その中空のところに、器物の利用がある。
戸口や窓をあけて、室を作るが、その中空のところに、室としての使用がある。
だから、有が役に立つのは、無が働きをするからだ」

（木村英一・加地伸行訳）

（成立時期不詳）

老子
（Laozi）

紀元前6世紀頃の楚の苦県（現在でいえば中国の湖北・湖南省あたりの）の人物と伝えられる。

聖書の次に世界でもっとも多く翻訳された「生き方の極意」！

5250字の断章をのちに編纂して全81章に分けた『老子』は、「道徳経」と呼ばれることもありますが、いわゆる現代人がイメージする倫理・道徳について述べるのではなく、この世界の物事と人の動きについて語るものです。

それによれば、**すべての原理の根源が「道」であり、その道に沿うためには「無為」こそいつも有効だ**ということです。もちろん、この「道」は隠喩（本書66頁参照）表現です。

老子がいう道とは、物事の自然に沿ったなりゆきのことと解釈できます。その自然さにあらがえば、いずれは破綻や失敗などが現れてくる。それは、人生においても、事業においても、政治においても同じだというのです。

では、どうするのか。強引に、自分を利する目的のために、作為的に物事を誘導しようとせず、**「無為」をなせ**と老子はいっています。

この無為はたんに何もしないということではなく、強制、誘導、策略、仕掛け、闘争、といった作為的なものから離れ、物事が自然に流れるままにしておくということです。あえて何もしないでいても、物事は自然のままに流れてほどよくおさまるというのです。このような行動理念を**「無為自然」**と呼んでいます。

その道の作用について、老子はこう述べています。

「道は、いつでも、なにもしないでいて、しかも、なにもかもしているものだ」（木村・加地訳以下同）

「いったい道は（あらゆるものに力を）十分に貸し与えて成立させるものだ」

謎の思想家としての老子

老子というのは人名ではなく、年長者に対しての尊称であり、その老子とされる彼については司馬遷（しばせん）（紀元前145頃〜前86頃　中国の前漢時代の歴史家）の『史記』の「列伝」にある「老子韓非（かんぴ）列伝　第三」によれば、老子は紀元前6世紀頃の楚（そ）（紀元前11世紀頃〜紀元前223の湖北省から湖南省あたり）の国の生まれ、周（しゅう）の王室の図書役人だったが、やがて周の衰えを知って隠棲（いんせい）するために水牛の背に乗って西へと旅立った人物だと伝えられます。

しかし、後世の研究によれば、孔子（こうし）、孟子（もうし）、荘子（そうじ）は実在の人物でしたが、**老子は虚構（きょこう）の人物**とされています。つまり、古代の中国の思想をとりまとめて道家（どうか）という学派がつくられたとき、その祖としての人物を老子と設定し、その老子が書き残した書物として4世紀頃に『老子道徳経』がまとめられたということです。

やがて道家が発展して中国の民族宗教としての道教（どうきょう）になっていくのですが、この道教は2世紀あるいは5世紀頃に生まれたとされています。しかし道教の内容はあまりにも雑多なものであり、老子の教えが中心だとはいいがたいものに変化してしまいました。

『老子』は7世紀にサンスクリット語（インドから南アジアの広範囲で用いられた古代語）に訳されたのを初めとして、世界でもっとも多く翻訳された書物となっています。

『偶然性の問題』

九鬼周造（くきしゅうぞう）

(1935)

偶然が人生をつくる

「偶然性とは必然性の否定である」

「偶然性は不可能性が可能性へ接する切點（せってん）である」

九鬼周造（くきしゅうぞう）

1888～1941　東京府東京市の文部省官僚で貴族院議員となった男爵の九鬼隆一の四男として生まれる。東京帝国大学哲学科でケーベル博士に師事し、大学院で研究。ヨーロッパに8年間留学。ベルクソン、サルトル、フッサール、ハイデッガーと知り合う。『時間論』をパリで刊行。京都帝国大学で哲学を教える。1932年、「偶然性」で文学博士号取得。他の有名な著書としては『「いき」の構造』がある。同僚に西田幾多郎。53歳没。

日本哲学界の異才による「偶然と必然」の研究

現代はいつのまにか「how-to（ハウツー）」と「方法論」に溺（おぼ）れる人が多く目立つ時代となっています。つまり、何々をするにはこうすればいい、目的を達するためにこのような方法がベストだ、という理由から、**目的達成の道具となるhow-toや条件をまず手に入れようとあくせくしている**のです。

高等教育機関で学ぶことですら自分の興味や教養のためではなく、給与と待遇（たいぐう）のいい就職先という将来の目的を手にするための必須アイテムとなっています。日常のことをするにしてもそれぞれ功利的な目的が定められる傾向があります。食べることにおいても健康的に生き延びていくのが目的とされ、何をどのくらいの量で食べるか、いつどこで食べるかなどが問われているのです。

このようにして、行動や生活の多くが目的―手段関係に組み込まれてしまっている状態です。目的に効率的に達するために最適な手段を探したり選んだりするというこれらの態度は、物事の因果関係をさかさまにしたものです。なぜならば、期待する結果を目的として設定し、その結果を必ず生じさせるための原因となるものを手段としているからです。

そういうふうに獲得したい目的のための手段を求める人たちは、この世の**「恒常性（こうじょうせい）」**（定まっていてランダムな変化のないこと）と**「斉一性（せいいつせい）」**（例外がなく、一様（いちよう）であること）を信じて疑わないのかもしれません。

なぜならば、この原因には必ずこの結果が生じるはずだという強い信仰にも似た意志がそこにくみとられるからです。**同一条件の原因が置かれるならば、それにみあった結果が生まれるはずだ**とかたくなに考えられているのです。だから、この属性ならばこの程度の待遇と給与でなければならないというわけです。ある意味、あまりにナイーブで機械的な直線思考がはびこっているといえるでしょう。

しかし、そのような態度は、人生を人生らしくしない可能性がかなり高いのです。それどころか、人生上のたくさんの事柄をタスク（課せられた仕事）にしてしまうことによって、おのれの人生をかえって殺伐たるものにしているのではないのでしょうか。これは、とにかく経済的に豊かになっていくことが人生を豊かに味わうことでは全然ないのと同じことです。

若い頃から**「偶然性」**について考究を続けた九鬼周造はそのような立場とは逆で、人生上で起きる計算外のいくつもの偶然を自分の運命として抱き、**その運命を愛しながら自分と一体化して生きることによって自分の生を充実させることができる**のだと考えました。

たんなる「偶然」が「運命」に変わるとき

偶然を論理の面から見ると**「離接的」**に起きるものだから、九鬼周造は偶然を**「離接的偶然」**と呼んでいます。この「離接」という言い方は論理学、数学で用いられる学術用語であり、**複数の要素からなる命題のうちのどれか一つが真なら、合成された全体も真であること**を意味しています。

つまり現実においては、Aについて起こりえるたくさんの可能性（複数の命題）B、C、D、E、……Zのうちの一つが実際に現れること（真であること）が偶然と呼ばれる事態だということになります。だから、偶然はどういうものであっても「離接的」だということです。（また、ギャンブルにおける「当たりやハズレ」も同じく離接的偶然です）

なぜ、偶然の性質を表現するためにわざわざこのような難しい言い方をしているかというと、偶然性が必然性とはだいぶ異なるものだということをはっきりとさせるためです。

必然的に起きることにはそこに導いた原因や根拠があり、それをあとから確かめることもできるのですが、偶然に起きる事柄の場合はその原因や根拠がとても小さい、あるいはすごく遠い、あるいはほとんどわからない、ほぼ限りなく無に近いものばかりです。それでもなお、どこかにちょっとした（偶然を成立させた）原因や根拠があるはずなのです。

そのことを九鬼周造は（偶然性の）**「極微の可能性」**と呼んでいます。そして、その極微でしかない可能性がさらなる新しい微細な可能性を含みながら転んで大きくなり、あとから見渡せば全体があたかも必然であったかのように構成されているのです。

それこそが、わたしたちが詩的に「めぐり逢い」とか「邂逅」と呼んでいるものなのです。ある程度生きていれば誰もが**偶然を通じためぐり逢いを体験し、そのめぐり逢いが発展して自分の運命を形成してきた**ということに気づくはずでしょう。

だから、人生を構成しているのは「恒常性」や「斉一性」などではなく、また目的に向かう確実な道筋などでもなく、必然と偶然の複雑なからみ合いだということになります。ただしそうなるのは、目的への道筋とは異なるように見える事態に出会ってそれを自分が受けとめた場合のみです。逃げずに受けとめ、それを自分の運命として愛する場合になります。それができるならば、どんな偶然と必然も私の人生を実際に生成するものとなるのです。

運命は自由にどんな方向にも変えられる！

偶然性をこのように考えることによって、九鬼周造は運命の意味を変えたといえます。

一般的に運命は天の書物にすでに細かく記されているとします。たとえば、イスラム教（本書413頁）ではそれぞれの人の運命は与えられたものとされてきました。キリスト教のカルヴァン派（本書434頁）では、神に救われる人はあらかじめ定められていて変更されることがありません。スピノザもその哲学ですべてが神の必然だと考えました。そこまで極端ではなくとも、運命を自分に生まれつき備わっていて自由に変えることのできない属性や状態（たとえば、性別、国籍や生地、血統、遺伝、容貌や身体の障碍（しょうがい）など）だとする考えが現代にはあります。

しかし、九鬼周造の考える運命はそのようにして誰かから与えられたものではなく、**偶然によって（生まれつきの属性なども偶然の中に含まれます）、そのつど新しく生み出されているもの**なのです。この運命観にあっては、運命は固定されていて抵抗のしようのないものではなく、たえず自由にどんな方向にも書き換えられていくという意味で、これまでにはなかった救いがあるといえるでしょう。

このことについて九鬼は次のような表現をしています。

「不可能に近い極微の可能性が偶然に於（お）いて現實となり、偶然性として堅く摑（つか）まれることによって新しい可能性を生み、更に可能性が必然性へ發展するところに運命としての佛（ほとけ）の本願（ほんがん）もあれば人間の救ひもある」

わたしも誰かの運命をつくっている！

さらに、わたしたち一人ひとりが偶然の**「離接肢（りせつし）」**でもあると九鬼周造は指摘しています。つまり、私から見れば他の人すべてと世の物事すべてが離接的偶然をもたらす要素なのですが、他人から見れば私自身もまたその要素、すなわち離接肢なのです。したがって、**わたしもまた誰かの日々の偶然をつくり、そのことで誰かの運命を生成している**わけです。

このことに気づいたとき、自分の中に生まれてくるのが他人の運命の尊重、他人へのいたわりです。そしてまた、すべての出会いがたいせつだともわかってきます。したがって、運命は、独りで背負っていくものなどでは決してなく、お互いにつくりつくられていくものであり、だからこそわたしたちの生き方によっていくらでも変えられていくものだと解釈されます。また、功利的なたくらみをたっぷりと隠した目的―手段関係に支配されるようなものではないともわかってくるのです。

日本人の感性から生まれた哲学

九鬼周造の生涯を貫いていたのは「さびしさ」と「偶然性」の探求でした。両親の複雑な離婚、初代アメリカ全権大使だった父親の部下であった岡倉天心（おかくらてんしん）（1863〜1913　日本美術院の創始者、『茶の本』が有名）を自分の父親だと思って育った少年時代、母親の悲劇的な死、大学院時代の失恋、プリンツ・クキと呼ばれていた留学中の官能的な恋と別れと孤独、もろくも崩れそうになるアイデンティティ、次兄の未亡人と結婚した自分の離婚など、九鬼周造の人生は多くの偶然と出会いに染められていました。だからこそ、九鬼周造は偶然性の問題を探求したのであり、それはこの人生を理解すること、よりどころのない自分自身をさびしさから救うことでもあったのです。

そういう九鬼周造は「人生の踊り」と題した次のような詩を書いています。これは彼の偶然性という哲学的主題がたんなる学問ではなく、おのれの人生の問題でもあったということを明かしています。

「運命よ　私はお前と踊るのだ。　ひっしりと抱いたまま。　よそ目にはみっともないって?
そんな事はどうでもいい。　運命よ　運命よ　お前と踊るのだ。
私はうれしい。　おお、美しい音楽。　星の夜空の　空のおちから響いて来る　天球の旋律だ」

また、『人間と実存』（1939）に収めた「驚きの情と偶然性」という論文には次のような一文を最後に書いています。

「偉大な思想は心臓から来るという言葉があるが、現実の世界の偶然性に対して驚くこと、驚いて心臓に動悸を打たせることが、終始一貫して、哲学思索の原動力でなければならないと考えるのである」

恐ろしいほど広範な知識と教養を持っていた九鬼周造の哲学は、人間の現実のありかたを問いにしているから実存哲学になるでしょう。しかも、偶然性よりも同一性や必然性を重視するヨーロッパの哲学の真逆にある日本人の感性から生まれた実存哲学となっています。
九鬼は京都帝国大学で哲学を教えていたのですが、いわゆる京都学派とはいえない独自性と広い現代性を持っています。にもかかわらず、この偶然性をさらに深く掘り下げていく研究が出ていません。その点で、九鬼周造の『偶然性の問題』は、情に訴える魅力を持っていながらも孤高の哲学だともいえるのです。しかし、偶然と必然のちがいを描き出しているということは、デリダやドゥルーズの現代思想のテーマとなっている「差異」の問題を先取りしていたのだと確かにいえるのです。

賢人のつぶやき

芸術は偶然を対象内容とすることを好む

『同情の本質と諸形式』

マックス・シェーラー

（原題　Wesen und Formen der Sympathie 1923）

愛という名の知性

「無差別である点にこそ、愛の本質的特徴が存する」

「愛は精神の眼をみえるようにする」

「愛の純正さは、われわれが具体的対象の〝短所〟をたしかに知っているにもかかわらず、その対象をこの短所とともに愛するときに、終始、あらわにしめされるのである」

（青木茂・小林茂訳）

マックス・シェーラー
（Max Scheler）

1874～1928　ドイツ帝国バイエルン王国のミュンヒェン生まれ。ユダヤ系だが、14歳のときにカトリック教徒になる。ミュンヒェン大学で医学を、ベルリン大学で哲学と社会学を専攻。イエナ大学で教えてからミュンヒェン大学に移ったものの、女性との愛憎の問題がスキャンダルとなって大学での職を離れざるをえなくなる。53歳没。

「愛」という作用に注目して「善・悪」を探求した哲学

日本語翻訳では「同情」とされていますが、『同情の本質と諸形式』というタイトルにある同情はむしろ**「共感」**（Mitfühlen）と訳されるべきものです。この共感の中に同情も愛も含まれています。では、シェーラーが考える同情、共感、愛がどういうものなのか。簡単にまとめると、次のようになります。

◇たんなる同情は、相手についての想像から生まれた感情的反応だ。
◇しかし、同情が共感に変質すると、その共感によって他者が体験していることをあたかも自分のことであるかのように把握され、理解される。
◇そういう共感が起きるとき、わたしたちは（属性の差異のまったくない）人間として、相手の体験を自分の体験であるかのように感じる。
◇愛は、相手を差別せず、相手の属性や短所などをも考慮することなく、丸ごと受け入れて相手の人間性を愛する。
◇そのようにして愛するとき、精神の眼が見えるようになっている。（精神の眼とは、さまざまな欲望や思惑（おもわく）に充ちた自我の眼ではなく、人間そのものの眼である）
◇愛するとき、価値の領域が拡大する。つまり、相手のほとんどを受け入れることができるようになる。

憎しむならば、その領域は狭くなって、相手を受け入れがたくなる。

◇愛は相手の中に属性ではない価値を、人間としての価値を、自発的に発見する。

◇愛のこの自発性が、同情や共感にはない大きな特徴である。

世間一般的に考えられている愛と、シェーラーがいうところの愛には大きなへだたりがあります。一般的に考えられている愛とは、美しさ、性的魅力、能力の高さ、といった属性や価値に対する選別的で嗜好的な愛好です。その嗜好的な愛好の度合いが強くなっていく傾向があるから、「愛は盲目だ」とさえいわれます。

しかし、シェーラーのいう愛はその正反対のものです。シェーラーは人をそれほどまで盲目にしているのは愛などではなく、熱中や感性的衝動にすぎないといいます。本当の愛ならば精神の眼を持っているのだから、盲目にはならないからです。というのも、精神の眼は高い知性を持っているからで、その高い知性ゆえに、**世間一般的な属性的価値を超えたものに価値を認め、それを愛する**のです。そして、無差別的なのです。

要するに、世間一般的に考えられている愛は、価値そのものに向けられているのです。たとえば、特定の相手を愛する場合、その愛は相手の能力や美しさという価値に向けられているので、その価値を失えば、愛は冷(さ)めきってしまいます。しかし本当の愛ならば、**価値そのものではなく、その人間そのものを愛するから持続していく**のです。

賢人のつぶやき

愛こそ、貧しい知識から豊かな知識への架け橋

『友情論』
アベル・ボナール

（原題　L'Amitié　1928）

本物の人間を発見せよ

「真の友情は、はるかに功利を超越している」

「恋愛においては信じてもらうことが必要であり、友情においては見抜いてもらうことが必要である」

「人は恋愛を夢みるが、友情を夢みることはない。夢みるのは肉体であるから」

（大塚幸男訳）

アベル・ボナール
（Abel Bonnard）

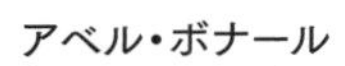

1883～1968　フランス共和国のヴィエンヌ県の古都ポワティエに生まれる。パリ文化大学で文学を専攻し、詩集『親しき人々』でアカデミー・フランセーズ詩賞を受賞。ナチスドイツの傀儡（かいらい）政権であるヴィシー政権（1940～1944）で国民教育大臣を務めたことをのちに追及されて、スペインに亡命。のちに死刑と定められたが、マドリードで84歳没。

真の友情とは何か——フランスの詩人にしてモラリストの著者のあらゆる世代に愛されてきた珠玉の言葉

古代のプラトンは『リュシス』で友情についての議論を展開しましたが、結局のところ友情にまつわる概念の意味が広がるばかりで、まとまりがつかずに終わりました。

その一方、ボナールの作品の中でももっともすぐれて著名な『友情論』では、真の友情とはどういうものであるのか、詩人特有の洞察力で的確に指摘されています。それはだいたい次のようなものです。

多くの人が友情とみなしているものは、実はその人のふだんの習慣の中の一つにすぎない。つまり、たんに**何かのきっかけによって近づけられた相手を自分の生活の習慣の中に当然あるものとして利用しているだけ**なのです。

また、利害によって結ばれている状態をも友情と呼んだりしています。さまざまな利害のために関わりあっているわけですから、これは友情ではなく同盟や条約というべきものです。しかし、自分は孤独で孤立してはいないという満足感、身近なその他人から自尊心をくすぐってもらえること、相手との関係からなんらかの利益が得られているということを交友だと思っているのです。

世間的な便宜と利害を理由にして関係を持っているのに、なぜそれを友情だと思ってしまうのか。そもそも人間性を見る眼を持っていないからです。だから、みんながほぼ似たような人間に見え、そのため相手の肩書きや地位など属性を見てそれぞれに優劣をつけ、自分の友達として交際するかどうかを判断しているというわけです。

生い立ち、属性、利害……から離れてこそ真の友人がみつかる

では、真の友情の人はどのようにして見つけられるのか。ボナールは断言します。

「ひとりの友を見いだすことは、ありふれた人々の間からたぐい稀(まれ)な人々の代表者を発見することである。

…中略…その真価において最高の人に出会うこと、一言にしていえば、人間を見つけることである」(大塚訳以下同)

これは、すぐれた人間を真の友情の人とすることなのですが、この場合の「すぐれた」とか「最高の人」という価値の基準は、能力でも地位でも世間的評判でもありません。「その真価において」ですから、その人は自分の身に起こることを超越した部分をいつも持っていて、その部分において相手と交わる人です。だから、ボナールは第2部の最初の一行で、「**人間を離れてこそ友は見つかる**」と書いています。人間を離れるとは、従来の世間的価値観を離れることです。具体的には、自分の心労と利害にだけ目を向けるのをやめることです。**互いの属性をまったく離れた次元、つまり真の人間の次元で交わるからこそ、真の友人であり続けられる**のです。

さて、もしも友としていた相手が亡くなった場合、相手を自分の日常の一つとしていた人はとても悲しみます。なぜならば、慣れ親しんだ日常の一角(いっかく)が失われてしまったからです。ところが、真の友を持っていた人は(相手を日常の一つとしていなかったから)そういう喪失(そうしつ)を味わうことはなく、その友はずっと真の友

のままとなります。このような真の友情とは、ある程度の人生経験をした二人の間でのみ理解されるものであり、その理解を通じて、自分は相手の中におり、相手もまた自分の中にいつまでも存在しているのです。

モラリストの友情論

ボナールは、モンテーニュ、パスカル、ラ・ロシュフコーといったフランスのモラリスト（人間の生き方を探る著作家）たちのうちの一人です。その『友情論』は、ビジネス界で盛んにいわれるところの「友人」とはあたかも友情関係に見せかけた同盟や条約という経済的・戦略的な利害関係であることを知らしめてくれます。そういう関係はもちろん自分の商売の範囲と展開にかかわるだけで、互いの人間性そのものに触れはしません。

しかし、ボナールが説く真の友情は人を輝かせるものです。その意味で、ブーバーの思想（本書134頁参照）に近いといえるでしょう。また、道元（本書451頁参照）や西田幾多郎（本書455頁参照）にも通ずるところがあります。しかし、このレベルの友情関係は手が届かないほど高尚（こうしょう）なものではなく、わたしたちがなんらかのきっかけ（多くの場合は苦痛や悲惨など）で生き方を変え、真摯（しんし）さに目覚めたときに不意に現れてくるものでもあるのです。

賢人のつぶやき

恋愛は人を強くすると同時に弱くする。友情は人を強くするばかりである

『死と愛』
ヴィクトール・フランクル

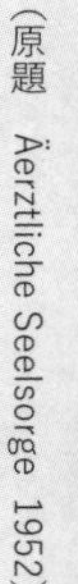

ハロー、本当の自分

「人間は苦悩の中に成熟し、苦悩において成長する」

「苦悩は運命や死と同様に生命に属しているのである」

「人間を苦しめる運命は先ず…中略…耐えられることによって意味をもつのである」

「われわれが活動しないことから逃れ生命の意味を正しく認めるように、退屈がそこにあるのである」

（霜山徳爾訳）

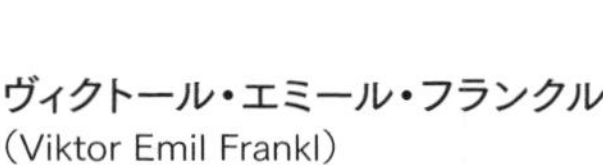
ヴィクトール・エミール・フランクル
（Viktor Emil Frankl）

1905～1997　オーストリア＝ハンガリー帝国生まれ。精神科医、心理学者。ユダヤ人であったため夫婦ともにナチスの強制収容所に収監され、その体験を書いた『夜と霧』が有名。生きる意味を気づかせることによる心理療法のロゴテラピーを創始。92歳没。

世界的ベストセラー『夜と霧』と並ぶフランクルの主著!人生を意味豊かにする「態度価値」とは

タイトルが日本語翻訳では「死と愛」となっていますが、この本のドイツ語原題を直訳すると、**「医療的な魂のケア」**となります。

その方法はフランクルが創始した**ロゴテラピー(英語ではロゴセラピー)**であり、これは各個人が自分の「生の意味」を見出したり気づいたりすることを主に言葉でうながし、神経症、鬱病など心の病をいやすものです。それはたんに医学的な技法におさまらず、哲学の領域にもまたがっており、この『死と愛』を読むだけでもわたしたちに同じ効果を持つ大きな気づきを与えるものとなっています。

「創造価値」「体験価値」「態度価値」とは

しかし、フランクルがいう「生の意味」が何であるかを述べることは不可能です。なぜならば、一般的な生の意味が最初からあるわけではなく、**個人にとってのその人だけの特別な生の意味のみがある**からです。

そのように個人的なことですから、その人の具体的な現実、つまり、その人の実存(そのつど、どのように考え、どのようにふるまっているか)がたえず問題になります。

だから、ロゴテラピーは各個人の実存分析になります。とはいっても、この実存分析は各人に共通する三つの価値**「創造価値」「体験価値」「態度価値」**の面からアプローチされていきます。

しかも、これらの価値は客観的な基準を持つものではありません。つまり、他人の誰が見てもそこに価値があるといえるようなものではなく、それに価値があると認める個々人にとってのみ価値があるものです。

では、その三つの価値とはどういうものでしょうか。

◇創造価値……仕事や創造的行為などの行動によって実現化されるものです。
◇体験価値……芸術を鑑賞したり、自然の風景に感動したりすることなど、受動的に体験することによって自分の中に実現化されるものです。
◇態度価値……運命的なもの、自力で変えることができないものを受け入れるときに実現化されます。

創造価値は、物事をなすという価値ですが、なされる物事の成否については他人が決めることができず、ただ本人だけが感じるものです。多くの場合、創造価値は仕事や日々の用事や義務などで達成されるのがふつうです。

だから、とりたてて何もすることがないのは苦痛となります。なぜならば、自己が無意味になってしまうからです。そもそも人は「意味への意志」を持っているのです。

体験価値は、広い意味での感動がともなうものが少なくありません。これもまた個人的なものであり、他人から客観的に判断されるようなものではありません。

三つめの態度価値とは、人生の中で起きる事態に面して自分がとる態度によって、価値が生まれることです。フランクルは、「たとえば苦悩の中における勇気、没落や失敗においてもなお示す品位、等の如きである」（霜山訳以下同）と述べています。

態度価値もまた、他人から判断されるものではなく、見かけ上の失敗や挫折であっても、それを見つめる自分の態度によって、内的に充たされ、人生の意味が生まれることになります。フランクルはたとえば、レフ・トルストイ（1828〜1910）の短篇小説『イワン・イリイチの死』がそれを端的に示しているといいます。この小説は、控訴院判事だったイワン・イリイチが病床で死に向かっていく過程を描いたものです。イワンは、自分の収入と公務を手順通りに行なうことを最大の目的としてきたこれまでの人生をつらつら振返り、すべてまちがっていたと断じます。しかしまだ死は訪れてきません。イワンは死などどこにもないではないかとすら思います。そのときに光を見て、「終わった」という声が聞こえ、イワンは死にます。（したがって、他人から失敗の人生と呼ばれていいものはないことになります。それでもなお、生産性や成功を基準とする現実の社会は人をランクづけしてレッテルを貼りますが）

「何の職業に就くか」ではなく、「どのように働くか」が人生を豊かにする

本書の中でも現代人に痛みをともなって響く記述は、労働の意味についてでしょう。

フランクルは、「或る一定の職業だけが人間に価値充足の可能性を与えるわけではない」といいます。なぜならば、**どの職業に就いているかが問題ではなく、どのように労働するかということだけが自己にとっての**

価値と意味を発生させるからです。だから、どんな職業であってもその人にとって「価値充足の機会を提供する」場になりえます。

しかし、そのことに気づかず、何かの職業に従事すること自体が意味あることとしたり、その職業で多く稼ぐほど仕事の目的を満たすという資本主義的な考え方に染まったりしてしまうと、人は仕事が休みの日にうつろになったり、神経症になったりしやすくなります。

そういうときに人はみずからの実存の無内容性、無目的性、意味の貧しさにさらされるため、それに耐えられずに我を忘れさせるほどに何か夢中になるもの、スポーツ観戦、趣味的な文化活動、あらゆるジャンルの娯楽や芸能、ギャンブル、刺戟(しげき)としてのセックスなどにのめりこみます。

そのような日々が続くと、生命時間の終わりとしての死は大きな打撃となり、死に直面できなくなります。これまで自分の生き方に本当の価値を与えてこなかったからです。言い換えれば、本当の自分として人生を送ってこなかったから自信が欠けているのです。

「苦悩」こそが人間の本質

フランクルの思想で目立っているのは、世間一般の考え方のように苦悩を避けるべきもの、どうにかして消去すべき不用のものとしてかたづけていないことです。

苦悩は、人間の本質だとされます。それは悩まない人間などいないということではなく、苦悩こそ人間が無感動になったり退屈を感じたりすることを防ぐからです。
自分の実存の意味を求めているため、苦しみ悩むのです。なぜならば、苦しむのは生きているときに必ず現れる状態だからです。そしてまた、悩むことは自分の人生を全面的に引き受けようと努めていることでもあるのです。

精神医学療法と哲学の間に太い橋をかけたともいえるフランクルの思想は、それを各人が自分の生き方に照らして十分に理解するだけで、わたしたちの人生をすっかり変える現実的な力を持っています。
よって、このロゴテラピーは今までの主義や思想といったものをはるかに超越する次元にあり、しかも個々人の生き方を内側から静かに改革し、やがて社会生活に大きな変化をおよぼしていくものだといえるのではないでしょうか。

賢人のつぶやき

祝福しなさいその運命を。信じなさいその意味を

13

『私たちはどう生きるべきか』

ピーター・シンガー

（原題　How are we to live?　1993）

難易度 2

政治より倫理だ

「倫理とは本来実践的なものであり、もしそうでなければそれは真実に倫理的ではない。実践で役に立たないようなものは、理論としてもだめなのである」

「物質的な私益だけを追求することが規範となっている社会では、倫理的な立場への移行は多くの人々が思っているより以上に根本的な変化をもたらすものである」

（山内友三郎監訳）

ピーター・シンガー
（Peter Singer）

1946〜　オーストラリアのメルボルン、ユダヤ系のコーヒー輸入業者と医師の家に生まれる。メルボルン大学で法学、史学、哲学を学び、オックスフォード大学に留学。プリンストン大学生命倫理学教授。2005年『タイム』誌で「世界の最も影響力のある100人」に選ばれた。著書『動物の解放』は有名。その思想はビル・ゲイツにも影響を与えている。

“もっとも影響力のある現代の哲学者”による広い「倫理学」！

『私たちはどう生きるべきか』は倫理の観念について思考するものではなく、この現代において実践すべきわたしたちの倫理的行ないについて誰にでも理解できるように述べているものです。その主張内容はだいたい次のようなものです。

◇倫理の観念がいくつあっても意味がない。倫理は実践されるものでなければならない。
◇倫理的に考えようとするのならば、「自分の行動によって影響を受けるすべての人々の立場に身を置いた自分自身を想像して」みなければならない。
◇倫理的な生き方をするならば、より広い、より長期的な視野から物事を見ること。
◇具体的な課題に取り組み、ひるまないこと。誤りを犯す可能性はいつもある。
◇狂信主義、権威主義を否定する。
◇政治よりも倫理を第一に考えるようにすること。
◇主観ではなく、理性を用いるようにすると、考え方が客観的なものになる。また、理性的に考えることで私利私欲から離れて公平さにたどりつく。
◇利益の平等な配慮を。一方にだけ利益があるようではならない。人間にも動物にも公平に配慮する。

◇苦痛をへらす倫理的行動が、もっとも直接的で、緊急性がある、誰にも認められている価値である。
◇倫理的行動は社会を確実に変えていく。それが広がれば、社会は徹底的に変わる。

人間だけの倫理ではなく生命すべてのための倫理

ピーター・シンガーのもっとも有名な著書は『動物の解放』（1975）で、これは**動物実験と工場畜産を批判し、工場畜産の肉、鶏卵、牛乳の消費をやめるべきだ**と主張しています。つまり、シンガーの主張の土台にいつもある「利益の平等な配慮」を脊椎（せきつい）動物にまで広げて適用しているわけです。実践してこそ倫理という考えですから、シンガー自身は菜食主義者であり、環境保全に力を尽くす活動をしています。

また、シンガーは『生と死の倫理』（1994）では、いわゆる安楽死を認め、障碍（しょうがい）を持った新生児の安楽死も認めています。デリケートな問題についてまで強い意見を主張し、みずから実践しているシンガーですが、現代世界においてもっとも有名な倫理学者でもあり、国際生命倫理学会の初代会長とされました。本書と『動物の解放』は世界的に有名となり、先進的な人々の倫理としての必読書となっています。

賢人のつぶやき

平等の原理は人間のみに限られる理由はなく、動物にも広げられるべきである

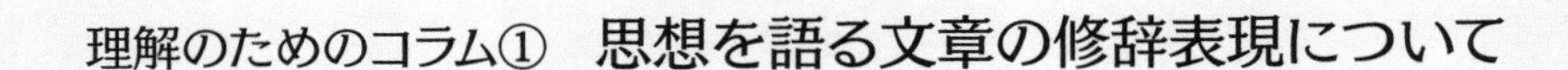

理解のためのコラム①　思想を語る文章の修辞表現について

思想書の文章は既成の言葉ではどうしても言い表すことができないために、あるいはまた、新しい考え方を表現するために、比喩(ひゆ)、直喩(ちょくゆ)、提喩(ていゆ)、換喩(かんゆ)、隠喩(いんゆ)、暗喩(あんゆ)、諷喩(ふうゆ)、寓意(ぐうい)などが多く使われていることがしばしばあります。その修辞(しゅうじ)の技法とは次のようなものです。

【比喩】　一般的に「〜のようだ」という表現で使われます。直喩もほぼ同じで、何か別のものにたとえてみせる表現です。（例）雪のように白い

【提喩】　概念や類を表す言葉を使って、意味の一部分を表します。これはふだんの話し言葉の中にたくさんあります。（例）足(あし)（交通手段）、花(はな)（桜）、頭(あたま)（先端、始まり、統率者など）

【換喩】　何か一部分の言葉を使って、意味の全体を表します。（例）王冠を頂(いただ)く（王に即位する）、食卓（食事、食糧事情）

【隠喩】　隠喩、暗喩、諷喩の三つはほぼ同じで、「〜のように」を使わず、直接に結びつけます。（例）氷の心、彼はカモだ、ペンの力、名演奏を味わう

【寓意】　意味内容を表すために、何かの物語に置き換えて表現します。イソップの寓話(ぐうわ)集や世界中にある神話はその典型です。

ライプニッツのモナドは換喩です。ホッブズの『リヴァイアサン』に出てくるリヴァイアサンも換喩です。サルトルの「私たちは自由であるという刑に処せられている」という有名な文にも換喩が使われています。ニーチェの「神は死んだ」という言い方はもちろん隠喩であり、『ツァラトゥストラ』は全体が寓意です。ヘーゲルが使う意味での「世界精神」も、ショーペンハウアーが使う意味での「意志」も隠喩です。

厳密な哲学であるかのような印象を与えるカント哲学のキーワードである「理性」もまた、認識と思考を表現するための換喩といえます。なぜならば、理性の概念の内容は依然(いぜん)と決められていないし、また、そもそも理性という物体が実際に存在しているわけではないからです。

聖書は全体が寓意だといえなくもありません。創世記に出てくる蛇や木の実は明らかに寓意です。アダムとイブも人間についての寓意表現です。神という表現ですら、寓意です。ナザレのイエスは人々に向かってたとえ話を語ることが多いのですが、そのたとえはもちろん寓意です。新約聖書の最後に置かれている「黙示録(もくしろく)」は、ほとんどすべての文章が提喩、換喩、隠喩、寓意です。そのことを知らずに書かれているままの意味に受けとると、おどろおどろしくも壮大なオカルトファンタジーとして読むことになってしまいます。

Part 2

人間を洞察する

『エセー』モンテーニュ
『道徳的省察、または格言および箴言集』ラ・ロシュフコー
『人間知性論』ジョン・ロック
『痴愚神礼讃』エラスムス
『ツァラトゥストラ』ニーチェ
『パンセ』パスカル
『人間の教育』フレーベル
『権威主義的パーソナリティ』アドルノ
『全体性と無限』エマニュエル・レヴィナス
『人間の尊厳について』ピコ
『実存主義とは何か』サルトル
『存在と所有』ガブリエル・マルセル
『自殺論』エミール・デュルケーム
『ディスタンクシオン』ピエール・ブルデュー

『エセー』
モンテーニュ

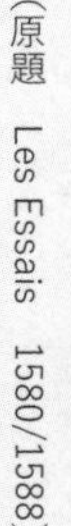
（原題　Les Essais　1580/1588）

われわれは風のようなものだ

「私はこの世に、私自身より以上にはっきりした怪物や奇蹟を見たことがない」

「私は人生のもろもろの快楽をかくも熱心に、かくも特別に抱擁することを誇りとしているが、それらをこうして仔細に眺めるとき、私はそこに風をしか見いださない。だが、驚くことはない。われわれはいたるところ風である」

（松浪信三郎訳）

ミシェル・エイケム・ド・モンテーニュ
（Michel Eyquem de Montaigne）

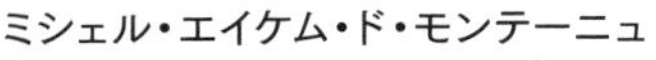

1533 〜 1592　フランス王国のペリゴール州の貴族領モンテーニュ城館に生まれる。フランス語の前にラテン語を習得し、13歳でボルドー大学に入り、哲学、古典を修得、16歳でトゥールーズ大学に入り法学を修める。ボルドー高等法院参議。ボルドー市長、宗教戦争の調停などをするが、物書きを好んだ。モンテーニュ城城主。59歳没。

「エッセイ」の源流。滋味深い名言にあふれたフランスルネサンス期の名著

日本語訳で1000頁ほどになるモンテーニュの『エセー』（随想録）の序文には、「読者よ、私自身がこの書物の題材なのである」（松浪訳以下同）と記されています。

とはいっても、本当に私的なことについてのみ書かれているわけではなく、自分自身という人間をじっくり観察することで人間という存在の不思議さをどこまでも深く観察しているのです。しかも学術語や難しい言い回しを使うことなく表現されていますから、多くの人にずっと読みつがれてきたのでしょう。

モンテーニュが生きていた16世紀当時、世相の変化はめまぐるしいものでした。というのも、それまで確かだと信じられていたものが音を立てて崩れ落ちていく時代だったからです。

16世紀の前半には天文学者コペルニクスによって、それまで真理とされていた天動説に異がとなえられ、アメリカ大陸の発見によって地球が丸いことがわかってきました。同時に、ヨーロッパ人とはまったく異なる慣習を持った世界が存在していたことが明らかになって、それまでの世界像、人間観が大きく破壊されたのです。

またフランス国内では、カルヴァン（本書434頁参照）のキリスト教解釈によって生まれたプロテスタント教会と従来のカトリック教会の間でユグノー戦争（フランスにおいてユグノーとは乞食野郎の意味で、カト

リック派がプロテスタント派をそう呼んだのです。プロテスタント派はカトリック派を教皇の犬という意味で、パピスト、と呼んだ）が１５６２年から起き、この内戦によって貴族から庶民までが真っ二つに分かれて殺し合いをしました。そういうふうにかつての価値観・倫理観が大きく揺らぎ何が正しいのかわからなくなってしまった時代に、モンテーニュは37歳でボルドーの高等法官を辞任して出世コースから降り、自分の城の塔の部屋で『エセー』を書き始めたのです。

自己を通して人間を探究！

モンテーニュは読者に何かを教えるわけでもなく、自分の思想を説くわけでもありません。ただたんたんと日々を受けとめながら自分の人生を楽しみ、その日々の経験と、セネカなどの哲学書を読んで自分なりに見出したもの、あるいはまた自分がとことん疑っているものを謙虚（けんきょ）に静かな文章で並べています。それだけのことなのに、それがいつのまにか読者の心に深く染み入ってくるのです。

長短１０７のエッセイが３巻に分けられているのですが、巻が進むほどにモンテーニュの洞察（どうさつ）が自然主義的傾向へと深まっていくのがわかります。たとえば、終盤の「人相について」には次のような洞察が記されています。

「われわれが安楽に生きるためには、学問などわれわれにとってほとんど必要がない」

「私が本来の自分を見いだすとき、私は自分の舌は豊かになったが、自分の心は別に豊かになっていないことを感じる。私の心は、自然が私につくってくれたままである」

「われわれは自然を棄ててしまったのに、自然の教えを、自然から学ぼうとしている。自然は、われわれをかくも幸福に、かくも確実に導いてくれていたのである」

歴史上もっとも広く長く読まれているエッセイ

モンテーニュのこの『エセー』こそ、**歴史上もっとも広く長く読まれているエッセイ**でしょう。

ところでエッセイというものは軽く読める短めの読み物、または個人の感慨を自由気ままに述べたものだと思われています。しかしそれは現代の日本において身近な話題についての雑文をエッセイと称したためそう思われるようになったのであり、そもそも本来のエッセイというものではありません。

本来のエッセイとは、モンテーニュの『エセー』なのです。エッセイという表現を初めて使ったのはモンテーニュであり、エッセイエというフランス語の意味は「試み（こころみ）」です。あるいは、「試行」「試論」「実験」という意味です。モンテーニュ自身、「自分の判断力の試み（エセー）」と記しています。

モンテーニュの死後80年以上たった1676年、カトリック教皇庁は『エセー』を禁書目録に入れました。（禁を解いたのは1939年）それでもなお人々に好んで読まれ、デカルト、パスカル、ルソー、ジッド、フローベールらに影響を与えました。

賢人のつぶやき

いつかできることはすべて、今日でもできる

『道徳的省察、または格言および箴言集』

ラ・ロシュフコー

（原題　Réflexions ou Sentences et Maximes morales　1665～1693）

永遠の人間論

「賢者の冷静とは、動揺を心の中に閉じ込めておく技術にすぎない」
「人間の幸不幸は、運にもよるが、その人の気質にもよる」
「自分の中に安らぎを見いだせなくて、よそを探しても無駄である」
「他人に対する信頼の気持も、その大部分は、自分に対する信頼があってこそ生まれる」

（吉川浩訳）

フランソワ・ド・ラ・ロシュフコー
（François de La Rochefoucauld）

1613～1680　フランス王国絶対王制期のパリで生まれる。名門貴族として軍務につき、数々の戦いに加わり、宮廷内の政争に敗れてから文芸に目覚め、パリの一流サロンで箴言を発表する。66歳没。

「人間の現実」を辛辣に撃ち抜く最高峰の箴言集！

650の箴言と短文が並んだこの箴言集が表現しているのは**現実の人間の姿**です。17世紀当時のフランスに限った人間の姿ではなく、時代も場所も問わないあからさまな人間の姿です。その普遍性のため、現代もなお読むべき箴言集の一つに数えられています。

皮肉や意地悪でしかない箴言ばかりに見えますが、これはそのように感じた人が自分の内心の反応を箴言のせいにするからです。ラ・ロシュフコーは読者のそのような反応をも見越して書いています。しかしそれは挑発ではなく、鋭い人間描写なのです。

そのことは、**「色恋沙汰にいちばん足りないのは、愛だ」**（吉川訳以下同）、という402番の一節にあらわになっているでしょう。作者は愛のない欲望だけの関係が世にはびこっていることを指摘しているからです。その姿勢は、他人の恋愛を手放しで無責任に美化するよりも、かえって誠実な態度だといえるでしょう。ちなみに、フランス語で発声しながら読むとこれらの箴言はとてもリズミカルなものになります。

箴言の発表は、当時のサロン（宮廷や貴族の邸宅を場にした階級的な社交界）で流行した文芸スタイルの一つでした。そのうちでもラ・ロシュフコーのものがもっともすぐれていたのです。そしてまた、彼の辛辣な箴言はパリの社交界を席巻していたプレシオジテ（言語や作法に貴族的な洗練さや優雅さを求める風潮）

の逆をいくものでした。

世界に拡がった読者とジャンセニスムの人間観

フランスで刊行される前にネーデルラント（オランダ）で海賊版が出るほどに評判が高かったこの箴言集は、フランス以外ではスウィフト、ショーペンハウアー、ニーチェ、トルストイ、日本では芥川龍之介や堀田善衛（ほったよしえ）など、世界中の多くの文人たちに好んで読まれてきました。

その最初の版には反セネカを意味する天使の口絵が飾られていますが、それは**セネカ（本書17頁参照）の厳粛なストア哲学、人間のロゴス（理性）を重視し、おのれの欲望を排除して理性的・道徳的に生きようという姿勢にあらがう立場の箴言集だ**ということをはっきりと主張しています。

ひとりラ・ロシュフコーが反理性的な立場だったのではなく、当時の流行でもあった宗教思想「ジャンセニスム」の人間観が大きく影響していたようです。このジャンセニスムというのは、ネーデルラントの神学者コルネリウス・ヤンセン（1585〜1638）によるキリスト教思想（カトリックから異端とされる）で、フランス貴族の間に拡がっていたものです。この思想では、人間は罪に汚れているから理性的な意志など無力であること、善行を行なうことにさえ神の恩寵（おんちょう）が必要だということ、聖体拝領（せいたいはいりょう）（キリストの肉体であるパンと血であるワインを教会で受けること）の前には多くの祈りが必要だとされました。

人間に対する厳しいラ・ロシュフコーの眼差しは**ジャンセニスムのその反理性主義的な人間観が影を落としているの**です。

『人間知性論』

ジョン・ロック

（原題 An Essay concerning Human Understanding 1689）

人間は白紙だ

「いつ人間は観念を持ち始めるかと尋ねられるとしたら、初めて感覚するときというのが真の答えだと、私は思う。なぜなら、感官が観念を伝え入れないうちは心に観念はないように見えるから、知性にある観念は感覚と同時だと私は想うのである」

「知覚は知識への第一歩・第一段階で、知識の全材料の入口である」

（大槻春彦訳）

ジョン・ロック
（John Locke）

1632～1704　イングランド王国サマセット州リントンの事務弁護士の家に生まれる。オックスフォード大学時代にデカルトを読み、哲学に関心を持つ。シャフツベリ伯爵の知己を得て政治に関わる。哲学者、臨床医師、政治哲学者。72歳没。

人は"白紙"で生まれてくるのか？　知識を持って生まれるのか？
「イギリス経験論の父」の主著

ぜんそく持ちの臨床医師であったジョン・ロックは政治に関心を寄せていたのですが、世間の評判が高かったデカルト（本書318頁参照）の『方法序説』を読んでから哲学にも興味を持つようになりました。

何がロック医師を動かしたかというと、どうしてデカルトはこの考え（あの有名なコギト・エルゴ・スムにいたる一連の思考）こそ絶対に確かだといえるのかという疑問でした。また、人間には「生得観念（せいとく）」が本当にあるのだろうかという深い疑いでした。

生得観念（本有観念（ほんゆう）ともいう）とは、生まれたときから人に、もともとある種の知識が備わっているということです。紀元前5～4世紀のプラトン（本書231頁参照）以来、人には生得観念（たとえば、三角形の観念）があるというのが常識になっていました。それをデカルトが神の観念などは生得的な観念であるとあらためて強調し、同時に知覚や経験を不確実で信用できないものとしたのです。

デカルトの考えとは反対に、ロックは、**人は文字が書かれていない白紙（タブラ・ラサ）のようなものだ**としました。この**「文字が書かれていない」**という表現は、生得観念を持っていないという意味です。

ではどのようにして人は知識（観念）を持つというのでしょうか。それは、（知覚を含む）**「経験」**によってだというのです。その経験が白紙になにごとかを書きこむのです。（しかし、どのようにして書きこむかについてロックは説明していません）

そういうふうに知覚などの経験によって人は観念を持つことになるわけですが、その知覚のままに観念になるというわけではありません。実際には自分の判断（あるいは内省）によって変えられてしまいます。ただ、自分ではそのことに気づかないのです。

しかし、知覚と判断が直結的に関係しているわけではないことは、ロックが紹介している弁護士で光学研究者のモリヌークス（1656〜1698）からの手紙でわかります。

その内容は、「生まれつき目の見えない人が手の触覚によって立方体と球体を区別することができる場合、その後に目が見えるようになったとき、テーブルの上に置かれた立方体と球体を視覚で区別できるだろうか」という疑問です。この問いへの答えはノーです。その人は触覚による区別の経験をしてはいるが、視覚による区別の経験をしていないため、視覚での立方体と球体の観念をまだ獲得していないからです。よって、**知覚の仕方がその人の観念を形成している**とわかるのです。

ロックの思想がアメリカ独立宣言などに影響

ロックが生得観念の否定に力を注いだのは、何か生得のものがあるという考え方がはびこると、結局のところ、（たとえば、生まれたときから特別の地位を持った人がいるといった考え方の）権威主義に道を開きかねないことを心配していたからです。

また、ロックのこのような哲学思考がそれほど緻密でないのは、臨床医としての実践的な彼の姿勢の表れであったようです。彼はこう書いています。

「この世での私たちの仕事は、なんでも知り尽くすことでなく、私たちの行ないに関係あるものを知ることである」（大槻訳）

もし人間が生得観念に支配されているのならば、人間には自由がありえないことになってしまいます。ロックは、たとえばその政治哲学の著書『統治論』（１６８９）で人間の自然な自由と平等について、こう書いています。

「すべての人が自然の姿で…（中略）…それは、人それぞれが他人の許可を求めたり、他人の意志に頼ったりすることなく、自然の法の範囲内で自分の行動を律し、自分が適当と思うままに自分の所有物と身体を処理するような完全に自由な状態である。

それはまた平等な状態でもあり、そこでは権力と支配権はすべて互恵的であって、他人より多くもつ者は一人もいない」（宮川透訳）

ロックのこういう考えに基づく民主的な社会への理想論は人々に広く歓迎され、王権を制限しようというイギリスの政治改革を強め、そればかりかアメリカの独立宣言（１７７６）、フランスの人権宣言（１７８９）にも強い影響を与えたのでした。

賢人のつぶやき

いかなる人間の知識も、その人の経験を超えるものではない

17 『痴愚神礼讃』

エラスムス

（原題 Encomium Moriae 1511）

バカになって楽しめ

「まず第一に、生命そのものにもまして、楽しく貴重なものは他にあるでしょうか?」

「キリストの御教えはことごとく、ただ温和、忍耐、人生蔑視にほかならないのです」

「事実、もし快楽というものがなかったら、人生はいったいどうなるでしょうか? 人生の名に値することになるでしょうか?」

（渡辺一夫・二宮敬訳）

デジデリウス・エラスムス
(Desiderius Erasmus)

1466頃〜1536 ブルゴーニュ領ネーデルラント（オランダ）のロッテルダムの司祭の私生児として生まれる。パリ大学で学ぶ。トマス・モアと親交を結ぶ。「人文学者の王」とも呼ばれる。カトリック司祭、神学者。69歳頃没。

16世紀の大ベストセラー！
「人間の愚かしさ」を称賛するルネサンス精神

『痴愚神礼讃』の「痴愚神」とはエラスムスが考えた女神です。**この女神は人間のありのままを喜ぶ性格という設定で、その独り語りが展開される**という形になっています。

なぜエラスムスがこういう奇妙な本を書いたかというと、人間の軽薄さ、愚かさ、ばかばかしさ、うぬぼれ、勝手さ、快楽などこそ、人間を本当にいきいきとさせる、たいせつなものであるはずだと考えていたからです。つまりエラスムスは、**世間的な道徳、キリスト教会の生真面目すぎる倫理と指導を人間的なものではない**と暗に批判しているのです。したがって、痴愚神はまじめな堅物を嫌います。賢人などの堅物はその場の空気を冷たくさせ、人生を墓場のようにしてしまうからです。

神学者、聖職者、哲学者など、もってのほかとされます。彼らは、食事をまずくし、なごやかさをだいなしにし、人生を窮屈で苦しみに満ちたものにしてしまうからです。世間の人から見れば、堅物はそれこそ分別がないふるまいをいばってしてしているのです。

「賢人は古代の書物のなかへ逃げこんで、そこから学びとるものはたんなる屁理屈だけ。愚者のほうは、現実や危険に接していって、…中略…ほんとうの分別というものを身につけます」（渡辺・二宮訳以下同）

痴愚神は、キリスト教の聖職者をあざわらい、特にキリスト教徒は敬虔でなければならないという教えを粉砕します。「敬虔な人々の期待している最高の報賞は、一種の狂気にほかならない」からです。

また、敬虔な教えは、人生を豊かにしないからです。人生を豊かにするのは、人が自然に持っている情動、欲望を抑えつけずに発散し、泣き笑いの日々を送ることなのです。

ふつうの庶民はそのようにしながらも、いばったり、他人より賢いから高い地位につくべきだなどと思ったりしないのです。これこそ、聖書が描く本当の人間の姿だというのです。

「聖書は、賢人がみずからあらゆる人間より優れていると思っているのにたいして、おろかな者は謙譲の美徳を持っていることを認めておりますよ」

痴愚神が見つめる人生はなかなか深いものです。たとえば、次のようにいいます。

「表面には、死と出ていても、なかを見てごらんなさいな、生がはいっていますし、あるいは、その逆です。美が醜を蔽い、富裕は赤貧を、恥辱は栄光を、知識は無知を蔽いかくしているものです。…中略…喜びは悩みを秘め、繁栄は不幸を、友情は憎悪を、薬は毒を匿していますよ」

これこそが人生というものだとし、このような人生の中でいきいきと生きることを痴愚神は応援し、喜ぶのです。たとえば、よぼよぼの老婆が厚化粧をして踊り、恋をし、相手とベッドに入りたがることに喝采を送るのです。

ルネサンス精神の体現者エラスムス vs 宗教改革者ルター

教養の高いエラスムスはカトリック司祭ではあるのですが、不在聖職の禄で生きている人でした。つまり、管轄する地域の教会での仕事はしていないけれどもある程度の義務を果たしていれば給金をもらえるという身分でした。

エラスムスはこの自由さを利用して旅行をして各地の文人、たとえばトマス・モア（本書360頁参照）、ジョン・スケルトン（イングランド王国の桂冠詩人〈王室が最高の詩人に与える称号〉 1460～1529）、ジョン・コレット（イングランド王国の神学者 1467～1519）と知己になったり、自由に書き物をしたりしていました。

その一冊が個人的な楽しみとして1週間で書きあげたという『痴愚神礼讃』です。出版されると大ベストセラーとなり、16世紀の間にヨーロッパ各国で58回も印刷されました。

内容について賛否両論あるものの、たくさん売れたのはエラスムスの描く痴愚神の語ることに賛同する人がやはり多かったからでしょう。

つまり、ルネサンス（14世紀から16世紀の人間性回復運動）の時代にあって、本当に多くの西洋人がそれまでの息苦しいキリスト教神学やキリスト教道徳の締め付けから脱したがっていたのです。また実際に、高位聖職者たちは領主たちのようにふるまい、贅沢な生活に堕落していましたし、そこから発せられる庶民のための規律には宗教生活とは何の関係もないものが多かったのでした。

エラスムスはカトリックの聖職者でしたが、宗教改革の地盤をつくっていたともいえます。著書で教会の規律のくだらなさ、その非人間性を指摘したからです。その思想の影響と名前は全ヨーロッパにおよび、特にスペインでは人気でした。というのも、当時のスペインの知識人の間ではカトリック教会の腐敗を批判しつつ改革を求める声が大きくなっていたからです。

実際にエラスムスは、聖書に立脚して内面を重視するルター（本書429頁参照）の主張に理解を示すばかりか、期待していました。しかし、ルターがローマ・カトリック教会とついに決裂すると、節度と中庸（ちゅうよう）を重んじる性格のエラスムスはルターを批判する本『自由意志論』（1524）を刊行しました。

ルターは、人間は堕落していて神に救われるための意志も能力もないとしました。これに対してエラスムスは、人間は自分の救いのために何もできないほど堕落してはいないと反論したのです。ここに見られるように、それぞれの思想の底にあるのは彼らの人間観なのです。

賢人のつぶやき

人生に執着する理由がない者ほど、人生にしがみつく

『ツァラトゥストラ』

ニーチェ

（原題　Also sprach Zarathustra　1883 ～ 1885）

身体こそ君の根源だ

「人間は、動物と超人とのあいだにかけ渡された一本の綱（つな）である」

「きみの身体のなかには、きみの最善の知恵のなかにあるより、より多くの理性がある」

「過ぎ去ったことどもを救済し、一切の《そうあった》を《そうあることをわたしは欲したのだ！》に根本から造りかえること―これをこそわたしは初めて救済の名で呼びたい！」

（吉沢伝三郎訳）

フリードリッヒ・ヴィルヘルム・ニーチェ
（Friedrich Wilhelm Nietzsche）

1844 ～ 1900　プロイセン王国の小村レッツェン・バイ・リュッケンに生まれる。病気を理由にバーゼル大学古典文献学教授を辞職してから、保養地を旅した在野の哲学者。55歳没。

19世紀ドイツの哲学者の世界的名著!「この人生でよかった!」自己肯定感が上がる1冊

1881年8月、ニーチェがスイスの保養地にある湖の近辺を歩いていたときに天啓のように**「永劫回帰」**の思想（すべてがくり返されるとしても、そのすべてを肯定できるような態度）が到来して、それが『ツァラトゥストラ』の核となりました。

原タイトルをそのまま翻訳すれば「ツァラトゥストラはこう言った」となるこの本は哲学的な物語の形になっていて、10年間山に籠っていた40歳過ぎの主人公のツァラトゥストラが山から下りてきて、人々に**「超人」と「永劫回帰」の生き方を教える**というストーリーです。ツァラトゥストラとは、古代ペルシアのゾロアスター教を創始したゾロアスターのドイツ語読みの名前です。

「神は死んだ!」

ツァラトゥストラのセリフとして**「神は死んだ」**というのが有名ですが、これはこれまでのすべての（権威的な）価値は無になったという意味です。

その場合の価値とは、多くの人が信じてきた価値のことで、その土台となっているのはプラトンの哲学、そしてプラトン哲学（と新プラトン派のプロティノスの哲学）を土台にした民衆版ともいえるキリスト教の考え方のことです。

ただし、ニーチェは感情的にキリスト教を嫌悪しているのではなく、キリスト教の神学が「あの世」といった空想的なものを設定し、その設定から倫理・道徳を生み出していることを批判しているのです。プラトンもまた、真・善・美が住む「イデアの世界」（本書233頁参照）という真実の世界が向こう側にあるという空想を前提にしているので、構造は同じです。

そのような価値観全体から脱しようとツァラトゥストラが主張するのは、**哲学や宗教より以前にある原初的なもの、現実にあるものこそ本当の価値なのではないか**とニーチェが考えるからです。

「身体は大いなる理性である」

その原初的な価値の一つは、わたしたちの身体です。

キリスト教など世間一般の価値観では、身体は精神や霊よりも下位に置かれています。しかしながら、ツァラトゥストラは「身体は大いなる理性である」といいます。

なぜならば、これまで精神とか理性とか呼ばれてきたものもまた、身体が何か行動する場合に用いる道具だからです。これまで精神とか理性とか呼ばれてきたものがいくら働こうとしても現実には何もできません。精神も理性も身体を持っていないからです。

現実において何かを実現させるのはこの身体です。したがって、これまで理性と呼ばれてきたものは、道具の一つとしての小さな理性であり、それを最終的にあつかう大きな理性はこの身体だというのです。

身体は理性であるというこの言い方はもちろん、身体をこそ重視していることを示すための比喩的表現です。このような態度は、理性と意識を絶対化したことで身体をないがしろにしてきた近代の観念的な哲学、特に理性こそすべてであるかのようにみなして、道徳的行為すら理性の命令にしたがうようにと述べたカントの哲学への反旗(はんき)なのです。

この、身体こそ根源だというのが、ニーチェの哲学を建てている太い柱です。ニーチェにとって精神だの理性だのといったものは、あとからひねり出された形のさだまらない観念のたぐいにすぎません。一方、身体こそ、ありありとした現実の生(せい)としてここにあるのです。

さらに、ツァラトゥストラはこういいます。

「きみのもろもろの思想や感情の背後に……中略……一人の強大な命令者、一人の知られざる賢者が立っている――この者が自己と呼ばれる。きみの身体のなかに彼は住んでいる。彼はきみの身体なのだ」(吉川訳以下同)

「そして、この身体は大地の意味について話すのだ」

この場合、身体と「大地」は同義語です。なぜなら、あらゆるものがそこから生まれ育つからです。そしてまた、観念ではなく、現実だからです。したがって、身体も大地もなくして現実の生はありえないのです。ただし、ふつうの人の身体もそのままでは大地のようなものだというわけではありません。なぜならば、ふつうの人は神や精神や理性や霊のほうが高級だとして、身体をないがしろにしているからです。ツァラトゥストラの次の言葉はそういう意味です。

「あくまで大地に忠実であれ、そして、きみたちにもろもろの超地上的な希望について話す者たちの言葉を信ずるな！」

「この人生を何度繰り返してもいい」。そう思えると超人になる！

そして、ツァラトゥストラは超人について語ります。

「超人は大地の意味である」

つまり、超人とは、神、天使、理性、精神、霊、幸運、あの世、輪廻、歴史、などといった非大地的なものを棄てさり、現実の事柄のみを引き受けて生きていく人を指します。

そのような超人は自分のなしたことを後悔するはずもありません。なぜならば、別なふうに行動していればもっとよい結果を得たはずだったのにと考えるのならば、それは超地上的な空想世界に生きることになるからです。

したがって、**超人はいっさいの現実を肯定する人**です。だから、この人生がそっくりそのままくり返される永劫回帰が起きたとしても充分に耐えられる人となります。

というよりもむしろ、そうであったことすべてを、それは自分が欲していたものだと肯定できるのです。

したがって、超人は救われた人でもあるのです。

旅先での数々の短いメモが土台。詩的な哲学表現が小説家たちにも影響

論理をいくつも重ねながら慎重に考察していって結論に導く、というのが一般的な哲学の方法だとすれば、ニーチェは鋭い洞察から得た発見を詩的な言語表現でさしだすという方法をとります。

その洞察は、現実の自然から得られました。自分の不安定な体調を悪化させないために郵便馬車に揺られての保養地への旅とそこでの数カ月の逗留をくり返すという生活をずっと続けながら、自然の中での体験や発想を手近の紙片にメモしておくことから始める執筆スタイルは、自分の頭の中で論理をこねくりまわして書斎で書くという従来の観念哲学者とは真逆のものでした。ニーチェの書いたものに数行だけのアフォリズム（警句）風のものが多いのは、旅先での数々の短いメモが土台になっているからなのです。

好んで訪れていた逗留地の一つスイスのシルス・マリア（標高1800メートル）で散歩をしていたとき、ある岩の前で一種の神秘的な体験をし、そのときに永劫回帰の思想が突然に浮かびあがり、哲学的な寓話『ツァラトゥストラ』を書くことになりました。

ニーチェの哲学は多くの人に影響を与え、特に哲学者のヤスパース、シェーラー、フーコーの他、小説家のトーマス・マン、カフカ、ジッド、カミュ、詩人リルケなど、それぞれの時代をいろどり、今なお古典として残る人々の思想に刺戟をもたらしてきたのです。

賢人のつぶやき

万物は永遠に回帰するのだ

19

『パンセ』

パスカル

(原題　Pensées 1670)

人はすべて中間のみで生きられる

「心情は、理性の知らないそれ自身の道理を持っている」

「二つの行き過ぎ。理性を排除すること、理性しか容認しないこと」

「ピレネー山のこちら側では真理であることが、あちら側では誤りなのだ」

（由木康訳）

ブレーズ・パスカル
(Blaise Pascal)

1623～1662　フランス王国の中部都市クレルモンの徴税官の家に生まれ、家庭で英才教育を受ける。10代で機械式計算機を制作した。数学者、科学者。パスカルの原理とパスカルの定理で世界的に名が知られる。39歳没。

「パスカルの賭け」とは？——天才数学者の珠玉の言葉（フレーズ）が光る思索の書

39歳で亡くなったパスカルが生前に書いていたノートにあった断片の文章をまとめたものが『パンセ』（思想という意味）です。

論拠を示すことなく自分の考えを書き、またキリスト教を擁護（ようご）する論が多いので通常の意味での哲学書とはいいがたいのですが、今なおそれぞれが考えるに値する哲学的洞察（どうさつ）がたっぷりと含まれています。

そして大きな特徴は、**全般において人間の現実性を深く理解し、理性と呼ばれるものよりも心情や人間的な習慣のたいせつさ**を説いているところです。

ここでは、パスカルが人間と世界をどのように見ていたのか、パスカルの洞察にあふれた文章を引用していきます。

「世には証明される事物がいかに少ないことか！……中略……習慣こそ、もっとも有力なもっとも信頼すべき証拠となる。……中略……あすはくるだろう、われわれは死ぬだろうということを、だれが証明したであろうか？……中略……だから、それらをわれわれに信じさせているのは、習慣である」（由木訳以下同）

習慣の他に、心情と想像もわたしたちを実際に動かしています。そういう見方をするパスカルの人間知がどれほど鋭いものかがわかります。

「想像力はすべてを左右する。それは美や正義や幸福をつくる。それはこの世のすべてである」

「神を直感するのは、心情であって、理性ではない。これこそすなわち信仰である。心情に直感される神、理性にではない」

パスカルは、神の存在は論理や知性では証明されない、と考えています。それでもなお、人間は神がいるだろうということを否定できない心情を持つ傾向があるのです。

パスカルは、たとえ、**神が存在していないとしても、神がいると前提して良く生きることに賭**（か）**けるほうがまし**だと考えます。なぜならば、神がいないとわかった場合でも、良く生きたこと自体が結局は自分の得（とく）になるからです。この考え方が、有名な**「パスカルの賭け」**と呼ばれるものです。

「人間には決してわからないことがある」ということをすなおに説く

人間は自分の可能性は無限大と考えがちですが、実際には**人間は両極端の中間にいることでしか生きられないとパスカル**はいいます。

たとえば、人間の感覚は極端なものは知覚しないし、快楽だと感じるようなものであってもあまりに強すぎたり長すぎたりするならば不快になるし、人の話を聞く場合でもそれが短すぎても長すぎても全体が理解しがたくなります。

知るという行為においても事情は同じです。何事かについて確実にその全体を知ってしまうということがわたしたちにはありえないのです。ある程度しか知ることがなく、また、完全に無知だということもないのです。

自分の身体というものが何であるか知らないけれども身体を動かすことができ、精神が何であるかも知りませんが精神の働きを感じています。そういうふうに、人間の生は極端の中間にのみあるわけです。

また、どこかに自然的原理が隠れているのだろうとわたしたちはつい考えがちなのですが、わたしたちが発見して利用しているところの原理とは、わたしたちが自分の生活に習慣づけることのできた原理のみであり、わたしたちの習慣からまったく離れた純粋な原理というものはないのです。

このように、わたしたちが知ったり利用したりできるもののすべては、わたしたち人間の中間的な生き方に合った形でしか存在していないのです。

残された深い思索の痕跡が、後々まで人々の思想に大きな影響を与える

10歳になる前に三角形の内角の和が二直角であることを自力で証明したパスカルは、科学者として世界に大きな貢献をしました。19歳で最初の機械式計算機を発明し、他に「パスカルの定理」「パスカルの三角形」「パスカルの原理」（この気圧原理は現代でもヘクトパスカルという単位とともに役立てられている）の業績を残し、フェルマーの定理で有名なフェルマーとの文通の助けもあって確率論の基礎を考案しました。

社会的には、貧民救済の資金をつくるために乗り合い馬車を考案して会社を創り、１６６２年の春にはパ

りに乗り合い馬車を開通させました。

天才であったパスカルの考え方の特徴は、「人間」「時間」「自然」「存在」「神」といった、ふだんよく口にしたり、身近であったりするものを**「無定義概念」**と見たところです。

つまり、それらはわたしたちにとってまったく何だかわからないものなのです。何だかわからないのだけれども、わたしたちはそれらをいろいろに利用して生きているわけです。むしろ、それらなしでは生きてはいけない。

この、曖昧(あいまい)な、宙ぶらりんの場所に置かれているのが人間です。そうでありながら、人間は自分の日々の生活の仕方によって、定義されないものに自分なりの概念を与えていくことになるのです。

このような状態から静かに人間の不安が生まれてきます。しかも、自分の生き方が多くのことを決定していくのです。パスカルのこういう哲学はまさしく、キルケゴール、ニーチェ、マルセル、ヤスパース、サルトルら実存の哲学のあまりにも早いさきがけとなっているのです。

賢人のつぶやき

人間は〈考える葦(あし)〉である

20
『人間の教育』
フレーベル

（原題 Die Menschenerziehung 1826）

すべての内に神がいる

「人間はたれでも、すでに幼時から、人類の必然的、本質的な一員として、認識され、承認され、かつ保育されるべきである」
「われわれは、われわれやすべての事物が、その地上への現われ方や地上での存在の仕方から見て、生ける神の殿堂であることを、知らなければならない」

（荒井武訳）

フリードリッヒ・ヴィルヘルム・アウグスト・フレーベル
（Friedrich Wilhelm August Fröbel）

1782～1852　神聖ローマ帝国プロイセン王国、テューリンゲン州のオーベルヴァイスバッハ村の牧師の家に生まれる。幼少時代は不遇で、14歳から働き、短期間だけイェーナ大学で哲学を、ゲッティンゲンやベルリンの大学でも学ぶ。スイスの教育実践家で孤児院学長のペスタロッチ（1746～1827）から強い影響を受けて、幼児教育に励む。69歳没。

幼稚園の創始者による「幼時教育思想」！

『人間の教育』は、フレーベルの教育思想に基づいて幼少年の教育の仕方を説いたものです。その思想の特徴は、**すべての事物と人間に神が宿されている**とみなすこと、そしてすべてが動的であり成育していく、という観点です。

フレーベルの思想の根底にあるのは**「万有内在神論（panentheism）」**です。万有内在神論は、**神はいっさいに超越していると同時にいっさいのものに内在している**というものです。そして、神がいっさいの万物よりも大きい。この考え方は、プロイセン王国の哲学者カール・クリスティアン・フリードリッヒ・クラウゼ（1781～1832）がフリーメーソン（16世紀後半あたりから生まれた秘密結社）の思想を助けに打ち出したものでした。

この万有内在神論と似たものとして**「汎神論（pantheism）」**というのが古代からありますが、これは**万物が神**だとするものです。万物と神は同一とされます。したがって汎神論では、神に人格があるとするキリスト教神学のような考え方は認めません。

フレーベルは万有内在神論者ですから、**万物の中に神の永遠の法則があり、それを表現することが使命だと考えます。その手助けをするのが教育だとされます。**だから学校は、**「事物および自己自身の本質や内的な生命を、生徒に認識させ、意識させることを目ざして、努力するところである」**（荒井訳以下同）となります。

教育の一般原則は、追随的(ついずい)・保護的であることとされます。干渉(かんしょう)も命令もしてはならないのです。なぜなら、**子どもの本質は神的なもの**だからです。したがって、植物を育てるときのように、生徒や幼児の自己意識の覚醒(かくせい)を待つ態度がのぞまれます。また、**教える側と生徒の間には善と正義がなければならない**とします。

世界に広まる幼稚園の原型「子どもたちの庭」

神的本質を持っているために幼児は不断に創造をしているという見方から、フレーベルが創案した幼稚園(フレーベルによる造語である原語はKindergarten(キンダーガルテン)。直訳すると「子どもたちの庭」)は遊びや作業を中心にすべきとされ、花壇、菜園、遊びの教材は必ず設置すべきものとされました。庭が必要なのは、「**自然は、見えないが見える神の国**」だからです。これらを実現させたのが1837年にプロイセンにつくられた「一般ドイツ幼稚園」であり、これがのちに世界中に広まることになる幼稚園の原型です。

フレーベルは幼児の遊びは未来の生活の源泉となるものと考え、幼児の発達と理解と創造をうながすものとして、20種類の教材を考案しました。これらの教材は積み木の原型のようなものから折り紙や粘土まであり、それらは幼児の発達に合わせて、認識形式(数量)、生活形式、美の形式(表現や創造)をはぐくむものとなっているのです。

賢人のつぶやき

教育とは、相手に何かを教え込むことではなく、内にあるものを引き出してあげることだ

『権威主義的パーソナリティ』

アドルノ

（原題　The Authoritarian Personality　1950）

難易度 5

やっかいな人々の研究

「基本的に階統的(*)で権威主義的で利己的な親子の依存関係は、性のパートナーや神に対する、権力を志向した利己的な依存的態度へと容易に持ち込まれ、結局のところ、底辺にあると考えられるものは何でも軽蔑し強く拒否することに盲目的にしがみつく以外に何もする余地がないような、政治哲学や社会観を蓄積するのである」

（田中義久・矢沢修次郎・小林修一訳）

＊　上下の秩序関係に位置づけること。

テオドア・ルートヴィッヒ・アドルノ ＝ ヴィーゼングルント
（Theodor Ludwig Adorno-Wiesengrund）

1903 ～ 1969　プロイセン王国のフランクフルト・アム・マインのユダヤ系の裕福なワイン商の家に生まれる。フランクフルト大学で音楽、哲学、心理学、社会学を学び、作曲家を目指した。1933年にナチスが政権を掌握したので、イギリスのオックスフォード、そしてアメリカに渡る。戦後はドイツに戻り、フランクフルト大学社会研究所所長。65歳没。

今こそ読みたい！「強者に盲目的に従い、弱者には容赦なく攻撃する人」の研究

『権威主義的パーソナリティ』は、カリフォルニア大学バークレー校世論研究グループとアドルノとの共同研究の成果です。研究の発端は、なぜこれほどまで多くの人がたんたんとした事務処理をこなすかのようにユダヤ人を殺害することができたのかという疑問でした。そして、広範囲のアメリカ成人２０９９人の被験者についての社会心理学的研究の結果として浮かびあがってきて、発見されたのが**「権威主義的パーソナリティ」**なのです。

この権威主義的パーソナリティについて社会研究所所長マックス・ホルクハイマー（１８９５〜１９７５）が「はじめに」で簡略に述べていますが、そのだいたいをまとめると次のようになります。

「権威主義的人間は、自分の非合理・反合理的な信念を現代の高度に産業化された社会にある手法や観念に結びつけている。また、十分な学歴があったとしてもさまざまな迷信につきまとわれている。他の人たちと自分が一心同体化していないことの恐怖がいつもある。現実の力と権威に対して盲目的に従属しようとする」

ちなみに、この権威主義的パーソナリティを持った人というのは、いばりたがる人のことではなく、**なんらかの権威に価値を置き、その権威に依存的にしたがおうという性向を持った人**のことです。彼らは第二次

世界大戦時にだけ急に増えたわけではなく、はるか昔から、そして現代においてもたくさん見られ、差別や戦争、悪政の隠れた主要な担い手となっています。（もちろん、現代日本にも多数います）

「権威主義的人間になるかどうか」は親との関係で決まる!?

個々のインタビュー調査などによる研究からわかったのは、**家族関係から権威主義的人間が生まれる**ということです。幼少期に親から厳しくしつけられ、抑圧されると、権威への態度が非合理的なものになり、そのあげく服従と反抗の両方に喜びを見出すことでしか自分を保つことができないようなサド・マゾ的な権威主義的人間になるのです。

権威主義的人間は、上位の人間からの指示や命令を受けると、一般的な善悪や正邪の判断より最優先させてしまうのがつねです。彼らは権威ある者に服従しつつ、（自分が判断して）その権威から見て下にあるとみなされる人、自分より弱いとみなす人に対しては攻撃的な態度をとるようになります。

彼らの親にはしばしば忍耐の欠如と偏見が見られ、無力な子どもとしてはそういう親の不興を買うことを恐れるために、パーソナリティ形成の時期にその統合を失うことになります。そして両親の理不尽な態度の中でくり返し体験した道徳的な怒りがあらためて、いっそうの弱者や自分のパートナーに暴力の形で向けられることになるわけです。

要するに権威主義的人間の考え方は単純で柔軟性に欠けているのですが、**本人は自分が考えていること、自分の意見、自分の関心は社会でも常識だと思いこんでいます。**（つまり、自分はきわめてまともだと思っているわけです）そこから容易に、教条主義、ファシズム、因習主義、反ユダヤ主義、自民族中心主義、形式主義、といった性格が生まれてきます。また、権威主義的人間は必ずしも右派的な思想を持っているというわけではなく、政治的立場と強い関連が見られません。

そして彼らは、人々への態度として、道徳的に非難する、なにかと理由をつけて罰したがる、不信と疑いを持つ、犠牲が必要と考える、適者生存をあたりまえとする、自分が知っている誰かを英雄視しやすい、他人を操作できると考える、何事も自分のつごうに合わせる、といった特徴が見られます。

このような権威主義的パーソナリティの対照となる、いわゆるリベラルなパーソナリティの持ち主たち、彼らにひとしく共通しているのは、ためらいや不決断がないこと、合理的に考える能力、共感能力、そして意識的に反権威主義者であることなどです。そういう彼らの根底にあるのは、彼らを育ててきた両親の心の広さと大きな愛情だと指摘されています。

ファシズム的人格の度合いを測る「Fスケール」も開発

多方面に才覚があったアドルノの仕事はその著作だけでも広範囲にわたり、『啓蒙の弁証法』『否定弁証法』『権威主義的パーソナリティ』『ミニマ・モラリア』『新音楽の哲学』『美の理論』というふうに、社会学、哲学、美学、音楽批評にまでまたがって業績を残し、多彩な影響を与えています。

それらの仕事に対して批判もありますが、アドルノは「Fスケール」を開発したことでも名を残しています。これはファシズム的人格の度合いを測るスケールで、その点数が高いほど、権威主義的パーソナリティの度合いが濃い結果になります。

権威主義的パーソナリティを持つ人を判断できる尺度を示したということで、この研究は世界に大きな腹落ちをもたらしました。なぜ戦争や殺戮（さつりく）を引き起こす残酷なナチスに賛同する人が少なくないのか、なぜ反ユダヤ的偏見がこれほどはびこってやまないのか、といった謎に一つの答えを出したからです。

もっとも、この種類の研究にはエーリッヒ・フロム（1900〜1980）という先駆者がいました。フロムはすでにナチスのファシズム台頭を受け入れた中産階級、下層階級の人々の社会心理学的分析を行なっていたからです。そしてフロムはその研究から「社会的性格」という適切で便利な用語を生み出していたのです。

賢人のつぶやき

アウシュヴィッツ以後、詩を書くことは野蛮である

22 『全体性と無限』

エマニュエル・レヴィナス

（原題 Totalité et infini: essai sur l'extériorité 1961）

そこにあるファシズム

「〈他者〉——絶対的に他なるものである〈他者〉——が現前する場である顔…中略…それは私の自由を傷つけるのではなく、私の自由を責任へと呼びかけ、私の自由を創設する」

（藤岡俊博訳）

エマニュエル・レヴィナス
（Emmanuel Lévinas）

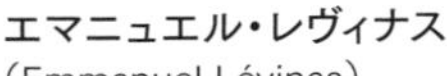

1906～1995　ロシア帝国の北西地方（現リトアニアのカウナス、ユダヤ教聖典のタルムード研究の一中心地）にある文房具・書籍店を営むユダヤ人家庭に生まれる。フランスのストラスブール大学に入り、ドイツに留学。フランスに帰化。第二次世界大戦でドイツ軍の捕虜となる。『全体性と無限』で国家博士号を取得、ソルボンヌ大学などで教える。89歳没。

ホロコーストを生き延びた思想家が辿り着いた「倫理論」！ レヴィナスが説く「顔」とは？

独特の感性と独特の言語表現で書かれているために読みづらく、日本語の翻訳版でゆうに５００頁以上もある『全体性と無限』はレヴィナスの人生体験から生まれたものですが、その中でも第３部の「顔と外部性」の部分がレヴィナスの哲学の特徴を表しているので、ここではその中心点を短く概説することにします。

その前に、東欧に住むユダヤ人であったレヴィナスの哲学を形成した大きな体験は二つの戦争でした。第一次世界大戦が始まってすぐさま一家はウクライナ東部のハリコフに移住、レヴィナスはドストエフスキーを読んで他者への責任という問題を持つようになります。ドイツ語とフランス語を習得するとフランスのストラスブール大学に入り、フッサールとハイデッガーの哲学を知り、ドイツのフライブルクに留学してその二人の授業を受講。

フランスの市民権を得ていたレヴィナスは、第二次世界大戦が始まるとロシア語とドイツ語の通訳兵として召集され、ナチスドイツの捕虜収容所で5年間を過ごして終戦を迎えますが、故郷のカウナスに戻っていた父母と弟二人は軽機関銃で処刑されていました。

このときレヴィナスは、戦争による無数の死のあとにも世界が依然と**「存在」**しているという現実に強い衝撃を覚え、「存在」することの神秘に立ち会ったのです。現実へのこの感覚はレヴィナスにとって、他者の存在、見知らぬ「顔」の存在について考えるきっかけとなっていきます。

「顔」によってもたらされる関係性の本質は「倫理」である

レヴィナスは他者をたんに外の風景の一部のようにみなして、かたづけるようなことはできませんでした。そこに他者がいるという現実から出てきた哲学的問題は、「顔」の他者性、同時にまたファシズムの暴力からの離脱ということでした。もちろん、この場合の「顔」という表現は換喩（かんゆ）（換喩という修辞については本書66頁参照）です。

レヴィナスが「顔」というこの表現を使うとき、それは（自分に対してだしぬけに突きつけられる）他者性ということを意味しているばかりではなく、自分との関係の始まり、他者への責任、神の「顔」というもろもろのことを含んでいます。

「顔」という表現にこだわるのは、彼が聖書研究に熱心なユダヤ人であることから来ています。したがって、その「顔」は聖書の「出エジプト記（脱出の書ともいう）」と「民数記（みんすうき）（荒野の書ともいう）」に記されているあの印象的なフレーズ、「（神の）顔と顔を合わせて」という言い方が土台になっています。

それはこういうシーンです。部族長であるモーゼが幕屋（まくや）（流浪（るろう）の民が用いるテントのこと）に入ると、いつものように雲の柱が下りてきて、幕屋の中に神が現れます。この主（しゅ）とは神のことです。

「主は、顔と顔を合わせ、友と語るときのように、モーゼに語りかけられた」（フェデリコ・バルバロ訳）

一方、「民数記」のほうの叙述では、神は幕屋の入口に立ち、アロンとミリアムを呼びつけ、だいたい次のように言います。

「おまえたちの中に預言者がいるならば、私は自分の姿を幻として見せ、夢の中でその者に語るのがつねだ。しかし、私の僕(しもべ)であるモーゼにはそのようにはしない。モーゼを私の家の者（神の家の者）と決めているから、モーゼにだけは直接に顔と顔を合わせ、謎めかさずに、はっきりと語る。だから、モーゼは私の姿を見ているのだ」

ユダヤ教徒たちに強い印象を残すこの記述を背景にしてレヴィナスがこの本で使っている「顔」とは、重層的な意味を持った換喩なのですから、「顔」は次のようにたくさんの意味をあわせ持つことになります。見知らぬものでしかない顔。他者性だけの存在。自分にとって恐ろしいもの。わけのわからないもの。すでにそこにある異質なもの。敵兵の顔。避けることのできない顔。同化不能に見えるもの。それでもなお関係しなければならないもの。

このように列挙すると、「顔」は否定されるべきものでしかないように見えますが、いくら観念で否定しようとも現実に存在するのですから避けようのないものであり、見た瞬間から自分がかかわってしまったものなのです。なぜなら、見たことによってすでにコミュニケーションが始まったからです。そして、たとえば眼前の「顔」が泣いたとき、そのことに自分が責任を負うのです。

その泣いている「顔」の人が敵兵であっても、政治的に敵に属していることがその「顔」を別なものにしてしまうことはありません。現実に人間の「顔」が涙にぬれているのです。そこにこそ、かかわりや愛が生まれるのです。それこそが本当の倫理だとレヴィナスはいいます。カントがいう理性の要求にしたがうことが人の倫理ではないのです。

暴力を導く「全体性」に対抗するための「無限」という概念

そして**眼前の個々の「顔」に対して自分が個人的にかかわることによって、「私」は「全体性」からまぬがれ、個々の「顔」の個性から生じてくるかかわりの「無限」へと向かうことが可能になる**のです。

しかし「私」が他人をその属性などで判断し、その属性のちがいで自分の対応を機械的に変えていくという態度（要するに、人をモノのようにあつかって、ノウハウで一律に処理することを当然とする態度）をとるならば、「私」はすっかり「全体性」にとりこまれているということになります。

本書のタイトルとなっている「全体性」とはすなわち、思考や態度を決めつけようとする鋳型（いがた）のこと、個々の差異を一つの乱暴なまとまりの中に押しこめてしまうことを指しているのであり、それが政治面で表れているならば、ファシズム（全体主義）と呼ばれ、宗教面で表れているならば、ドグマ（人を心理的に縛る教義や教理のこと。キリスト教神学が「最後の審判」という名称で世界を完結した全体と決めつけたのもこれに含まれる）と呼ばれ、言語や信条、思想、血統の面で表れているならば、民族主義と呼ばれます。

また、そういった「全体性」からまぬがれて「無限」へと向かうという意味は、現実にあるささやかな差異に対して異なった対応をするという無限の自由へと向かうという意味になります。

レヴィナスのこういった感性は、ブーバーの感性と同種のものといえるでしょう。

政治以外の「日常にあるファシズム」をえぐりだす

このようにみてくると、『全体性と無限』というタイトルにある「全体性」とは、広い意味でのファシズムの言い換えだとわかります。

一方、**「無限」とは、そのファシズムから離別していくこと**を意味します。ただし、レヴィナスがいうファシズムとは政治的ファシズムのことだけを指しているわけではありません。

すべてに通じる「統一原理」を求めようという姿勢もファシズムにほかなりません。つまり、プラトンから始まったこれまで多くの西洋哲学が目指してきた統一原理への探求も、一種のファシズム的態度であろうとレヴィナスは指摘しているのです。もちろん、壮大に体系化された哲学理論（たとえば、ヘーゲル哲学など）も思考のファシズムでしかありません。

西洋哲学が設定しようとしてきた「理性」でさえ、いったん理性とはこれこれこういうものだと決めつけられることになれば、その決めつけはすぐさま抑圧的になって、他の人の別の考えを根こそぎ引き抜いてしまうものだからです。

かつてカントは、倫理は理性から生まれてくるとしましたが、レヴィナスにとって倫理は（その内容が決めつけられた）理性から出てくるものでは絶対にありません。そうではなく、**現実の生、自分の眼前の生活における他者とのかかわりから生まれてくるもの**なのです。

その倫理は、説明して誰もが理解できるような整然としたものではなく、倫理と名づけられる前の個々の人生の倫理というしかないようなものなのです。

つまりレヴィナスは、整然と文章化され多くの人に認められておおやけの原理のようなものになってしまった倫理などではなく、そのはるか手前の、わたしたちの日々の個人的でしかない体験で感じるところの倫理、素朴で人間的な倫理こそ本当の倫理なのだとし、それがどのように生まれてくるのかということを描いたのです。

レヴィナスの哲学はデリダをはじめとするフランスの哲学者に影響を与え、倫理についての思考に新しいものを与え、他者論についても強い影響を与えました。

ちなみに、サルトルの有名な言葉に**「地獄とは他人のことだ」**というものがありますが、これはサルトルが互いによく知っていたレヴィナスの書物を熱心に読んでいたことから生まれたのではないかと推察されています。ただし、レヴィナスの『全体性と無限』にあっては、他人こそ「私」の倫理を引き出してくれるものなのです。

賢人のつぶやき

顔への接近は、ただちに倫理的なものになる

『人間の尊厳について』

ピコ

（原題　Oratio De Dignitate hominis　1486）

自由意志の発揮こそ尊厳だ

「われわれは父(*)のもつとも厚意のこもつたおくりものである、意志の自由を濫用(らんよう)しないようにしましょう」

「もしわれわれが道徳哲學に正しく助言を求めるならば、われわれは心情の安静と待望の永久平和に達するでしよう」

（植田敏郎訳）

＊　創造神を指すキリスト教的表現。

ジョヴァンニ・ピコ・デラ・ミランドラ
（Giovanni Pico della Mirandola）

1463 ～ 1494　現在の北イタリアのミランドラの領主ピコ家に生まれる。イタリア、フランスの４つの大学で学び、さらにパリ大学神学部でも学んだ。当時の知識人、哲学者たちと親交を結び、メディチ家に庇護された。31歳没。

公開討論会用の演説原稿。異端と判断され討論会は中止に！議論を巻き起こした「ヒューマニズム」の先駆け的内容

翻訳で70頁ほどしかない『人間の尊厳について』は、**ピコが企画したローマでの哲学と神学の討論会で読みあげるための原稿**であり、もともとタイトルは何もつけられていませんでした。

この短い文章に書かれていることは3つあり、その3点は、**①人間が動物と異なっているのは「自由意志」があること、②宗教を超えて古今東西の哲学思想が人間に役立つこと、③新しい「魔術」もまた役立つだろうということ**、です。

ただし、ここでピコがいうところの新しい「魔術」とは、要するに科学的技術のことです。このルネサンスの時代は新しい技術や新しい科学的知見が見いだされ始める時代だったのです。

さて、討論会で読み上げたときに、当時のキリスト教関係者をもっとも怒らせたのは、この原稿の最初の部分にある「人間には自由意志がある」というピコの見解でした。

『聖書』の「創世記（そうせいき）」には「人間は神の似姿として創られた」と記されていますが、これはその形において神と人間は似ていると理解するのがふつうでした。しかしピコは、別の意味で解釈したのです。その解釈は次のようなものです。

「神は、人間を、どういう制限にも束縛（そくばく）されないようにした。人間は人間の意志において自由である。人間

は、自分の理解によって物事を創造、形成できるようにした。人間は自分の本質をも創造できるのだ。人間は堕落して猛獣になることもできる。人間はみずからの名誉と意志で決定し、神の国に再生することもできるようにした」

つまり、**人間の自由なる意志の発揮こそが人間の尊厳であると**ピコは主張したのです。これは「人文主義」（人間存在についての探求）についての哲学的な主張でもあったわけですが、世界はすべて神によって決定されていると信じる教会関係者にとってはキリスト教が禁じている異端の説にしか映りませんでした。そして結果的に、ピコはすぐさま逮捕されたのです。

自由な哲学への苦しみ

15歳でボローニャ大学に入って法律を学び、パドヴァ大学などで教会法を学んだのちになおもフランスなどで学び、ギリシア語、ヘブライ語やアラビア語までも習得したピコがフィレンツェに赴いたのは、自由で有名な人文主義者や哲学者たちがたくさん集まっていたからでした。ピコと同時代の人としてもっとも有名なのは、芸術家レオナルド・ダ・ヴィンチでしょう。つまり、この時代のイタリアは「ルネサンス」の真っただ中にありました。

ルネサンスとはフランス語で「再生」とか「復活」という意味で、これは古代のギリシアとローマの文化を復興しようと14世紀から16世紀までイタリアを中心にしてヨーロッパへと広まっていった文化運動のことです。プラトンやアリストテレスなど古代ギリシア哲学に回帰してもう一度意味を考えなおそうとすることは、キリスト教会に属する学者たちのスコラ哲学への対抗であり、哲学がいかめしく重苦しい神学から解放されるほうに向かうことを意味していました。ピコもプラトン学派でした。

自分の自由な考えをローマでの知識人たちによる公開の討論会で明らかにした24歳のピコは、イスラム教圏やユダヤ教の哲学の利点をも取り入れるという姿勢の点で有力な聖職者とローマ教皇から強く批判され、続けるはずだった討論会が止められました。彼はフランスへと逃亡しましたがついに逮捕され、当時のフィレンツェの実質的統治者であったロレンツォ・デ・メディチ（1449〜1492）の努力で釈放されました。

この事件は中世のキリスト教神学に基づく教会が自由な思考による哲学をいかに圧していたかを示していると同時に、この若い知識人ピコが当時としては革新的な勇気を持った人物であったことをも示しています。

賢人のつぶやき

人間のみが獣にも神的なものにもなる

『実存主義とは何か』

サルトル

(原題　L'Existentialisme est un humanisme 1946)

自由はしんどい

「人間は何よりも先に、みずからかくあろうと投企（とうき）したところのものになるのである。みずからかくあろうと意志したもの、ではない」

「たとえ選ばなくてもやはり選んでいるのだということを知らなければならない」

「人間的世界、人間的主体性の世界以外に世界はない」

（伊吹武彦訳）

ジャン＝ポール・シャルル・エマール・サルトル
（Jean-Paul Charles Aymard Sartre）

1905～1980　フランスのパリ生まれ。小説家、劇作家、哲学者、政治活動家。小説『嘔吐』、哲学書『存在と無』など多作。ノーベル文学賞の受賞を辞退した。74歳没。

若者が熱狂！　時代の寵児・サルトルの「実存主義」入門書

「実存哲学」という言い方を使ったのはドイツの哲学者ヤスパースの『現代の精神的状況』（1931）が最初なのですが、1945年からはサルトルの「実存主義」という言い方がヨーロッパ諸国で流行となり、1965年あたりまで続きました。

流行の理由は、第二次世界大戦が終わった解放感による自由を求める気風、それまでの価値観の崩壊、多くの人が今後の指針を失っていたことなどだと思われます。

さらに、多方面の分野で活躍していたサルトルのコピーライター的表現が、いかにも若い人たちのこれからの不安と輝かしさを象徴していたかのように響いたのでしょう。もちろん、スノッブな匂いのする流行でしたから、若者たちがサルトルの用語や思想を十分に理解していたわけではありませんでした。

しかし、換喩（本書66頁参照）を効果的に使ったサルトルの言い回しは確かに彼の実存主義の内容をそのまま表現しているものが多いので、ここではそのいくつかを紹介して内容のあらましとしてみます。なお、『実存主義とは何か』は1945年にパリのクラブで行なわれた講演をもとに翌年に書籍となったものです。

「実存は本質に先立つ」（伊吹訳以下同）

……実存とは、人間の現実のあり方を指します。ここでの**「本質」**とは、何か（たとえばペーパーナイフ）を制作するときの意図と目的、もしくは制作されたものの主な**「目的機能」**のことです。この意味での本質が人間にはありません。しかし、サルトルのいう実存とは、むしろ人間がみずから選択する主体性のことを表現していることが多くなっています。

「人間はみずからがつくったところのものになる」

……自分がどういう人間であるかはあらかじめ決められていないのですから、人は自分の行動の選択のたびに自分自身を決定づけていくことになります。それがまさしく、みずからを創ることなのです。しかし、そこには絶えず不安がつきまとい、その不安もまた行動の中に含まれています。そうして、**「人間はおのれの運命の主人」**となります。

「人間は自由の刑に処されている」

……人間は、自分の行動によって自分を創る自由を持っています。しかし、何も行動しないことは無にならず、行動しないこともまた、**行動しないという選択の行動をしていることになり、それもまた行動と同じく自分が責任を負わなければなりません。**こういう自由はまさに刑のようですが、誰もここから逃げることはできないのです。

一大ブームとなった「実存主義」

サルトルの実存主義ブームは、パリ6区のサン＝ジェルマン＝デ＝プレ広場のカフェ界隈(かいわい)でだらしなく遊び暮らす若者をつくりだしました。彼らはサルトルの言葉のいくつかを知っているだけで自分を実存主義者だとみなしていました。それが文化的でカッコいいことだとされるほどの流行になったのです。サルトルの分厚い『存在と無』（1943）など読んでいない若者にサルトルが愛好されたのは戯曲『蠅(はえ)』（1943）の上演や小説『嘔吐(おうと)』（1938）があったからであり、同時代のカミュ（1913〜1960　カミュも実存主義者とみなされていたが、本人は否定している）の有名な小説『異邦人』（1942）が広く読まれていたことも影響していました。

また、サルトルとボーヴォワール女史の相手を束縛(そくばく)しない自由な恋愛、ホテルに住み、老舗(しにせ)のカフェ・ド・フロールで原稿書きをしつつ若者たちと議論をするサルトルの姿も人々の眼には新しい文化現象として映ったのです。実際、サルトルは「サン＝ジェルマン＝デ＝プレの法王」と呼ばれていたほどでした。

若者たちは、「人間は未来を選ぶことができる」というサルトルの言葉によって、新しい時代から自分たちが認められたと思いこみ、わくわくとした雰囲気に酔っていたのであり、派手な文化人であったサルトルに憧れてもいたのです。そして、1980年のサルトルの葬儀には5万人が集まりました。要するに、サルトルの実存主義はわかりやすくポップな無神論思想としてもてはやされたわけです。

賢人のつぶやき

不安はわれわれを行動からへだてるカーテンではなく、行動そのものの一部

『存在と所有』

ガブリエル・マルセル

（原題　Être et avoir　1935）

わたしたちは溶けあっている

「私が自分自身として意識をもつときには、すでに他人がそこにいる」

「瞑想が、存在との接触をとりもどす」

「所有するということは、ほとんど不可避的に、所有されることである」

（山本信訳）

ガブリエル・マルセル
（Gabriel Marcel）

1889 ～ 1973　フランスのパリ生まれ。ユダヤ系の教養ある家庭に育ち、第一次世界大戦時のフランス赤十字の奉仕活動を契機に哲学的思索を始め、39歳でカトリックに改宗する。劇作家、作曲家であり、パリやモンペリエの大学でも教える。1948年にアカデミー・フランセーズ文学大賞受賞。エラスムス賞受賞。83歳没。

「私とは私の身体である」
——人間が今、ここに存在していることの神秘にふれる哲学

マルセルの主著『存在と所有』は、「第一部 存在と所有、第二部 信仰と現実」という構成になっていますが、第一部の最初の「形而上学日記」にマルセルの思想が凝集されているので、ここではその「形而上学日記」を中心として説明します。

主題となっているのは、**「存在の神秘」**についてです。**わたしたちが今ここに生きていること、存在していること自体がある種の神秘**だというのです。そのことがまざまざとわかってくるのは、所有について考えをめぐらすときです。

わたしたちはふつうに、何かを「所有している」といいます。それは自分のものですから、どのように処理してもかまわないとふつうは思われます。では、**自分の身体は自分の所有物であるから勝手に処理できるのでしょうか**。たとえば、自殺です。しかし自殺をすれば、自分の身体を所有する自分がいなくなってしまいます。

もし本当に身体が自分の所有物であるならば、それは自と他の関係ですから、自分と身体が異なったものだということになります。しかし、自分の視界が自分の身体の器官から生まれているように、自分の五官や、自分が自分であるという感覚はすべて自分の身体のありように立脚しています。

なぜならば、**「私とは私の身体である」**からです。精神的な「私」という特別なものが、この身体とは別

の場所に存在するわけではないのです。それと同じ意味で、**私とつながりのある人もまた私の身体だし、自分が使っている物も私の身体**なのです。

いい換えれば、私は自分という生命だけを生きているのではない。また私の生の根拠(こんきょ)が私自身にはなく、人や物とのかかわりを生きているから今の私が存在しているのです。

他人を「モノ」のように扱っていないか

他人との関係も同じです。たとえば従業員を自分が持っている安い道具としてしか見ない経営者が従業員との間に溝(みぞ)をつくるように、人間関係がいつも主客や所有、取り引きといった関係であるならば、ずっと対立状態のままです。ところが、そこに愛のはからいがあるならば、自他の冷然(れいぜん)とした区別は消えてしまいます。マルセルは、愛の力が存在の神秘へと引きこむことをこう表現しています。

「愛は、こうした自己と他者との対立を超え、われわれを存在のただなかに立たせる」(山本訳以下同)

しかし愛もなく、どんなことも客観化して考える、あるいはまた事実を分析するという論理的思考を人間関係に持ちこむならば、わたしたちの現実を欲望や所有、格づけなどの怪物しか住んでいないような砂漠にしてしまうのです。マルセルは次のように書いて、現代人の態度を批判しています。

「現前しているもの、それは、どんな程度にせよ私が自由に処理できるものでなく、私が持つものではない。ところがそれを対象物にかえてしまったり、私自身の一面としてとりあつかったりする傾向が、いつも見られる」

瞑想から生まれてきた哲学

作曲や劇作などの芸術家でもあったマルセルは、**創造が行なわれるところでは自己は消える**、とも書いています。いやいやながらの作業ではなく創造が行なわれるとき、あらゆる人と物が眼前に集結し、自我のある「私」は消えてしまうというのです。

その溶けあいがあるからこそ、創造は可能となります。この創造は芸術の制作に限られるわけではありません。自分以外の人とのおざなりではない真の対話も含まれます。それは同時代のブーバー（本書134頁参照）が指摘していたことと同じです。

さて、マルセルは自分のこういった思索を生み出したのは瞑想だと明かしています。そのため、哲学は精確な論理思考や分析を使って行なわれなければならないとする多くの学者たちは、マルセルをたんなる宗教的な思想家の一人として隅にかたづけてしまっているようです。

しかしながら、瞑想の体験者ならば誰もが体感しているように、瞑想状態に入れば自己はすぐさま消え、周囲のものが新しい意味をともなって輝くように立ち現れてきます。それはふだんの現実よりもリアルな状況です。ところがこれを、瞑想を知らないふつうの人たちは安易に神秘と呼び、非現実的なものとみなすのです。

しかし、瞑想の人としてのマルセル（彼に影響を与えたブーバーの場合も同じく瞑想にふけっていましたが）にとっての神秘とは、自分と自分がかかわりを持つ人や物との間で生まれてくるものを指します。つまり、この生のほうこそ神秘にほかならない、と著書の全体を通じてマルセルは述べているのです。

日常の言葉で哲学を楽しむ「新ソクラテス主義」

マルセルは「実存主義」の哲学者に入れられていますが、マルセルの哲学がキリスト教的だとみなされていたからでしょう、他の哲学者よりも目立つということはありませんでした。

そして、「存在」の問題をあつかっているということではハイデッガーと同じように見えるのですが、マルセルが描くのは**生身の人間存在のありかた**です。一方、「現存在」と名づけてハイデッガーが描く人間存在はあまりに観念的な存在となっていて、生身の人間らしくないともいえます。

折にふれての日記やメモのようにぽつぽつと書いていくマルセルのスタイルは、もちろん学術的な論文の形式からは遠く離れたものです。かつ、先行の思想や論理に少しもたよることなく、いつもそのつどの自分のプライベートな生活と実感から生まれる思考の仕方は、それゆえにまったくのオリジナルです。それなのに、マルセルの思考の軌跡(きせき)はそれ自体で自立した哲学となっているのです。

マルセルはそのことを十分に自覚していて、自分の思考の仕方を「新ソクラテス主義」と呼んでいました。そういうマルセル独自の思索のスタイルこそ**哲学する人の本来の姿だ**とみなして、マルセルに賛同する人は世界に少なくないのです。

『自殺論』
エミール・デュルケーム

（原題　Le suicide　1897）

自殺とは怒りの表現である

「なんであれ、均衡が破壊されると、たとえそこから大いに豊かな生活が生まれ、また一般の活動力が高められるときでも、自殺は促進される」

「生きるという傾向は他のすべての傾向の総体であるから、もし他の諸傾向が弱まれば、生きるという傾向も弱まらざるをえない」

（宮島喬訳）

エミール・デュルケーム
（Émile Durkheim）

1858 ～ 1917　第二帝政期フランスのエピナル市のフランス系ユダヤ人の家に生まれる。ラビ（ユダヤ教の律法学者）の家系。パリのリセで学び、高等師範学校では哲学と史学を専攻した。フランス語の他にヘブライ語、ギリシア語、ラテン語、ドイツ語、英語に堪能。ドイツに留学後、ボルドー大学正教授をへて、パリ大学正教授。59歳没。

人はどうして自殺するのか？　自殺問題を初めて社会学的に解明した意欲作！

デュルケームは19世紀後半のヨーロッパでの自殺について統計を用いて分析し、『自殺論』にまとめました。（デュルケームは自殺を次のように規定しています。「死が当人自身によってなされた積極的、消極的な行為から直接、間接に生じる結果であり、しかも、当人がその結果の生じうることを予知していた場合を、すべて自殺と名づける」〈宮島訳〉）

本書でデュルケームは自殺を次の三つに大別しています。

〈自己本位的自殺〉〈集団本位的自殺〉〈アノミー的自殺〉

「自己本位的自殺」とは、農村よりも都会に住む人に多く見られるように、個人主義の拡大につれて孤立状態が大きくなって集団との結びつきが弱まっていき、そこから生まれてくる孤独感、焦燥感、虚無感、静かな絶望にせまられての自殺です。

それとは逆に、自分が属している集団社会に強い服従、つまり一体感や帰属意識などを求められるような状況に置かれているならば、個人主義の傾向は弱まります。しかし、あまりにも強く集団社会の中に統合されすぎ自己が没してしまっている場合も自殺は多くなり、これが**「集団本位的自殺」**です。たとえば、一般人より軍人（特に戦闘部隊の兵士）のほうが自殺率は高く、しかもこの自殺は伝染するのです。

「アノミー的自殺」というのは、デュルケームがこの本で用いた新しい社会学用語の概念です。アノミー

(anomie)とはギリシア語のアノミアー(無法律状態、神の法の無視)から来ている言葉で、**「共通の道徳的規範が失われた混乱状態」**という意味で使われます。

ですからアノミー的自殺とは、社会的、あるいは道徳的に、もしくはその二つが複合された無規制ゆえに肥大してしまった欲望がそれを充足させるための手段を失い、欲望が満たされなくなったときに起こる焦燥感や怒り、幻滅(げんめつ)が動機となります。このため、時代が好景気であるほど欲望が大きくなるため経営者のアノミー的自殺が増えます。あるいはまた、シェイクスピアの戯曲『ロミオとジュリエット』の二人の死を含め、一般的に情死はこのアノミー的自殺とみなされることになります。

自殺をしない人の条件とは?

自殺を三つに分類していますが、ある一つの自殺がこれら三つのタイプのいずれかに必ずぴったりとあてはまるというのではなく、そのうちの二つのタイプが複合された場合もふつうにあるわけです。

では、自殺しないためにはどのような状態と状況が必要なのか。各個人としては、**社会共通の大義と自分が結びついているという感覚、他人と自分との間に感情も含めて交流があるという感覚、自分は孤絶していないし、たんなる道具などでもないという感覚があることが必要**です。同時にまた、属している社会にいちじるしい道徳的、あるいは経済的混乱がないこと、極端に厳しくないこと、反対にどんな野放図(のぼうず)さも許されているような状態ではないこと、ある程度の道徳が共有されていること、などが条件となります。

とはいうものの、道徳などというのは実はあやふやなもので、たとえば物事の善悪一つをとってみても、その物事が悪いから非難されているように見えはするものの、実際には多くの人がそれを非難するから悪い物事だとみなされる、という関係があることをデュルケームは指摘しています。

批判は多くても、社会学の重要な一冊に

デュルケームは当時から社会学者として有名であり、「社会実在論」者の一人とされています。この社会実在論とは、社会が個人に先行し、社会的事実が個人の意識や生活、その自由や主体性までをも左右し、拘束(こうそく)するという立場です。

しかし社会のなにもかもが個人を圧迫し、個人を形成する力を持っているというわけではなく、その個人が社会からある程度の距離をとることができれば、社会からの影響は少なくなるのは当然のことです。

『自殺論』は社会学で重要な一冊となっていますが、多くの自殺未遂をカウントしていないという点を批判するイギリスの社会学者アンソニー・ギデンズ（1938〜）もいます。（また、カトリックやユダヤ教など宗教的理由と葬儀の不名誉な問題を回避するために、自殺を事故だとして処理する場合も見られます）

調査された自殺数の精度はともかく、『自殺論』が現代に生きるわたしたちに今なお役立つのは、**自殺の動機を抽出すると、要するに混乱に対する「怒り」であることを明確にした**ことではないでしょうか。そしてまた、後半に描かれているデュルケームの人間観だと思われます。

そこに書かれているのは、人間は社会においても心理においても、ある程度の均衡(きんこう)の幅の中にいてこそ生きられるということだからです。これはパスカルの考え方とほぼ同じです。

『ディスタンクシオン』

ピエール・ブルデュー

（原題　La Distinction　1979）

上流階級に根拠などない

「家庭と学校とはたがいに切り離せないかたちで、その時代のある時点で必要と判断された能力がまさにそれらの能力を使用してゆくなかで形成されてくる場所として、またこれらの能力の価格が形成されてくる場所として、機能する」

（石井洋二郎訳）

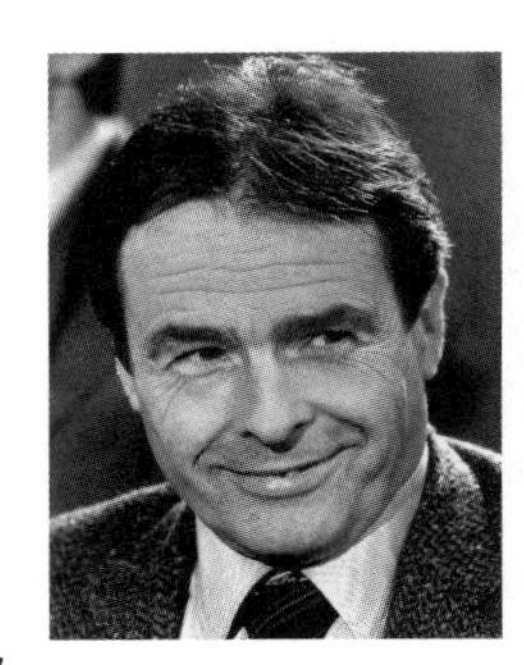

ピエール・ブルデュー
（Pierre Bourdieu）

1930～2002　スペインに近い南フランスのピレネー＝アトランティック県のダンガン村の生まれ。リセで哲学を学び、哲学教授資格を取得。アルジェリアのアルジェ大学助手、コレージュ・ド・フランス教授。反グローバリズム、反新自由主義の立場で、集会参加やデモ演説などの政治活動を行なう。著書『世界の悲惨』はベストセラーとなり、演劇化された。71歳没。

なぜ階級や格差は生まれ、存続するのか 20世紀でもっとも重要な「社会学の書」

翻訳書で1000頁近い厚さがあり、難しい言い回しや長文が多いという特徴を持つ『ディスタンクシオン』のタイトルは原文のフランス語でdistinctionですが、これは**「差別、区別、差異」**という意味がある他、しばしば「卓越性」や「優越性」という意味でも使われています。この本でのディスタンクシオンとは、**階級差**のことを指しています。

階級差とは社会階級の「差」のことですが、具体的にそれぞれの階級に属する人々の行動の仕方や生き方、趣味嗜好（しゅみしこう）や感性の明らかなちがいを指します。この本では特に**現代フランスの階級的な格差社会において人がどのようにそれらの点について互いに区別され、また区別しあっているのか**について、調査に基づいて述べられています。

「趣味」と「階級」の意外な関係

社会には権力や正統性というものが存在しており、それにともなった独特な力関係、人間関係、生活、趣味嗜好、などがあるのは誰もが認めているところです。それらは「文化」とも呼ばれています。そして、わたしたちは文化というものがなんとなく自分とは直接的には関係がなく、かつまた時代を超えて昔からそのままの形で存在しているものだと考えがちなのです。（たとえば日本人ならば、「日本文化の伝統」が今もかつてもあると考えます。「無形文化財」という発想も同じです）

しかし、ブルデューは調査によって、**その文化とその価値はその社会が形成しているのだということ、そして文化は人間の階級をつくっている、つまり各人を区別化、差別化する作用をもたらしている**ということを明らかにしたのです。

異なった階級の人々の行動や趣味・嗜好にはちがいが見られます。そのちがいはそれぞれ個人の好みや自由な意志によるものであるように見えます。しかし、**行動習慣、配偶者選びにおいてさえも、調査してみると明らかに階級ごとに独特な傾向が見られる**のです。

音楽の趣味ならば、上流階級はドビュッシーなどの官能的なクラシックを好みます。その上流階級に仕える人々で、これまで努力によって昇格してきた中間階級ならば生真面目（きまじめ）な感じのバッハを好む傾向があります。下層階級はポップスを好み、クラシックを聴くならば大衆受けのする「美しき青きドナウ」などを好みます。上流は乗馬やゴルフに興じ、絵画をコレクションし、シャンパンを飲みます。下層の人は仕事が終わると仲間とビールを飲みながらテレビでサッカー観戦をし、明日の釣りの準備をします。家具は、上流階級のおおかたは骨董品店で買い、中間階級から下の階級では家具専門店で買う割合が多くなります。

これら趣味・嗜好や生活の文化慣習をブルデューはハビトゥス（habitus）と名づけました。ハビトゥスとは自分が属している階級や集団に固有の性向・趣味や嗜好・判断・行動図式のことです。このハビトゥスによって、別の階級からおのずと区別化（あるいは差別化）されるのです。

趣味・嗜好は、他とはちがっているということの肯定であり、それは同時に別の階級に対しての「卓越化」を意味しています。つまり、自分たちのほうがはるかにましだというわけです。したがって、好き嫌いの判断とは、たんに好みのちがいにとどまらず、自分が属しているハビトゥスを他人に押しつけることでもあるのです。

「相続される」のは経済的な財産だけではない

このハビトゥスがどこから得られるかというと、家庭と学校での教育においてです。しかし、学校教育が人を平均化し、階級の差を完全にシャッフルしてしまえるわけではなく、いくら学校で文化や教養を吸収しようとも、たとえば上流に属する貴族が幼い頃からの環境で身につけた文化的な趣味・嗜好に感性の点からかなうわけではないのです。

学ばれたものと自然に育てられてきたものとは根本からちがうのです。別の言い方をすれば、相続資本のほうが獲得資本よりまさっているということです。こうして上流階級はいつまでも上流でいられるわけです。

上流の人々は、いわば身体化された（無形の）「文化資本」をあらかじめ持っているのです。それは、学ばれた文化資本をはるかに超える量です。そしてこの文化資本によって経済的に有利な位置につき、社会の上流階級に立つのです。これはあからさまには見えない支配の権力を手にしているということです。

ところが、上流階級が上流であるのは正統性を多く持っているからということですが、この正統性が正統であることに根拠も基準もないのです。上品なふるまいがなぜ上品だとされるのか誰も知らないということと同じです。

つまり、上流の人々は正統性をたんに押しつけているわけです。何のためにか。差異をつけ、自分たちのほうが卓越しているということを示すためです。こうすることで社会の階層が生まれ、人々の間に上下が生まれてしまうのです。つまり、正統性の有無、上流と下流の断絶的なちがいなど、そういったヒエラルキーはたんなる社会的な記号にすぎないではないかとブルデューは批判しているわけです。

理由なき差別に「NO」をつきつける

ブルデューの仕事は一般的には社会学とされているものの、人間社会の中にある構造を明らかにし、ハビトゥスが社会の関係性の中で意味を持つというふうにとらえたのですから、その手法はレヴィ＝ストロースの手法と同じ哲学的な構造主義だといえます。

そしてブルデューによって暴露された社会的階級の無根拠の構造や、文化が社会的に構築されたものにすぎないといった事実は、なにも当時のフランスだけに見出されるものではありません。その意味で『ディスタンクシオン』は今なお重要な研究書となっているし、差別に満ちたこの社会に鋭いＮＯをつきつけるものとなっています。

賢人のつぶやき

男性上位は、集合的無意識にあまりに根付いているため、もはや目にすることさえできない

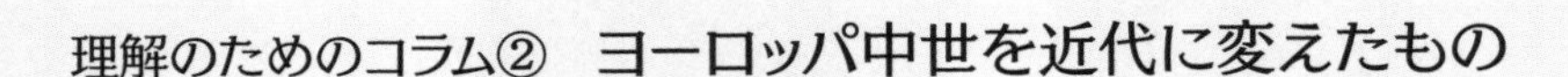

理解のためのコラム② ヨーロッパ中世を近代に変えたもの

ヨーロッパの中世の時代が近代になったのは、為政者や王たちの考え方と行動が14世紀以降に急に変わったからではありません。それまで西洋になかったものが現れて、人々の生活、価値観、考え方を大きく変えたからです。

それは、火薬、活版印刷術、羅針盤の発明と利用でした。もちろん、これらはもっと古くから中国で発明されていたのですが、それが改良されて実用化されたのです。

14世紀前半に、火薬を使った大砲が生まれたことによって、軍事に革命がもたらされ、戦争の方法と戦闘要員の質が大きく変わりました。つまり、棍棒や剣で相手と戦っていた騎士が不要になってきたのです。

そもそも体格に恵まれた、ならず者集団のような騎士になるためには武術や馬に乗る訓練など長い時間が必要だったのですが、大砲を使えば最小限の訓練をした人でも戦争ができるようになったのです。こうして封建領主がいくら多くの騎士を雇っていたところで戦いには容易に勝てなくなり、封建領主が弱体化しました。

15世紀半ばの印刷の技術は、聖職者以外の人が聖書を読めるようになることを助けました。それは、これまでキリスト教会が教えていたことの多くが聖書には記されていないということを知らしめました。その結果として、反カトリック教会の考え方が力をつけ、教会の権力が弱まりました。その分だけ、王権が強くなりました。

15世紀からの羅針盤と快速帆船の実用化はそれまでよりはるかに遠くの地への航海を可能にし、アジア各地の金銀や特産品などを持ち帰って富を増やすのを助けました。これは王家の財政をさらに豊かにしました。

要するに、これら３つの発明と実用化はどれもこれも王を豊かにし、結果的に王権を強化したのです。そうして専制君主が登場しやすくなりました。

これが、中世という時代、つまり慣習と宗教と土地と身分制で固まっていた時代からの離脱となり、近代初期と呼ばれる時代の始まりとなったのです。

ただし歴史学では時代区分を古代・中世・近世・近代・現代と分けていて、近代と現代を分けるものとして第二次世界大戦を置いています。また、一般的にヨーロッパで「近代化」という場合は、18世紀半ばから資本主義が生まれた19世紀初頭までの動きのことを指します。一方、政治経済において「近代化」という場合は、国民国家の誕生と産業化を指します。この場合、「国民国家の誕生」とは王権や貴族階級の廃止ということを意味し、「産業化」とは規模の小さい手工業から工業生産に移ったことを意味しています。

Part3

世界を別の目で見る

『我と汝』マルティン・ブーバー
『荘子』荘子
『エチカ』スピノザ
『人知原理論』ジョージ・バークリー
『人性論』デイヴィッド・ヒューム
『物質と記憶』アンリ・ベルクソン
『道徳的認識の源泉について』ブレンターノ
『プラグマティズム』ウィリアム・ジェイムズ
『知覚の現象学』メルロ=ポンティ
『なぜ世界は存在しないのか』マルクス・ガブリエル
『悲しき熱帯』レヴィ=ストロース
『オリエンタリズム』エドワード・サイード
『第二の性』ボーヴォワール
『女性の権利の擁護』メアリ・ウルストンクラフト
『消費社会の神話と構造』ジャン・ボードリヤール

100 GREAT PHILOSOPHY BOOKS
THAT CHANGED THE WORLD

28

『我(われ)と汝(なんじ)』
マルティン・ブーバー

（原題　Ich und Du 1923）

人間は二つの世界を生きている

「ひとは世界にたいして二つのことなった態度をとる。それにもとづいて世界は二つとなる」（野口啓祐訳）

「動物の眼はひとつの偉大な言語を語る能力をそなえている」

「経験しつつあるとき人間は、世界に関与していない。経験とは《人間の内部で》おこなわれることで、人間と世界のあいだにおける事柄ではないからである」

「われわれはわれわれの思考慣習からふみ出さなければならない」

（田口義弘訳）

マルティン・ブーバー
（Martin Buber）

1878 ～ 1965 オーストリア＝ハンガリー帝国のウィーンに住む正統派ユダヤ教徒の家に生まれる。ウィーン、チューリッヒ、ベルリンの各大学で哲学、美術史を学ぶ。フランクフルト大学教授。後年にナチスから逃げてイェルサレムに移住してヘブライ大学教授となる。77歳没。

20世紀を代表する哲学者による「他者や世界との向き合い方」！

この本の原題（Ich und Du）にあるIch（イッヒ）はドイツ語で**「私」**という意味です。und（ウントゥ）は「と」です。次のDu（ドゥ）は「おまえ」とか「あなた」という意味です。しかし、ブーバーが使っている意味でのDuを安易に「おまえ」あるいは「きみ」「あなた」「あんた」と訳すことはできません。

このDuは互いに親しい間柄で使う呼び方です。そこに年齢の上下は関係なく、地位や身分も関係がありません。犬や猫に対してもDuですし、神に祈るときも、神に対してDuと呼びかけるのです。現代の日本語にはそれに相応する言葉がありません。そのため、翻訳では昔の**「汝（なんじ）」という言い方を使うしかなかった**わけです。

英語に翻訳されたもののタイトルはI and YouではなくI and Thou（ダオ）です。Youを使うと個人的な親しさが含まれないから、それを表現する古い英語のThouが使われたのです。

こういうタイトルからわかるように、『我と汝』は個人的な深い親密さの感覚について語っています。自分と世界がどれだけ親密であるかによって、生の実感がまったく変わってくるからです。

詩的な表現が多用されたこの本の書き出し、**「ひとは世界にたいして二つのことなった態度をとる。それにもとづいて世界は二つとなる」**（野口訳）はとても有名な言葉ですが、この意味が体感できているならば、全体が理解できたも同然です。人間の二つの態度とはわたしたちのふだんの態度のことです。

たとえば、ある人に対してわたしたちは偽ることなく心を開ききって信頼して対面する。しかし、別のある人に対して、わたしたちはあたかもその人が便利な道具であるかのように命じたり、異動や処理をしたりします。こういうふうに二種類の態度をわたしたちはことさら意識せずにとっているものです。**この前者を「我―汝」の関係、後者を「我―それ」の関係、とブーバーは呼んでいます。**

相手を「ヒト」として見るか、「ソレ」として見るかで世界が変わる

もし自分が「我―それ」の関係に立っているときは、相手が人間であっても、わたしたちは利用、命令、分析、処理などの面でのみ対応しています。この資本主義世界でのビジネスを前提にした人間関係ではこれがほとんど通常のこととなります。そうでなければ、商売の主目的が達せられないからです。

それがあたりまえで正常なことだと思っていると、自分自身もやがて「それ」でしかなくなります。たんに属性を利用されるだけの道具や手段になってしまい、この「私」ではなく、特定の用事に役立つ（他の人でも機械でも可能な）「それ」としかみなされなくなるのです。もちろん、私的な交際や結婚においても互いに利用するような態度であるならば、互いに「それ」になってしまいます。すると、着実に忍びよってくるのは冷えきった虚無や殺伐さです。ブーバーはこう表現しています。

「それの世界は空間的・時間的連関のなかにおかれている。

汝の世界は空間的・時間的連関のなかにおかれてはいない」（田口訳以下同）

一方、「我―汝」の関係であった場合、利用する関係ではなくなり、**相手のあるがままの全存在をそのまま受け入れ、自分のあるがままの全存在を開く関係**になります。そのとき、自分と「汝」としての相手は溶けあい、境目がなくなるのです。

この独特な「我―汝」の関係は、人間に対してばかりではなく、自然に対しても成り立ちますし、それは誰でも（自覚なく）体感しているはずです。また、自分が共に暮らしている犬や猫などに対しては、容易に「我―汝」の関係になることが多いといえます。動物がしばしば与えてくれる「癒し」（一種の救済）とはそのときの感覚です。

さらにブーバーは、「我―汝」の関係が無限に延長されれば、永遠の汝に出会うといいます。この永遠の汝とは神のことです。（ただしブーバーは、客観的実在としての神が存在するとは考えていません）ブーバーはこのような微妙な表現で書いています。

「精神的実在との交わりにおける生。ここでは関係は無言でありながら、しかし言語を生み出しつつある。…中略…そしてわれわれのうちでもはや何も語られぬときにのみ、われわれは神と語るのである」

ユダヤ教徒の家庭に生まれたブーバーが神について述べているため、『我と汝』という本は宗教的だとか、神秘主義的だと批判する人もいます。しかし、そのような上っ面の批判こそ、『我と汝』で述べられていることを「それ」としかみなすことができない態度だといえるでしょう。

イスラエル建国に尽力。ますます必要性が増すブーバーの思想

ブーバーが45歳のときに書いた『我と汝』が刊行されると、世界中に影響が広がりました。ユダヤ教の「ハシディズム運動」（超正統派の経験主義運動）に新しい波を与えたばかりか、若者たちの心をとらえ、他の哲学者や思想家たちにも（誤読も含めて）影響をおよぼしました。

同時代に活躍した思想の質が近いスイスの詩人ヘルマン・ヘッセ（1877～1962）は、ブーバーを世界の数少ない賢人の一人とみなしたほどです。その後、ブーバーは1948年のイスラエル建国に尽力したのですが、体制側につくことはありませんでした。

さて、『我と汝』の思想は今後ともさらに重要になっていくでしょう。なぜならば、国家の力とコンピュータの能力が結びつく時代になって、ブーバーの危惧する「我―それ」の関係がいっそう増し、人々は生まれや肌の色、学歴など属性でしか相手を判断しない傾向が強くなっているからです。人が「我―汝」の関係から離れるほど、真の友好も愛も相互の理解もなくなってしまうのは当然のことです。

賢人のつぶやき

始めることさえ忘れなければ、人はいつまでも若くある

29

『荘子』

荘子

（紀元前3世紀頃）

すべては夢かもしれない

「彼れという概念は、自分の身を是れとするところから生じたものであり、是れという概念は、彼れという対立者をもととして生じたものである」

「無差別の道枢(*)の立場からみれば、天地は一本の指であるともいえるし、万物は一頭の馬であるともいえるのである」

（森三樹三郎訳）

＊ 老子が述べた道の真髄。

荘子（荘周）
アルファベット表記ではZhuang Zi

前370頃～前290頃　宋の国の蒙の生まれ。漆器を保管する倉庫を管理する下級役人だったらしい。役人を辞めてから、田舎で隠遁生活を送ったとみられる。生涯についてはほとんどわかっておらず、歴史家の司馬遷の『史記』「列伝」の「老子韓非列伝　第三」が記録の最初とされている。

2000年以上前に書かれた あるがままを受け入れて、生を謳歌するヒント

『老子』（本書39頁参照）が述べていた道についてさらにくわしく述べている『荘子』は全33篇で構成されており、その33篇は「内篇」「外篇」「雑篇」と分かれ、そのうち荘子が書いたものは「内篇」だけで、残りは後代に書き加えられたものだと推定されています。

その「内篇」の中でも第二の「斉物論篇」が、荘子の思想**「万物斉同」**を明確に語っています。この万物斉同というのは、**「すべてがまったく同じ」**という意味です。世にあるあらゆることにちがいなどなく、いっさいが同じだというのです。と同時に、**いっさいがそのあるがままでよい**というわけです。

ただ、わたしたちの言葉やものの見方が順序や比較という方法を使うがために、その結果として物事に大小や優劣をつけることになり、そしてその分け方にだまされてわたしたちは、現実の物事もそうであるかのように思ってしまうのです。荘子はそういう状態から脱出せよと呼びかけているわけです。

このように、荘子はすでに紀元前4世紀（西洋ではアリストテレスが生きていた時代）に（西洋哲学の言い方をすれば）言語の「分節化作用」を指摘していました。この「分節化作用」というのは、言語を使えば、もともと分けられていないものを分節化、つまり、分けてしまわざるをえないということです。つまり、（文法によって論理的に物事を並べる性質を持つ）言語を使うことによって、本来のものがかえって見えな

くなってしまうのです。

有名なエピソード「胡蝶（こちょう）の夢」

荘子はまた、物事がどうであるかを正しく判断する基準、またいわゆる主観や客観など視点の基準といったものは、**最初からどこにも存在しない**のだということを一つのたとえ話を使って述べています。それが、「斉物論篇」の最後に記されている有名な「胡蝶（こちょう）の夢」の話です。

——私（荘子）は、夢の中で胡蝶（蝶のこと）になっていた。胡蝶の私は胡蝶であることがこのうえなく楽しく、飛びまわっていた。自分が荘周という人間であることなど、まったく気づいていなかった。ふと目が覚めると、私は荘周であった。では、荘周が胡蝶になった夢を見ていたのだろうか。それとも、胡蝶が荘周という人間の夢を今なお見続けているのだろうか。私にはまったくその区別がつかない——（私訳）

荘子は、認識とはいうものの、わたしたちは認識の指標となるものは持っていないということを、日常の経験から引き出した話を使って説明しているわけです。

同じことを述べたのは荘子の時代から２０００年後の17世紀の西洋に生きたデカルト（本書３１８頁参照）です。彼は『省察（せいさつ）』で、**「夢と現実を明確に判別する指標などどこにもない」**と書いています。

禅、随筆、俳句、物理学への強い影響

古代中国の戦国時代（紀元前5世紀～前3世紀）のまっただ中から出てきた荘子の思想は、中国の禅仏教にも影響を与えています。たとえば、禅で強調される**「不立文字」**という考え方。これは読んでわかるように、文字では立たない、すなわち文字では説明も理解もできない、という意味です。もっともたいせつなことは言語では説明できないし、理解もされない、よって修行して自分の身心で経験しなければならない、というわけです。これについては『荘子』では「天道篇」に、誰にでも納得できるように論理的に書かれています。

『荘子』は日本ではすでに大和朝廷の時代に知られてはいましたが、『荘子』の研究や注釈が増えてきたのは江戸時代になってからです。中でも俳人の松尾芭蕉（1644～1694）は荘子を好み、自分の別号を「胡蝶の夢」に出てくる漢語での表現「栩栩斎」（嬉々としている人、というほどの意味）にしていました。もちろん、芭蕉の俳句作品にも『荘子』からの言葉が多く使われています。

他に宗教人や文人では、平安から鎌倉時代の歌人として有名な西行法師、禅僧の仙厓義梵、『方丈記』で有名な鴨長明、森鷗外、夏目漱石らが『荘子』と深くかかわりあっています。科学者では1949年にノーベル物理学賞を受賞した湯川秀樹（1907～1981）が『荘子』を愛読しており、『荘子』の「応帝王篇」にある混沌についての文章が中間子仮説（当時としては未知の粒子が原子核の中性子と陽子を結合させるという説）のヒントを与えてくれたといいます。

賢人のつぶやき

自然には差別はなく、命は等しい

『エチカ』

スピノザ

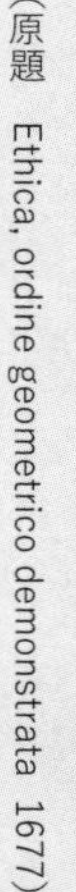
（原題　Ethica, ordine geometrico demonstrata 1677）

すべての原因は神だ

「神はあらゆるものの内在的原因であって超越的原因ではない」

「こうして私は…中略…喜びを精神がより大なる完全性へ移行する受動と解し、これに反して悲しみを精神がより小なる完全性へ移行する受動と解する」

「この愛は、神に関すると人間に関するとを問わず、まさしく心の満足（アニミ・アクイエスケンティア）と呼ばれうる…」

（畠中尚志訳）

バールーフ・デ・スピノザ
（Baruch De Spinoza　ラテン語名はベネディクトゥス・デ・スピノザ　Benedictus De Spinoza）

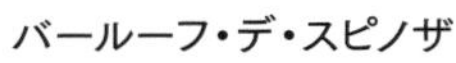

1632 ～ 1677　ネーデルラント連邦共和国のアムステルダムのユダヤ人貿易商の家に生まれ、ユダヤ神学、ラテン語などを学んだが、23歳のときに異端としてユダヤ共同体から破門。ハイデルベルク大学から招かれたが断り、自分独自の研究に没頭した。44歳没。

「冒瀆（ぼうとく）の書」として生前には出版できず！　スピノザが描いた「神」とは

『エチカ』（倫理学という意味）の内容を一言にするならば、**「すべては神である」**、あるいは**「世界は神の中にあり、神は世界である」**ということに尽きます。

しかし、「神」といっても、ユダヤ教やキリスト教の神、あるいは他の宗教の神のことではなく、スピノザは「実体（じったい）」を**「神、あるいは自然」**と呼んでいるのです。

実体とは、**「それ自身のうちに在（あ）りかつそれ自身によって考えられるもの、言いかえれば、その概念を形成するのに他の何ものの概念を必要としないもの」**（畠中訳）のことです。つまり、まったく他のものから作用されることなく、ただそれだけで確実に存在しているものが実体と呼ばれるとスピノザはいいます。

「二元論」による世界の把握

ところで、スピノザから数十年前のデカルトは『方法序説』（本書318頁参照）で、精神と肉体は実体であるが、他の物はその存在すら疑わしいと断言しました。そういうふうに、二つの原理、あるいは二つの要素で世界を説明しようというのが**「二元論」**と呼ばれます。たとえば、この世は善と悪で組み立てられている、とか、すべては陰と陽である、といった考え方はみな二元論になります。

しかし、**スピノザは一元論の立場で『エチカ』を書いた**のです。一元論だから、一つの要素だけによる世界の把握です。スピノザは、世界は神、あるいは自然という実体の、そのつどの表れであるとしたのです。

宗教を信じている人の多くは、神は自分の外側に存在していると思っています。なんらかの不思議な方法で空から自分を見守っている、霊としてあらゆる場所にいる、といったふうに想像し、祈ります。神はどこかに存在し、かつ、人間の知性を超えた、また物理法則にとらわれないような存在だから奇蹟を行なえるというわけです。

スピノザはしかし、**神はそういう超自然的なもの、超越的なものではなく、現実にすべてのものに内在していて、すべてのものの原因となっている**と主張しています。（ただし、神はすべてのものに内在しているものの、これはすべてのものに神が直接的に宿っているとか、人間もまた神だということではありません）

スピノザが考える神の内在の仕方は、次のような比喩で理解できるでしょう。

神、あるいは自然を、絹糸だとします。この絹糸を織って布ができます。布を切って縫い合わせ、ブラウスが作られます。それは、遠目で、洋服だなとわかります。少し近づけばブラウスだとわかります。さわったりしてみてから、素材が何か細い糸だとようやくわかります。しかし、その繊維がチョウ目カイコガ科の昆虫から採取された絹だとはわからないかもしれません。

このブラウスの場合だと、布が神の属性にあたります。ブラウスという形が神の属性の様態です。属性も様態も無限にあり、その組み合わせもまた無限です。こういうふうにして、**神が世界のさまざまなものに内**

在して原因となっているというわけです。

人間が知ることができる「延長」と「思考」

神には多くの、または無限の属性があるのですが、人間はそのうちのたった二つしか感知できないとスピノザはいいます。その二つの属性とは、**「延長」**と**「思考」**です。

延長とは、物体性のことです。思考とは精神性のことです。人間はこの二つだけをとらえるため、肉体と精神というふうについ考えてしまいがちというわけです。

そして、属性はいくらでも様態を変えて表れます。さきほどの比喩の続きでいえば、布が属性ですから、様態を変えればペチコートになり、あるいはハンカチーフになるのです。

水は化学式でH_2Oですが、様態を変えて気体になったり、液体になったりします。そういうふうに様態が変わっても、H_2Oのままであり続けます。様態が別のものになっていても、属性までもが別のものなのではないのです。

人でも物でも、それが動いたり変化したりする場合、わたしたちはそこに他から加えられた原因や作用というものがあるはずだと考えます。だからといって、本当にそこに特定の原因や作用があるのでしょうか。

スピノザは、神は世界の物事と出来事の「内在」因だとしています。だから、無限の属性の無限な変化の様態がこの世界のありようとなっているだけです。だから、**どんなことについても、その真の原因は神、あ**

るいは自然だというわけです。

人間は〝投げられた石〟のようなもの!?

そういうことですから、人間の意志とわたしたちは呼んでいますが、本当は神の意志だということになります。すると、善悪の意味なども変わってきます。

たとえば、わたしたちはある行為を善だと判断するから、それに向かって努力するのだと考えます。しかし実は方向性が逆で、**何かに向かって努力し、それを得ようとするがゆえに、その対象を善とみなしている**のです。なぜならば、人間の欲望や衝動は**「自己の維持」**へと向かう動きのことであり、この自己の維持こそ、人間の本質だからです。この本質とは大いなる自己肯定のことであり、自己肯定はそもそも神の属性の表れの一つなのです。

その本質が、人間の精神だけに関係していると見られるときに意志と呼ばれ、同時に精神と肉体に関係すると見られるときには衝動と呼ばれているだけのことなのです。したがってスピノザは、人間は**「投げられた石のようなものだ」**といいます。

投げられた石は、自分の意志で飛んでいると思い、飛んでいる原因をつくったのは自分だと思いこみます。多くの人は、この石のような考え方をしているというわけです。

こういうふうにスピノザの哲学は、わたしたちの認識を根底から変えてしまうのです。

スピノザルネサンス！　18世紀以降の哲学への大いなる影響

画家のフェルメールやレンブラントの近所に住んでいたスピノザは１６７０年に『神学・政治論』を出してからキリスト教会から激しく批判され、また同胞のユダヤ人共同体からも無神論者だとして破門されたばかりか、殺そうとする者まで現れたため、主著『エチカ』がようやく出版されたのは死後のことでした。

積分記号の∫（インテグラル）を考案するなど一流の数学者であったライプニッツはスピノザに面会したこともありましたが、『エチカ』を強く意識しつつ、彼の哲学書『モナドロジー』（本書３６４頁参照）を書いています。なお、当時は「スピノザ主義」という言い方が流行しましたが、それは無神論者という侮蔑的な意味でした。

18世紀後半のドイツでスピノザはひときわ有名になり、スピノザルネサンスと呼ぶようなブームが起きました。自然観が似ている詩人ゲーテやヘルダーリンはスピノザを「最高の有神論者」とみなし、哲学者のフィヒテ、シェリング、ヘーゲルはスピノザを称賛しました。カントは反スピノザの立場でした。

世界のすべてを肯定し、何をも悔いることのないスピノザの哲学的姿勢はまた、いっさいを肯定して生きようとするニーチェの「超人思想」の先がけでもありました。

賢人のつぶやき

あるものが善であるのは、そもそも私がそれを欲するからである

『人知（じんち）原理論』

ジョージ・バークリー

（原題 A Treatise Concerning the Principles of Human Knowledge 1710 改訂1734）

物質は存在しない

「われわれは、われわれ自身の観念あるいは感覚以外の何を知覚するというのだろうか」

「この知覚する能動的な（active）存在者は、私が精神（mind）、心（spirit）、魂（soul）あるいは私自身（my self）〔私の自我〕と呼ぶものである」

（宮武昭訳）

ジョージ・バークリー
（George Berkeley）

1685 ～ 1753　アイルランドのキルケニーのダイサート城で生まれる。キルケニー大学とダブリンのトリニティ・カレッジで学び、修士号を取得。30歳までに自分の哲学上の著作をすべて書き上げる。アイルランド国教会主教。67歳没。

物質は存在しない！
哲学で「神」を守ろうとしたアイルランドの聖職者

バークリーは25歳のときに書いたこの本で、**「実際に存在するものは精神だけであり、物質というものは一つも存在していない」**ということを述べています。

なぜ、物質は存在しないと主張するのか。

わたしたちが岩にさわってみて、「固い」と思ったとします。しかし、その固さは手の触感からきています。その触感についての自分の知覚を自分で認識したから、「固い」と思ったのです。ということは、岩のその固さは、**実は自分の知覚によって生まれた観念にすぎない**ということです。

そしてまた、わたしたちは岩にさわったときに、その岩が存在すると思いこみます。あるいは、岩を眼で見て、そこに岩があると思います。

そのように触覚や視覚を通じて、岩があるとわかります。しかし、わたしたちは岩という存在を認識しているのではなく、自分の知覚を認識しているだけです。岩の存在そのものというものは依然としてはっきりしていないのです。

だから、何か物質がそこに**「存在する」**とは、本当のところはわたしたちによって何かが**「知覚されている」**ことだけを意味しているにすぎず、そのような存在を保証していることとは別だということです。**わた**

したちが物質だと思っていたものは、本当は心の中に生み出された観念だったというわけなのです。

したがってバークリーは**「物質は存在していない」**と主張します。こういうバークリーのような考え方は一般的に、**「独我論」**とか**「主観的観念論」**と呼ばれます。

では、何が実体（真に実在するもののこと。バークリーの説ではすべての物質は観念にすぎないから真に実在するものではない）として存在しているのか。

それは、**「精神」**だというのです。どうして精神が実体かというと、**「人間的精神あるいは人格は、観念でないがゆえに感官によって知覚されない」**からです。

ただし、人の精神は有限なものです。一方、無限な精神があります。それは、神の精神です。**この神の精神が人の観念の原因になっている**とバークリーはいいます。

わたしたちは（現実の物質的存在だと思いこみながら）さまざまな観念を知覚しているのですが、そのさまざまな観念をわたしたちの精神に生み出しているものがある。それが神だとバークリーはいいます。

したがって、わたしたちは観念を知覚するときに神に全面的に依存しているし、そもそもわたしたちという精神は最初から神の精神の中で生きて存在しているというのです。だから、**世界は神の知覚だ**ということになります。

「非物質論」の動機とその広がり

バークリーが「非物質論」の哲学を主張したのは、18世紀初期の科学の発展（ニュートンの力学など）が機械論的で宇宙を物質的にとらえようとすること、それにともなう合理主義的思考、ロック（本書75頁参照）のような自由思想、無神論の蔓延（まんえん）に、キリスト教の信仰を持つ聖職者の彼ががまんならなかったからでした。

そして物質は存在しないと強く主張したため、当時のロンドンでバークリーはとうとう頭がおかしくなったと噂されました。しかし、バークリーのこのような発想に触発されて、のちのヒューム（本書153頁参照）やカント（本書367頁参照）の哲学が生まれることにもなったのです。

ちなみに、『ガリヴァー旅行記』（1726）を書いたスウィフト（1667〜1745）とバークリーはロンドンの宮廷で互いに先輩、後輩として紹介され、親交が生まれました。

また、カリフォルニア市バークリー（バークレー）は、このバークリーにちなんで名づけられています。渡米して大学を設立しようとした若きバークリーの夢は資金の面で不可能になりましたが、その夢を後世の人たちが記念の市名という形でかなえたのです。

賢人のつぶやき

存在するとは知覚されること

『人性論(じんせいろん)』デイヴィッド・ヒューム

（原題　A treatise of human nature　1739）

難易度 5

考え方・見方にはクセがある

「あらゆる学問は多かれ少なかれ人間性と関係していること、たとえ学問のうちには人間性からどんなに遠く離れ去っているようにみえるものがあるにしても、それでもやはりいずれかの道筋をたどって、人間性に立ちもどること、これは明らかである」

「必然性は心のなかに存在するなにものかであって、対象のなかにあるのではない」

（土岐邦夫訳）

デイヴィッド・ヒューム
（David Hume）

1711 ～ 1776　グレートブリテン王国のスコットランドの貴族の家に生まれる。エディンバラ大学に入ったが中途退学。自宅で哲学を研究する。哲学者、歴史学者、政治哲学者。65歳没。

「原因」と「結果」の因果関係すら否定！カントを〝独断のまどろみ〟から目覚めさせたヒュームの哲学とは

この原因があったからこそこの結果が生まれるべくして生まれた、というふうに考えることを**「因果関係で考える」**といいます。

ふだんからそのように考える癖を持ったわたしたちは、ある特定の原因とその結果があたかもきっちりと固く結びついているかのようにみなしています。また、何事にも因果関係があるものだとさえ信じています。しかしながら**本当はそうではないのではないか**、としたのが24歳のヒュームが書いた『人性論』です。ちなみに、これは『人間本性論』と訳されている場合もあります。

「因果関係」は単なる思いこみ!?

わたしたちは、原因とみなす事象と、結果とみなす事象を、線で結びつけます。たとえば、「このまちがいの原因は～であるのは明らかだ」という結びつけ方です。しかし、その二つの事象を結びつける糸が見えているわけではありません。その二つの事象の間に見られるのはせいぜい、空間の近さ、時間の近さくらいです。その程度なのに、二つの事象が「必然的に」結合しているといえるのでしょうか。

ヒュームは、それらが「必然的に」結合しているとわたしたちが思ってしまうのは、そこに（心理的な）**「恒常的な相伴（恒常的連接）」**が生まれているからだといいます。

この「恒常的な相伴」とは、ある一つの事象が起きると、それを見た人の心の中に過去の別の一つの事象についての観念が不意に出てくるということです。

言い換えれば、人間は日常生活の中で**「斉一性」**（今までいつもこうだったから今後もこうであろうと考える傾向）に慣れてしまい、その斉一性に影響されて考えやすいのです。

これは人間本性の一つの癖であって、事象とは直接的に関係のないものだとヒュームはいいます。にもかかわらず、その癖によって、ついわたしたちは二つの事象を原因と結果とみなしてしまうというわけです。

しかし、人間の本性のこういう癖はことさらに奇妙なものではなく、こういう癖があるからこそ、わたしたちはいつも通りに日々を暮らしていけるのです。

その他にヒュームは『人性論』の中で、人になんらかの行為をさせるのは知性ではなく、その人のそのときの情緒だとしています。また、道徳の規準は共感にあるといいます。自分にとって共感できるものならば、それは道徳的によいことだと判断してしまいがちだということです。要するにヒュームは、人間の認識や行為というものは人間が持っている癖（あるいはバイアス）に大きく影響されると述べているのです。

後世の「人間学」に大きなヒントを与える

ヒュームの『人性論』が刊行された当時、なんら反響はありませんでした。

しかし東欧でヒュームの著書を読んでいたカントは『プロレゴメナ』（序論という意味）の中でヒュームの論（特に『人間知性研究』）から大きな影響を受けたことを明かしています。カントはヒュームが差し出した問題を人間の認識の仕方としてとらえなおすと、その問題への回答として『純粋理性批判』（本書367頁参照）を書いたのでした。

19世紀には、意識の流れについて探求することで有名なW・ジェイムズ（本書168頁参照）の『心理学原理』（1890）でヒュームの考え方がさらに広く展開されました。

20世紀になると、科学哲学者カール・ポパー（1902〜1994）がヒュームのとなえた「斉一性」、つまり出来事には特定のパターンと連続性が見られるということを科学の知へととりこむ必要があると説きました。なぜならば、科学の知もまた人間の経験の知だからです。

賢人のつぶやき

貪欲は勤勉の鞭である

人間の考え方や行動には論理で割り切れないものが確かにあり、それが現実に事実をもたらすというヒュームのこの着眼は、わたしたちが日常生活からなんとなく感じていることを言語化したものともいえます。そして実際に現代では、消費者の経済行動に共感などの情緒が深く関わっていることが知られていて、消費者の心情に訴えて新しく経済行動をもたらす手法が探られています。そういう点で、ヒュームは200年以上も前に鋭い人間観察をしていたともいえるでしょう。

『物質と記憶』
アンリ・ベルクソン

（原題 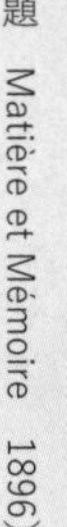 Matière et Mémoire 1896）

難易度
7

現実はイマージュだ

「物質とは、私たちにとって、〝イマージュ〟の総体なのである。そして〝イマージュ〟というものを、私たちは、観念論者が表象（ひょうしょう）とよぶものよりはまさっているが、実在論者が事物とよぶものよりは劣っている存在――〝事物〟と〝表象〟の中間にある存在――と解する」

「私たちの知覚は元来精神ではなくむしろ事物の内に、私たちの内ではなくむしろ外にある」

（田島節夫訳）

アンリ＝ルイ・ベルクソン
（Henri-Louis Bergson）

1859～1941　フランス帝国パリにユダヤ系ポーランド人音楽家の子として生まれる。高校で教えてから、コレージュ・ド・フランスの教授。1920年の国際連盟設立のときのフランス政府代表。3冊目の主著『創造的進化』で1927年にノーベル文学賞受賞。81歳没。

フランスを代表する哲学者が「精神と身体との関係」に挑んだ意欲的な一冊！

『物質と記憶』は、哲学の分野で昔からずっと難問の一つとされていた「心身問題」、つまり、**「物質とは何か、身体と精神はどのようにかかわりあっているのか」**という問題にベルクソンなりに答えたものです。

現代人であっても、精神と物質は根本的に異質のものだとばくぜんと考え、それればかりか、精神は物質よりも優位に立っていると思う傾向にあります。人間についていえば、結局は物質にすぎない身体よりも精神、あるいは心は高等なものだというわけです。

そして、精神が身体に何かを命じて身体がそれを行動として現実に表す、というふうに、あたかもそこになんらかの整然とした機序（メカニズム）があるように考えているのです。そう考えてしまうと、精神と身体はあたかも主従の関係、あるいは主観と客観の関係のように見えます。それでもなお、いったいどのようにして精神が身体に行為内容を連絡しているのかはっきりすることはありません。

この心身問題は、デカルト以来ずっと続いていて、その謎は解かれないままでした。（デカルトは、精神と身体の連絡橋は脳にある松果腺だとしましたが、その理由や論拠は示されず、問題が解決したとはいえません）

わたしたちもまたデカルトと似ていて、心身という言葉を目にすると、この言葉は異質な二つのものを合わせているという印象を持ってしまいます。なぜならば、「身」はこの肉体という物質的なもののことであり、「心」はわたしたちの内部にあってはっきりした形もなくうごめいている非物質的なものだという決めつけをすでに持っているからです。

このような精神と物質についての従来の考え方は大きく二つに分けることができます。それは、「唯物論」と「観念論」です。唯物論者は物質しか実在しないと考え、精神とはつまるところ物質である脳の働きだとします。一方、（カントも含めた）観念論者は、物質は主観（あるいは心）が生み出した表象だと考えます。主観という精神の働きがあるからこそ、物質というものがあたかも実在するかのように描き出されてしまうというのです。

ベルクソンは代表的なこの二つの考え方を極端だとし、物質は誰もが今ここで見ているような姿として実在するし、精神もまた実在するとしました。

そして、**物質というものはまずもって（人にとっては）イマージュなのだ**としました。ただし、物質がイマージュだというのは、物質のように見えるものはすべて実在しない幻想だという意味ではありません。日本語にはこのイマージュに相当する適切な用語はありませんが、あえて訳すならば、あいまいな意味での**「その場における見え方」**といったものになるでしょう。

目は「心が理解する用意があるもの」だけを見る

物質がイマージュであるのは、物質を知覚する日常の経験からみちびかれます。そもそも、わたしたちの肉体に備わっている感官の装置が物質をとらえることを知覚というのでしょうか。もしそうならば、視界内のすべてをわたしたちは知覚していて、一瞬ごとにおそろしいほどのめまぐるしさに襲われて生きていけなくなるでしょう。

わたしたちはそういう機械的で網羅（もうら）的な知覚などしてはいないはずです。数多くの物質の中からいくつか注目した部分のみを、今の自分にとってなんらかの意味あるものとして知覚しているだけです。しかも、そのときには必ず自分の身体と関連させた状態で知覚しています。脳だけ（あるいは精神だけ）を働かせて知覚するということはしていません。

そして、たとえば自分とある物質との距離がすごく近いか、すごく遠いかというだけで、物質は変化をします。**「大きさや形や色さえも、私がそれに近づくか遠ざかるかによって変化する。香（にお）いの強烈さや音の強さも、距離に応じて増減」**しています。

なんらかの物質がとても遠くにある場合、その物質の形すらさだかではなく、何かがあそこにあるだろうとしか知覚できません。もう少し近づくと輪郭がわかってきます。

この確固としていない知覚、これこそがベルクソンが**「観念論や実在論が存在と現象に分けてしまう以前の物質」**と書いたものであり、イマージュと呼ばれるものなのです。

こういった日常の経験からわかるのは、わたしたちの身体の状況が物質とかかわりあい、自分の身体のかげんでそのつど物質が変化しているということです。つまり、物質がいつもそこにまったく変化のないものとしてあり続けるのではないのです。わたしたちの身体の状況と関係しあって変わり続けている。いい換えれば、物質のイマージュは刻々と変化しているのです。

その物質を自分の手にとってみたところで、イマージュが固定化されることもありません。したがって、物質をそのありのままに知覚するということなどありえないのです。しかも、自分の身体の状況ばかりか、自分の関心のありようによっても、物質は本来の状態よりも小さく変化した、あるいは見え方がそのつどの状況に応じて限定された、あるいは効率的に引き算されたイマージュとなっているのです。

以上のことから、知覚はわたしたちの内部にあると今まで思っていたのはまちがいであり、知覚はわたしたちの外にあるということが明らかになります。

「現在のイマージュ」と「記憶のイマージュ」

わたしたちは今そこにある物質をイマージュとして目で見ています。一方、わたしたちは心でイマージュを見ることもあります。その対象は、過去に経験したイマージュや事柄、今ここにはないものになります。要するに何かを思い出すということですが、これは記憶を見ることです。

この二つの知覚は区別ができません。どちらもわたしたちが現にありありと見ているのであり、対象が記憶であっても、身体は今そこにあるイマージュを見ているときと同じように反応（怒りや悲しみが湧いてくるなど）します。実際に見ていることによって、過去の記憶であっても、自分にとっては現在の状態だからなのです。

では、思い出す、つまり記憶を見るとき、わたしたちはどこにいるのか。まさに見ているその過去に身を置いているのです。一挙に過去にとびこみ、注意を過去に向けています。その意味で、**思い出している限りにおいて、過去は遠い点景（てんけい）として残されているものではなく、まさに今ここでの状態となります。**

それでもなお、わたしたちは現在のイマージュと記憶のイマージュを区別できます。イマージュを見るという点においては両者の区別ができないのに、自分がそれを思い出しているだけだとやがてわかります。これはどのようにして可能なのでしょうか。

それを可能にしているのは、区別する知の力です。過去の事柄を思い出していたと気づくことができるのは、遠くにあったその思い出をさっき不意に思い出したという直近の思い出が今ここにあるからです。思い出したその瞬間に自分が過去へとジャンプしたということを記憶しているし、ジャンプして自分の全注意を思い出へと転じたということをも記憶しているからです。つまり、わたしたちは、そのいくつもの記憶の差異（さい）を知っているのです。

世界中にインスピレーションを与える

物質と記憶についてばかりではなく、（ここでは書けませんでしたが）時間についてのベルクソンの独創的な考え方は1冊目の主著『時間と自由』で書かれ、お菓子のマドレーヌを紅茶にひたしたときにありありと過去を思い出す小説『失われた時を求めて』で有名なフランス人作家マルセル・プルースト（1871〜1922）を初めとして多くの芸術家、小説家らに影響を与えたばかりか、心理学者や医学者の間にも反響がありました。

ベルクソンが3冊目の主著『創造的進化』でノーベル文学賞を受賞すると、哲学の主流からは無視されるようになりました。そこには学者たちからのねたみがあったようです。また、1922年にアルベルト・アインシュタイン（1879～1955）の相対性理論に対して数式を使って異論をとなえる『持続と同時性』という長い論文を書いたことでも評判を下げました。

当時からベルクソンの考え方については賛否両論がありながらもなお、ベルクソン哲学の影響はメルロ＝ポンティ、ドゥルーズ、デリダらの哲学におよんでいます。日本ではベルクソンの哲学は大正時代に流行し、強い影響を受けた日本の文人では、最初に正しくベルクソン哲学を把握した西田幾多郎の他、夏目漱石、有島武郎、小林秀雄、中原中也、九鬼周造、稲垣足穂らといった哲学者・作家・詩人たちが有名です。

賢人のつぶやき

時間は意識によって生きられるものである

『道徳的認識の源泉について』

ブレンターノ

（原題　Vom Ursprung sittlicher Erkenntnis　1889）

普遍的な道徳は人にある

「何をわたしたちは〝善い〟というのでしょうか。またどのようにしてわたしたちは、何かが善いということ、また何かが別の何かより善いということを認識するのでしょうか」

「可能なかぎり善を増進させること、これこそ明らかにあらゆる行為がそれにもとづいて調整されるべき、人生の正しい目的なのです」

（水地宗明訳）

フランツ・クレメンス・ホノラトゥス・ヘルマン・ブレンターノ

（Franz Clemens Honoratus Hermann Brentano）

1838 ～ 1917　プロイセン王国のライン川沿いマリーエンブルク、イタリア系ドイツの名門ブレンターノ家に生まれる。哲学と神学を、ミュンヒェン、ヴュルツブルク、ベルリン、ミュンスターの大学で学び、テュービンゲン大学で学位取得。ウィーン大学で教えていたときにフッサールが聴講。第一次世界大戦を避けてチューリッヒに移住。79歳没。

人はどのようにして「道徳的な判断」をしているのか？

『道徳的認識の源泉について』は、ウィーン法学協会でのブレンターノが51歳のときの講演（その当時の題は「正当であることと道徳的であることとに対する自然な承認について」）を書き起こして刊行したものです。

これは、当時の有名な法学者ルドルフ・フォン・イェーリング（1818～1892）の見解の一部分に対しての反論となっています。イェーリングは、法や道徳はつくられたものであり、誰にでもどんな社会においても妥当する普遍的な法や道徳などありえない、と主張していました。イェーリングのこの道徳的相対主義に対して、ブレンターノは**普遍的な自然の道徳はありえる**としたものです。

問題となっているのは、人はどのようにして善を認識して判断するのか、ということです。この問題は人の心に関することですから、一種の心理学ともなります。

したがってブレンターノは、自分の論は**「記述心理学」**（当時の新分野）の領域に属するものだと述べています。つまり、心的経験の中になんらかの要素を見つけだし、認識や判断をその要素に還元するといった（一般的な）自然科学的手法は使わない。そうではなく、わたしたちの心的体験を記述して分析していくという哲学的な「記述心理学」の方法をとる、ということです。

善悪の基準は、人の心に〝あらかじめ〟書き込まれている

ブレンターノのこの「記述心理学」の新しい特徴は、**何かを意識するということはその対象に対して「志向的関係」にある**、ことを指摘したことです。

その「志向性」はさらに加わります。何かを意識するという志向性の次にくる第二の志向的関係は**その対象を肯定するか否定するか**、ということです。さらに情動の志向的関係として、**愛する、憎む、気に入る、気に入らぬ**、というものがあります。

そして、善悪はこれらの中にあり、善いことはすべて愛されるものとされます。たとえば生活の仕方においては、勤勉、気前のよさ、倹約を善いこととし、怠惰、ケチ、浪費を善いこととはしません。また、あざむき、裏切り、殺人、姦淫は正当ではなく不道徳だとみなします。これらのことはすべて、よく考えられた法律、よく考えられた道徳論の結論と一致するのです。

さて、その判断の基準は既存の法律や道徳に依存するものではありません。また、王などの権威者から発せられた規則などにかなうからでもありません。**その基準は実はすでに人の心にあらかじめ（自然に）書きこまれている**ものなのです。だから、人間は数千年にわたって道徳的に正しい判断をしてきたのだというわけです。キリスト教などが自分を愛するように隣人を愛すべきだと教えていますが、これが正しいのは神がそれを要求するから正しいのではなく、それが人の自然として正しく善いことだからこそ、神はそういう行為を要求しているのです。

要するにそれらは何か整合性のある論理から導き出された判断ではなく、**自然的認識による判断であり、**

人はみなそれを内に持っているのです。よって、どんな社会にもどんな人にも妥当する普遍的な道徳は存在しているとブレンターノは主張するのです。

フッサールの「現象学」に柱を与える

経験から学びとろうとする態度を持ったブレンターノは、観念と論理を用いて世界観の体系を打ち立てていこうとする傾向の哲学を嫌いました。具体的にはカント、ヘーゲルの哲学のことです。また、プラトンをも嫌いました。彼らが主張する、純粋理性だの、世界精神だの、イデアだのはしょせん観念が生み出したもので現実の経験にはありえないものだからです。

ブレンターノは26歳でカトリック教会の司祭になったのですが、ふだんからカトリックの教義が自分の哲学的立場とあいいれないことに悩んでおり、１８７０年にカトリック教会がヴァチカン公会議で「教皇(きょうこう)が信仰や道徳について宣言した事柄に誤りはない」というふうに教皇は絶対に間違いを犯さないということをあらためて教義として決定したことがきっかけとなり、35歳のときに教会から脱退しました。

その後は大学で教えるようになりますが、ウィーン大学での講義を25歳のフッサールが受講し、これをきっかけにフッサールは数学者であることをやめて哲学に転向することになりました。このときにブレンターノが教えていた意識の志向性がのちにフッサールが始めることになる「現象学」という分野の柱になったのです。そして、フッサールの『デカルト的省察』にある「**意識体験は志向体験ともいわれる。意識とは何ものかについての意識であり……**」という表現がたいへん有名になりました。

『プラグマティズム』
ウィリアム・ジェイムズ

（原題　Pragmatism　1907）

「役立つこと」の価値

「この語はギリシア語のプラグマから来ていて、行動を意味し、英語の〝実際(プラクティス)〟および〝実際的(プラクティカル)〟という語と派生を同じくする」

「物質的原因とか論理的必然性とかは幽霊みたいなものである。簡単にいえば、ただ合理ずくめの世界などというものがあるとしたら、それは魔法帽子の世界、テレパシーの世界であろう」

「われわれの行為が世界の救済を創造するのではないであろうか？」

（桝田啓三郎訳）

ウィリアム・ジェイムズ
（William James）

1842 ～ 1910　アメリカのニューヨークの裕福な家に生まれる。シラキューズ大学を卒業。ハーヴァード大学で医学を専攻し、学位取得。アメリカで初めて心理学実験室をつくる。ハーヴァード大学教授。68歳没。

アメリカ発祥の新思想。大切なのは、そこに価値があると信じて行動すること

この『プラグマティズム』というタイトルを訳すと、**「有用主義」**とか**「実利主義」**となります。W・ジェイムズは、ある一つの確固とした世界観、つまり哲学や宗教の世界観にこのプラグマティズムを用いて役立ててみようというのです。

ある一つの哲学、考え方、世界観になんらかの真理が含まれているというのならば、それは人間にとって有用に働くはずだからというわけです。

では、これまでの哲学はどうだったのか。W・ジェイムズは、これまでの哲学は「合理論」と「経験論」の二つのどちらかでしかなかったといいます。

たとえばヘーゲル（本書375頁参照）のように、世界の歴史を動かしているものはこれであると論理でえんえんと説明する哲学は「合理論」（仮説を立て、頭の中で論理的に組み立てていくやり方で、現実的でなくても論理的に正しければよいと考える）です。神という万能の存在を設定して世界を説明し尽くしておいてから現実の物事を罪だとか悪だとか断じる宗教も「合理論」です。

一方、ヒューム（本書153頁参照）のように、人は経験的な知覚から知識を得ていくのだと主張する哲学は「経験論」になります。

合理論と経験論は、合理主義と経験主義といいかえてもかまわないのですが、この二つはお互いが自分たちの考え方にあるものこそ真理だと主張しています。

しかしW・ジェイムズは、真理はたった一つしかないとは考えず、また真理はなんらかの特定の観念に固定されたものだとも考えないのです。

「争いを生まない」ための寛容な哲学

従来の哲学、宗教の世界観はそれぞれ独特なものであり、自分たちが展開しているものこそ唯一の真理だと主張しています。たとえば、有神論と無神論の両者は自分たちの正しさを強弁しています。

有神論の中でもキリスト教神学はかつて、「イエス・キリストは神性と人性のどちらを持っているのか」という問題で激しく議論しました。真理をよりいっそう精確にしたかったからでしょう。しかし、W・ジェイムズは、そのような問題をとかく論じてみたところで何か現実にさしさわりのあることが明白になったりするのだろうか、と疑いました。

また、何かの事物についての知識はその何かの事物そのもの自体では決してないのは当然のことです。しかし実際は、知識そのものがあたかも現実の事物そのもののようにとりあつかわれているのです。そういったばかばかしいことにこだわっていても、人にとって何も意味がないのは明らかです。

ではどうするのかというと、現実の結果、人間への効用、人間への働きかけ、の点から、哲学や宗教のそれぞれの世界観などを見直してみればいいのです。

つまり、**誰かが信じている世界観がどのようなものであれ、その人の生活にとって有用な効果が見られるのならば、あるいはまたその人が生きることに直接的に役立っているならば、そのことによって周囲を害していないのならば、それはその人にとっての真理として意味があるのだ**とするのがプラグマティズムの基本的な考え方なのです。

多様性が進む現代社会における「希望の思想」!?

初期のプラグマティズムに関わったのはアメリカの3人の科学者と哲学者です。

まず、プラグマティズムという用語を用いたのは生前に認められることの少なかった科学者チャールズ・サンダース・パース（1839～1914）の「プラグマティズムとは何か」（1905）でした。その発想を真理と宗教にからめて哲学にしたのがハーヴァードのW・ジェイムズであり、3人目は哲学者デューイ（本書326頁参照）でした。デューイはプラグマティズムの適用範囲を教育、芸術、民主主義にまで広げたのです。

既存の規範や政治体制に沿うことで新しい物事を判断するのではなく、どんな物事であっても現実の行動と状況に注意しつつそのつど修正を加えていくというプラグマティズムの柔軟な考え方は今後も、宗教や民族問題も含めたグローバルな課題や争いの解決のためにも大きな力を発揮することになっていくでしょう。

賢人のつぶやき
楽しいから笑うのではない。笑うから楽しいのだ

『知覚の現象学』

メルロ＝ポンティ

（原題　Phénoménologie de la perception　1945）

身体も知覚している

「われわれはほんとうに世界を知覚しているかどうかは問題にすべきことではなくて、むしろ逆に、世界とはわれわれの知覚している当のものである、と言うべきである」

「私は空間と時間のなかに存在しているのではないし、私は空間と時間とを思惟（しい）の対象としているのでもない。私は空間と時間とにぞくしているのであり、私の身体はそれらに貼りつき、それらを包摂（ほうせつ）している」

（竹内芳郎・小木貞孝訳）

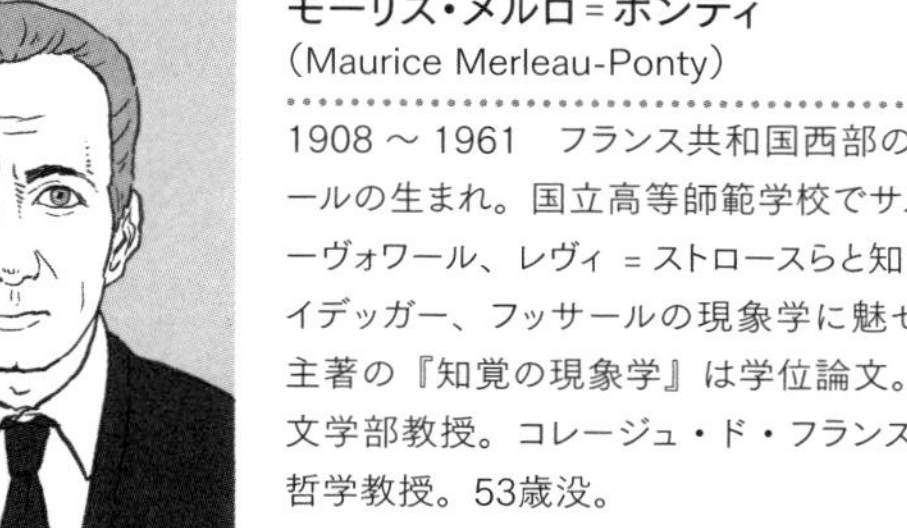

モーリス・メルロ＝ポンティ
（Maurice Merleau-Ponty）

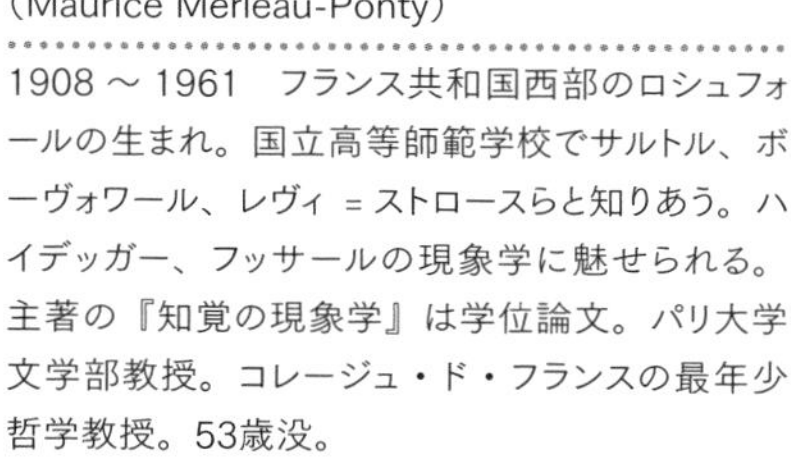

1908～1961　フランス共和国西部のロシュフォールの生まれ。国立高等師範学校でサルトル、ボーヴォワール、レヴィ＝ストロースらと知りあう。ハイデッガー、フッサールの現象学に魅せられる。主著の『知覚の現象学』は学位論文。パリ大学文学部教授。コレージュ・ド・フランスの最年少哲学教授。53歳没。

私たちの意識は身体を通じて世界とつながっている！「身体で覚える」ことを言語化した哲学

『知覚の現象学』は、**人間の身体について**新しいとらえ方をしてみせたものです。新しいとらえ方ですから、知覚する器官である眼が何かを見て、それが何であるかを精神が判断するというふうな、デカルト以来の単純で機械的な考え方はしません。メルロ＝ポンティは、眼が知覚器官の一つなのではなく、**身体そのものが知覚して、かつ判断している**と考えるのです。

つまり、身体は純粋に肉体という物質でしかないとはいえないというわけです。それどころか、身体には身体自身の意識というものがある。しかしそれは純粋な意識存在ではありません。したがって身体は物でもあり、同時に意識でもあることになり、つまり**身体は両義的**なのです。なぜメルロ＝ポンティがこのようなことをいうかというと、人間の身体があらかじめ持っている**「身体図式（しんたいずしき）」**という機能に着目しているからです。

自転車に乗れるのは「身体図式」があるから

「身体図式」（body schema／shéme corporel）とは、神経学者のヘンリー・ヘッド（1861～1940）とゴ

ードン・M・ホームズ（1876〜1965）が導入した「体位図式（たいいずしき）」（postural schema）の概念に由来しているものです。この「体位図式」のほうは、自分の身体がどういう姿勢になっているかとか、次の動作をするために身体の各部分をここからどのように動かしていけばよいのか、といったことを（あらためて考えることなく）身体自身がまさしく直感的に知るための基準となるものです。

メルロ＝ポンティはこの「体位図式」の概念を拡大し、身体の外部の環境に対する行動を起こすときに**身体がみずからの動きを細かく調整する暗黙の機能**を「身体図式」として、身体について考えなおしたのです。たとえば、自転車に乗って走るとき、わたしたちは自分の動作についていちいち考えているわけではありません。（むしろ、考えれば転倒しやすくなります）今の状況に対してどのように体重を移してバランスをとるか、どのような角度や力加減が適度なのか、といったことを（頭脳が思考したあげくに手足に指示することなく）身体そのものがじかに感じて対応しています。このようにふるまう身体の機能を「身体図式」と呼んだのです。

この「身体図式」の機能があるからこそ、わたしたちはふつうに生きていられるのであって、もし「身体図式」がなければ、ヴァイオリンとか三味線（しゃみせん）の演奏、ボクシング、テニス、キーボードでのブラインドタッチが困難どころか、階段を安全に昇り下りすることもできず、生活できないということになります。

自分と世界は「身体図式」によってつながっている

病気や事故などで手や足などを切断された人が、もはやそこには存在しないはずの手や足をかゆがったり痛がったりするのを幻影肢(げんえいし)といいますが、これが起こるのは**「身体が非人称的な存在として機能しているからだ」**とメルロ＝ポンティは説明しています。

この場合の「非人称的」というのは、この意識的な私、名前を持ったこの特定の人物ではないということ、もっと基礎的な人間、あるいはたんに「ヒト」ということです。いいかえれば、「身体図式」機能で動くだけの人間です。

この素朴な「ヒト」がまず生きていて、その周囲の環境について（ヒトの「身体図式」機能を用いて）知覚しているのです。ですから、この「私」が知覚しているということはなく、「私」以前の「身体図式」機能を持った「ヒト」が知覚し、生きているわけです。しかしながら、わたしたちはつい、この自分が自分なりに知覚していると思いがちなのです。

幻影肢が生まれるのは、その「ヒト」が手や足を切断される前の状態の「身体図式」機能で生活しようとするときなのです。したがって、義足などをつけて、「ヒト」が新しい「身体図式」機能になじんでくれば、やがて幻影肢はなくなるというわけです。

以上のように身体はその周囲世界という環境を知覚しているわけですが、機器が外界を知覚するような仕方で内と外をきっぱりと分けたとらえ方をしているのではなく、**身体はいつも世界の一部でありつつ、世界と応答しあっています。**その状態をメルロ＝ポンティは、交わり、合体(がったい)、共生、共存、共感、受肉(じゅにく)とさえ形容します。したがって、**世界とは「ヒト」の外にあるものではなく、世界とは実は「ヒト」が知覚しているもののこと**なのです。

これらのことから結論されるのは、世界をなんらかの構成として見たり感じたりするわたしたちの主観というものは、名前を持つこの「私」の意識（や精神）などではないということ、そして**主観とは、まずは「ヒト」の身体だ**ということになります。

他人を理解するのも、外国語を理解するのも……

さらにメルロ＝ポンティは、わたしたちが書かれた言語や話された言語の意味を知り、他人の言うことを理解する場合についても、それらが可能になっているのはこういう身体の機能が働いているからだと考えます。つまり、身体が世界に対する応答の仕方として、言語もまたその身体的な応答の仕方の一つだというのです。

一般的には、自分の考えや意見を表現する場合、まずなんらかの考えが先にあって、その考えを言葉という乗り物の中にきちんと入れこむ、というふうに思われていることが多いでしょう。

しかしメルロ＝ポンティは、**その人自身が言葉を使って（つまり、身体を使って）表現したときに初めて考えというものがそこに生まれてくる**のだといいます。そのため、物書きであってもなくても、自分が書いたり語ったりしたときのみ、自分の考えや意見がそこに現れるのです。それ以前の考えなどありえず、まだ言葉になっていない未成熟の考えというものもないのです。

外国語を理解する場合も同じです。一つの外国語の言葉を見たり聞いたりし、その意味内容が実感としてわかるとき、わたしたちは頭の中ですばやく正確に翻訳をして理解しているのではありません。その外国語のままでわかっているのです。

そのようなわかり方をする人は、机の上でテキストを開いて長時間の反復練習をしてきた人ではありません。そうではなく、その言語が使われる外国に自分の身体を置き、どの言葉がどのような行動の中でどのような意味を持っているのかを知った人、またその外国での共同の生活に参加していた人なのです。

つまり、その外国語の圏内で通用する「身体図式」を獲得した人だということです。したがって、その人は通訳の技能を身につけたわけでもなく、翻訳ができるようになったわけでもありません。ただ、自分の全身をしてその外国語がわかるのです。

そうすることによって言葉の意味がわかるのですから、もはや言葉の意味はそのつどの思考によるものではありません。意味はいつも言葉そのものの内にあるのです。

意味が言葉そのものの内にある、というのは、言葉は行動のたんなる看板ではなく、言葉には必ず身体の動きも十分に含まれていて、言葉は（身ぶりや表情でも表現できるように）動的だということです。そして、その言葉を（自分の）動作としてわたしたちは習い覚え、それが身体図式になるのです。

他人を理解する場合、他人の言葉をその他人が考えているように理解する場合も、同様のことが起こっています。**他人を理解するということは、他人の「身体図式」を自分に移して他人と同じように感じる**ということだからです。

これが、（生の根底において）「知る」ことであり、わたしたち自身が自分を実存的に変化させていくことなのです。そして、こういう「知」によって、わたしたちはいくらでも豊かになりえるのです。

そういうふうにして、哲学を理解する場合も、他人を理解する場合も、芸術を理解する場合も、わたしたちは自分で気づかないまま、「身体図式」の機能を働かせているわけです。

これまでの〝思いこみ〟を打ち破る！　異文化理解や芸術理解、心理学に大きく貢献

昔から哲学がみずからに与えていた最強のシバリともいえる強い思いこみは、デカルトやカントに見られるように、精神と物がまったく別のものだという信念でした。

このあまりにも堅い信念を、ニーチェ、ベルクソン、ハイデッガー、フッサールらの哲学と構造主義を踏まえたメルロ＝ポンティは、これまで知られることのなかった身体の知覚機能を中心に書いた『知覚の現象学』で破ったのです。

そのことで、世界についての認識の仕方がこれまでとはがらりと変わることになり、身体と認識についてのメルロ＝ポンティの哲学は哲学の枠(わく)を越え、異文化理解や芸術理解、心理学、に大きく貢献することになりました。また、「身体図式」の機能について述べたこの哲学は、いわゆる（技芸の）「稽古(けいこ)」、何かを「身体で覚える」こと、何かを「身につけること」の構造を言語化することに成功したともいえるでしょう。

賢人のつぶやき

私とは私の身体である

『なぜ世界は存在しないのか』

マルクス・ガブリエル

（原題 Warum es die Welt nicht gibt 2013）

意味の場が存在の条件だ

「何らかの意味の場に何かが現象することがありうるためには、その何かがそもそも何らかの意味の場に属していなければなりません」

「たったひとつの世界なるものなど存在せず、むしろ無限に数多くのもろもろの世界だけが存在している」

（清水一浩訳）

マルクス・ガブリエル
（Markus Gabriel）

1980 ～　ドイツのラインラント＝プファルツ州のレーマーゲンに生まれる。哲学における「新しい実在論」を提唱する。ボン大学教授。

1980年生まれの、今、もっとも注目されている哲学者による「意味の場の存在論」！

マルクス・ガブリエルの哲学の土台にあるのは**「意味の場の存在論」**という考え方です。何かが「ここにある」といわれている場合、その「ここ」は**必ずなんらかの意味を持った場**となっています。ですから、意味の場は無数にあることになります。

その、意味の場にあるものは、現実の物の他に現実の物ではないこともあります。なにしろ、実在の場ではなく、「意味」の場だからです。

たとえば、自分が読んだ小説の登場人物は現実の存在ではありませんが、その小説を読んだことで自分の中に意味の場が生まれ、そこに登場人物たちはありありと存在している。同じように、中世キリスト教世界という意味の場に「魔女」たちは存在していたのです。

幽霊は存在するのか？

何かが存在しているかどうか問われる場合、たとえば幽霊が存在しているかどうかと問われたとき、科学者たちは「幽霊など存在しない」と断言します。なぜならば、科学者たちは確認された物理的存在のみを実在とみなしているからです。だから、彼らにとって、幽霊どころか、精神も愛情も存在していないものとなります。

しかし、ふつうの人たちにとっては精神も愛情も幽霊も神も存在しています。ふつうの人たちは科学者とはちがって多くの意味の場があることをなんとなく認めているからです。ただ、その意味の場と科学的実在の境界がだいぶあいまいなだけです。

ただし、一つの物が一つの意味の場にのみ存在しているということはなく、一つの物は多くの意味の場に存在しています。たとえば、自分の左手です。その左手はいつも自分の手であるだけではなく、**「意味の場の違いによって、同じものがひとつの手でもあれば原子の束でもあり、芸術作品でもあれば道具でもある」**というわけです。

「意味の場」から考えると世界は存在しない

ところで、世界という言葉が使われる場合、その世界はすべての意味の場を含む包括(ほうかつ)的な全体概念となっています。しかし、それが世界だと意味づけられる場はどこにあるのでしょうか。世界はどこか意味の場に存在するからこそ世界だと呼ばれるはずなのに、その意味の場がありません。なぜならば、**世界以上に大きなものが外側にないからです。つまり、「世界それ自体が属する意味の場など存在」しません。**だから、世界は存在しないのです。

同じく包括的な意味での人生もまた存在していないことになります。しかしながら人生という言葉が実際にしょっちゅう使われるのは、人生という言葉をとりあえず使わないと、表現がはなはだ困難になってしまい、話が通じにくくなってしまうからです。

では、世界はわたしたちの思考の中に存在するのでしょうか。

しかし、「世界がわたしたちの思考のなかに存在するのであれば、わたしたちの思考が世界のなかに存在することはありえないはずです。さもなければ、わたしたちの思考と（その思考内容としての）〝世界〟からなる世界が、また別に存在していることになるからです。したがって、わたしたちは、やはり世界については考えることができないわけです」（清水訳以下同）。

だから、世界という名をわたしたちが口にするとき、わたしたちは何についても述べていないし、結局のところ無を口にしているのです。

世界に衝撃！「新しい実在論」の先駆けに

マルクス・ガブリエルの『なぜ世界は存在しないのか』が衝撃を与えたのは、**存在の定義を「意味の場に現象する」こととした点で、これは新しい実在論の立ち上がりとなりました**。そしてまた同時に、自然科学こそ実在の可否（かひ）を判断できるという現代社会での支配的な立場に真っ向からノーをつきつけることにもなったのです。

さて、この本の第6章で、芸術は「意味の場」を意識させるものだとガブリエルは述べています。なぜならば、芸術は「わたしたちを意味に直面させる」からです。というのも、絵画、音楽、彫刻、詩は、何かの対象を真似して示しているように見せかけつつ、わたしたちがそれらに面したときにはまったく別の多彩な意味を生み出してみせるからです。

さらに芸術は、実在と幻想の境界をわからなくし、実在はわたしたちの側に幻想があるからこそ成り立っていることにも気づかせてくれるのです。つまり、意味というものは一つではなく、わたしたちのあり方によって変わっていくことを教えてくれているのです。

賢人のつぶやき

人工知能は幻想です。存在しないし、これからも存在し得ない。あるのは、人間がほかの人間を搾取するために書いたソフトウェアのコードだけ

38

『悲しき熱帯』

レヴィ＝ストロース

（原題 Tristes Tropiques 1955）

難易度 4

人間生活はみな同じだ

「私は、〝合理的なもの〟の彼方（かなた）に、より一層重要でより肥沃な、もう一つの範疇（はんちゅう）が存在するのを知った。それは〝意味を表すもの（シニフィアン）〟という範疇で、〝合理的なもの〟の最も高度の存在様式である」

「理解するということは、実在の一つの型を、別の一つの型に還元することだ、ということであり、真の実在は決して最も明瞭（めいりょう）なものではない」

（川田順造訳）

クロード・レヴィ＝ストロース
（Claud Lévi-Strauss）

1908～2009　ユダヤ系フランス人であった両親がベルギー王国ブリュッセルに滞在していたときに誕生。父は画家。パリ大学で法学を学び、23歳で哲学教授資格試験に合格。サン・パウロ大学での教授生活をきっかけに、ブラジルでフィールドワークを行なう。大戦従軍後、ユダヤ人迫害でアメリカに亡命したがのちフランスに帰国。コレージュ・ド・フランス教授。100歳没。

「構造主義」のバイブルとなった傑作紀行文

「私は旅や探検家が嫌いだ」（川田訳以下同）という有名な一行から始まる『悲しき熱帯』は、**20世紀半ばのブラジル原住民についてのフィールドワークレポート**というだけにおさまらず、紀行文であり、航海記、文化論、半自伝、思想書、人間観察エッセイでもあるようなブリコラージュ（手元にある寄せ集めだけで役立つものを作ること）の体裁（ていさい）をなしています。

マルクシズム、地質学、フロイトの精神分析学、ソシュールの一般言語学の理解によって真実は隠されたものの中にあるという見方を身につけていたレヴィ＝ストロースは、ブラジルでのフィールドワークを通して**「構造」**という概念を用いた**「構造人類学」**という新しいジャンルを打ち立てることになりました。

現実の中に「構造」を探る

構造とは、存在や事物に隠されている固有の価値、存在や事物の**「意味を表すもの」**のことです。ところが、その構造は形としては目に見えていません。**構造は、わたしたちが現実や社会から抽出（ちゅうしゅつ）してきてようやくわかるもの**なのです。そして、このような考え方と手法を**「構造主義」**と呼びます。

実際にどうするかといえば、構造主義では、そこにある物事同士の関係を見ます。ある文化の個々の要素を取り出し、その要素がそれぞれどのような関係になっているかを観察するのです。そのときにわかる関係のありよう、関係の総体としての構造が、実は個々の要素の意味を定めているのです。

個々の要素自体に意味があるわけではない。だから、目に見える現象の底に隠れている見えない意味をつかまえておかなければ、なぜそういう現象があるのかということを理解できなくなるというわけです。

20世紀半ば当時、ブラジルの原住民は野蛮で未開の人々だとみなされていました。それは目に見える西洋文化にある種々のものと、ただ単純に比べていたからです。

しかし、レヴィ＝ストロースが調査と観察を行なってみると、原住民たちの中にも西洋と質的に変わらない緻密で秩序立った思考文化が根底にあり、それに沿って彼らは生きていたということを発見したのでした。

つまり、文化的だと自認している西洋の人々も、人間というよりも動物に近いほど野性的で知能も低いと西洋人からみなされていた人々も、その文化において構造的には西洋人と同じなのだとわかったのでした。

だからこそ、レヴィ＝ストロースは『悲しき熱帯』の第七部の最後を次の文でしめくくったのです。

「私はもうそこに、人間だけしか見出さなかった」

つまり、西洋人も熱帯の原住民も人間として知性に変わりはないということです。

「構造主義」の流行とサルトル批判

早くに哲学がどの程度のものであるかをあっさりと見抜いていたレヴィ＝ストロースが大学で法学を選択

したのは、法学があまりにも簡単な学科であり、試験勉強を2週間ですませることができたからでした。つまり鋭い洞察力に恵まれた人であり、そんな彼を魅了したのが民族学だったので、ブラジルで原住民族のフィールドワークを行なったのでした。

どうして民族学に魅了されたかということについて、レヴィ＝ストロースはこのようなことを述べています。民族学者というものは人間や物事を見たままで理解しようとはしない。それぞれの人間、それぞれの社会、それぞれの文明にある固有のものに目をうばわれず、ずっと遠く離れたところから広範囲に眺め渡し、そこから引き出せるものを選び、ようやく判断しようとつとめるのだ。

この、物事から重要点や結節点（結び目、関係する点）を器用に抽象することのできるほどの高い視点を持つこと、これが構造をとらえるということなのです。

レヴィ＝ストロースのもう一冊の有名な本『野生の思考』（1962）でひときわ注目されたのは、最後の第9章に置かれたサルトル批判の部分でした。

サルトルはその著書『弁証法的理性批判』で、未開社会の人には分析的理性（惰性にしたがうだけの、いわゆる怠惰な理性）しかなく、そこには弁証法的理性（世界を歴史的に動かしていくような知的な理性）の思考はないと論じました。つまり、未開社会の人々はなまけ者で愚かだとしたのです。

しかしレヴィ＝ストロースは実際の調査によってサルトルの論を否定し、未開社会の人々も自分たちと同じだと調査事実で実証してみせたわけです。この批判にサルトルは正面きって答えることができませんでした。すると、サルトルの実存主義ブームは急に冷めていき、今度は多くの分野において構造主義が流行しだしたのです。

『オリエンタリズム』
エドワード・サイード

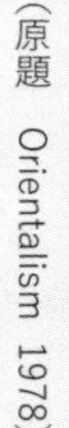

ヨーロッパ中心主義から抜け出せ

「文化的・宗教的・人種的差異は、社会＝経済的・政治＝歴史的カテゴリーより重要なものといえるのだろうか」

「オリエンタリズムのごとき思考体系、権力の言説（ディスクール）、イデオロギー的虚構——精神によってつくり出された手枷（てかせ）——が、驚くほどたやすくつくられ、応用され、保護されるものだという警告として……」

（今沢紀子訳）

エドワード・ワディ・サイード
（Edward Wadie Said）

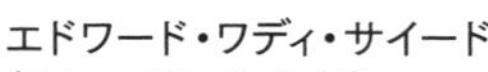

1935〜2003　イギリス委任統治領パレスチナのイェルサレムの生まれ。アメリカに移住し、プリンストン大学、ハーヴァード大学で学位取得。コロンビア大学で英文学と比較文学の教授。パレスチナ人とアラブ人の擁護者としてアメリカで強い影響力を持った。67歳没。

「西洋」と「非西洋」――現代国際社会を読み解くための必読の書

サイードの主著『オリエンタリズム』のオリエンタリズムとは、たんに東洋趣味とか異国趣味という意味ではありません。そういうロマンチックな意味での東洋趣味は18世紀以降からヨーロッパの文学や芸術で盛んになったもので、たとえば絵画ではジェローム、ドラクロワ、バンジャマン=コンスタン、ホースレイの表現に見られるエキゾチックな官能的表現などです。しかし、そこにもオリエンタリズムがたっぷりと含まれています。

そういう風俗的なステレオタイプのイメージをもあわせて批判するサイードが新しく打ち出した「オリエンタリズム」という概念の意味とは、広大な地域としてのオリエントに向けられたヨーロッパ人の眼差し、思考と対処の様式のことになります。

サイードは序説で次のように述べています。

「オリエンタリズムとは、オリエントを題材とするヨーロッパ製の空想物語などではなく、一体のものとしてつくり出された理論および実践なのである」(今沢訳以下同)

要するに**オリエンタリズムとは蔑視(べっし)の混ざった「上(うえ)から目線」**のことであり、具体的には、オリエントを後進的で、幼児的で未開、劣っている類型とみなし、政治的にその程度のあしらいをすること、オリエントをヨーロッパが力で植民地化し、支配すること、などを指します。ヨーロッパにとって、オリエントはいつも受動的であり、歴史もなく、人種差別の対象であり、不可解なアウトサイダーであり、それゆえに一面では神秘的な官能性すら持っているように想像されているのです。

これは異文化へのたんなる偏見にはとどまりません。オリエントについての（セム語を使う中近東を劣等と決めつけたジョゼフ・エルネスト・ルナンらの）言語学、地質学、神話学など多分野での（偏見の強い）学問がヨーロッパで生産され、その成果を立法や行政に反映させつつ植民地の統治にも応用し、同時に西洋の優位性を正当化してしまったのです。

これは、サイード自身が序論でふれているように、フーコーが指摘した「言説（ディスクール）」（制度・権力と結びついて現実に影響していくような言語表現）の暴力的な力そのものなのです。

こちら側とあちら側――「二項対立思考」が生んだオリエンタリズム

こういった総合的なオリエンタリズムの根底にあるのは、異文化の表象化、簡単にいえば**異文化への勝手なレッテル貼り**です。レッテルで表象化されてしまったからこそ、多くの事柄に結びあわされてオリエンタリズムはどんどんと拡大していきます。

そして、表象を使うため、こちら側とあちら側、内と外という二項対立が生まれ、はっきりとした二項対立が出来上がることによって、こちら側のヨーロッパのアイデンティティーが形成されて物事の中心や正統となり、あちら側のオリエントが辺境や異端とみなされるようになるのです。

そうして、ヨーロッパの二項対立の思考は正負、正邪という価値観念を裏側に貼りつかせることになりますから、そこからヨーロッパの自民族中心主義や帝国主義が生まれてきたというわけです。

ヨーロッパの学者たちはオリエンタリズムに染まった考え方をずっと続けており、ヘーゲルはもちろん、ヴェーバーやマルクスも例外ではなく、アジアの生産や支配が後進的なものだと主張していました。フッサールでさえもまた、ヨーロッパ文化の卓越を信じていたのです。

古代にさかのぼれば、アリストテレスは『政治学』の中で「**アジア人はヨーロッパの人々よりも隷属的なので、なにも苦に病むことなく専制的支配に耐える**」（山本光雄訳）と書いています。この頃から（意識的ではなくとも）「ヨーロッパ中心主義」という考え方が綿々（めんめん）と続いてきたわけで、それをデリダ（本書301頁参照）は強く批判し、サイードにあってはオリエンタリズムという言い方になるわけです。

そこでサイードはあらためて異文化という概念自体に疑問をつけています。

「**我々は異文化をいかにして表象することができるのか。異文化とは何なのか。ひとつのはっきりした文化（人種、宗教、文明）という概念は有益なものであるのかどうか**」

そしてサイードは、学問にたずさわる知識人であるというのならば普遍主義的な思考を持ち、いかなる国家や権力にも属してはならないという見解を抱くにいたるのです。

植民地体験から生まれたオリエンタリズム批判

キリスト教徒のパレスチナ人で、英文学と比較文学が専門であったサイードが『オリエンタリズム』を書いたのは、二つのイギリス植民地（イェルサレム、レバノン）で15歳までの少年時代を過ごした人間としての〝東洋人（オリエンタル）〟意識でした。

そしてまた、アラブやイスラムについて冷静に議論する文化的状況がまったく欠如している状況が世界でずっと続いてきたこと、中東については「大国の政策、石油経済」がからみ、また、「自由を尊重する民主主義のイスラエルと邪悪な全体主義者でテロリストのアラブとを対置する単細胞思考的二分法」しかないことを、自身が体験してきたからです。

そもそも東洋人を英語でオリエンタルと呼ぶことがオリエンタリズム的差別でした。ちなみに2016年にアメリカのオバマ大統領はこのオリエンタルという呼称を差別用語として連邦政府機関での使用を禁止する法律に署名しました。したがって今では、「アジア系アメリカ人」と呼ぶことになりました。

オリエンタリズムは日常の娯楽作品にもあふれていて、たとえばヒットした映画だったら、ディズニーの『アラジン』や『エマニュエル夫人』や『燃えよNINJA』などです。それらはアメリカ人やフランス人のオリエンタリズムに濃くいろどられているのです。

かつて朝鮮、琉球、台湾、東南アジアに対していた日本の態度、その政策もまた傲慢（ごうまん）なオリエンタリズムそのものでした。現代では「土人」といったような表現は「言葉狩り」によって差別用語とされるようになりましたが、保守勢力の考え方ではいまだにオリエンタリズムのすべてが払拭（ふっしょく）されていないのは明らかです。

サイードの『オリエンタリズム』は世界的に読まれましたが、『コーラン』と古代の習俗を基盤としたイスラム法の構造的な問題に触れていないといった批判も生まれました。しかし、この本はまずわたしたちが物事に向かうときの態度、そこから生まれてくる価値観や判断のありようにも触れているという意味で重要なものとなっています。

ちなみに、ピアニストでもあったサイードは音楽評論も書き、東西の音楽家が一緒に演奏するウェスト＝イースタン・ディヴァン管弦楽団を立ち上げました。この名称はサイードが愛読していたゲーテの『西東詩集』（１８１９）の英語表記です。

賢人のつぶやき

状況がどんなに困難に見えても、必ず別の道はある

『第二の性』

ボーヴォワール

（原題　Le Deuxième Sexe 1949）

“女性らしさ”は社会的につくられた

「人は女に生まれない。女になるのだ」

「文明の全体が雄と去勢体との中間産物をつくりあげ、それに女性という名をつけているだけのことである」

「女にとっては、自分の解放のためにはたらくことしかほかにどんな出口もないのである。この解放はぜひ集団的でなければならない。そして、何よりもまず、女の立場の経済的進化が完全に行われることを要求する」

（生島遼一訳）

シモーヌ・ド・ボーヴォワール
（Simone de Beauvoir）

1908～1986　フランスのパリで、パリ控訴院弁護士の家に生まれる。ソルボンヌ大学でサルトルと知り合い、終生のパートナーになる。小説家。78歳没。

フェミニズム思想史上に大きな影響！　男女同権論の代表的一冊

このタイトルは『第二の性』ですが、「第一の性」とは男性のことです。もちろん、生まれながらの性別に第一も第二もありません。男と女のどちらも人間です。しかし、**男性を第一とする社会文明の構造こそが女をずっと下位にある第二の人間とみなしてきた**のです。

その告発が本書のテーマなのですが、内容はとても豊かで、女性のこれまでの歴史、社会、その性生活を語り、また、女性の幼年期から老年期までがあからさまに語られます。

それまで本業としてすぐれた小説を書いていたボーヴォワールは、**「男女を問わず、人間にはあらかじめ定められた本質や原型などなく、自分で主体的に状況から選んだものになることができる」**という立場から『第二の性』を書いたのです。

彼女は**「人は女に生まれない。女になるのだ」**（生島訳以下同）という印象的なフレーズを差し出しました。これは、男性が優位な「主体」とされるこの社会（「人間」という一般概念はしばしば「男性」を指してきましたし、『聖書』の記述で員数（いんすう）が示される場合、それは成人男性のみを指してきました。これは家父長制（かふちょう）の神話の特徴にほかなりません）によって、男性たちが夢想する「女らしい女」こそ「女」とされてきたという意味です。

そして、女たち自身も男性のそういう要求に応えるために、みずから女らしいふるまいや服装や言葉づかいをして、そうであるべきと男性が思うところの「女」らしさを演技してきたというわけです。

すでに20世紀半ばでボーヴォワールは彼女の視点からこう述べています。

「(女性の)同性愛は宿命の呪いでもなければ意識的な背徳でもない。これは状況(situation)において選択される一つの態度、つまり動機をもつとともに自由に採用された一つの態度である」

これは、男性社会から生み出された狭い性的嗜好(しこう)という圧迫から逃げるため、あるいは拒否するため、自分の意志が自由に望む一つの選択的な逃げ道が同性愛という形になる場合もあるということです。

女とは「他者」である

多くの社会問題の底に広がっているのは、女が「他者」にされてしまっているということです。男は、男という性であるだけで、「主体」なのです。社会の中で主要な集団に属せない人々は、その集団から見た「他者」となるのです。

したがって西洋社会(当時の)にあっての「主体」は白人男性であり、「他者」は黒人、ユダヤ人、女です。この「他者」はなんらかの権利や機会が与えられることが少ない状態に置かれます。そして、**そのような機会の欠如によって「実際に劣った存在」になってしまう**わけです。能力や意欲が劣っているという理由からではないのです。

女が身体的に劣っているとみなされるのもまた、身体の頑健さを必要とする暴力や戦争によって物事を意のままに支配しようという男の目的がそこに置かれているからです。そういった目的が最初からなければ、つまり社会のありようが変われば、女が身体的に劣っているという価値観が無意味になってしまいます。つまり、男は「主体」としての自分たちを基準にして「他者」をはかり、おとしめているだけなのです。

賛否両論あるも、フェミニズムの潮流を変えた！

『第二の性』は世界へと広まり、アメリカで翻訳出版されたときは、たちまちのうちにミリオンセラーとなりました。ただし、それは共感だけではなく、右派からも左派からも下品な言葉で強く反発されるというスキャンダラスなものでした。女の性を赤裸々に描いた『第二の性』が卑猥（ひわい）だというのです。ヴァチカンはすぐさま禁書の一冊としました。

この本を読んで強い影響を受けたのは主に中産階級の若い女性たちで、その思想は女性解放運動（ＭＬＦ）をいっそう力づけました。１９７４年にはボーヴォワール自身が女性権利同盟を結成し、生誕１００年の２００８年には「女性の自由のためのシモーヌ・ド・ボーヴォワール賞」がフランスの哲学者ジュリア・クリステヴァによって創設されています。

賢人のつぶやき

あなたの人生を今日から変えなさい。未来に賭けてはいけません。今すぐに行動を起こすのです

『女性の権利の擁護（ようご）』

メアリ・ウルストンクラフト

（原題　A Vindication of the Rights of Woman　1792）

女は自分から変わりなさい

「女性の権利を主張する際の私の主要な論拠（ろんきょ）は、単純な原理の上に築かれています。その原理というのは、もしも女性が男性の同志となるように教育によって準備されることがないならば、女性は〔知識と美徳〕の進歩を止めるだろうということです」

「社会の中に根を張っている差別は、…中略…個人的な美徳と公的な美徳の双方を駄目にしてしまうのだ」

（白井堯子訳）

メアリ・ウルストンクラフト
（Mary Wollstonecraft）

1759～1797　グレートブリテン王国のロンドンのイングランド系アイルランド人の家に生まれる。19歳で家を出て著述業を始める。無政府主義者と結婚し、出産したときの敗血症で死亡。38歳没。

18世紀に女性の経済的・精神的自立を主張。女性解放思想の出発点！

挑発的(ちょうはつ)な文章で書かれた『女性の権利の擁護』が主張しているのは、これまで行なわれてきた**男女差別を廃止**すること、男性と同じ教育を女性も受けられるようにすること、女性も男性とまったく同じように法的、社会的、政治的権利を持った者として認められるべきだ、ということです。

しかし、ウルストンクラフトはただ要求しているばかりではなく、**それらの権利を得るためには、それにふさわしい理性、努力、能力が女性の側にも必要**だとします。そのためにも男性のご機嫌(きげん)をとり、男性にいろいろ気に入られようとする今までの態度はやめなければならないというのです。

この本で目立つのは、ルソー（本書252頁参照）の有名な著書『エミール』（1762）や貴族社会の人々の態度や考え方を強く批判している部分です。『エミール』はエミールという子どもの成長についての物語を通してルソーの教育論を述べたものですが、それと同時に、女性はいつも受動的で弱く、男性を喜ばせるものといった偏見にいろどられているからです。

ウルストンクラフトの表現を借りれば、ルソーは「男性がくつろぎたいと思う時にはいつでも彼のもっと優しいお相手になれるように、コケティッシュな奴隷にならねばならぬ」という女性観を持っているのです。

そのような偏見はたんにルソーだけのものではなく、当時の男性の一般的な考え方でした。ウルストンクラフトはしかし、偏見だらけの男性を女性が支配すべきとするのではなく、女性が女性たち自身の支配者になるべきだと強調しています。内側から自分を変えるその道具として、理性と努力が使われるべきだというのです。

第一波フェミニズムの古典

まだ男性が圧倒的に優位に立っていた社会に衝撃を与えた『女性の権利の擁護』はフランス語に翻訳され、今ではいわゆる第一波フェミニズムの古典となりました。第二波のフェミニズムで有名な書物はボーヴォワールの『第二の性』（本書194頁参照）です。

当時、ウルストンクラフトは風習にとらわれない自由な恋愛をくり返していたために批判されもしました。また彼女は『人間の権利の擁護』という本も出すほか、旅行記、小説、フランス革命についての歴史本を書いています。

ちなみに、娘のメアリ・ウルストンクラフト・ゴドウィン（1797～1851）はメアリ・シェリーの名（出版時は匿名）で世界的に有名になる小説『フランケンシュタイン、あるいは、現代のプロメテウス』（1818）を書きました。

賢人のつぶやき
始まりはいつも今日です

『消費社会の神話と構造』

ジャン・ボードリヤール

（原題 La Société de Consommation 1970）

大衆は記号を買っている

「消費者はもはや特殊な有用性ゆえにあるモノと関わるのではなく、全体としての意味ゆえにモノのセットと関わることになる」

「消費的人間は自分自身の欲求と自分の労働の生産物を直視することもなければ、自分自身の像と向かい合うこともない。彼は自分で並べた記号の内部に存在するのである」

（今村仁司・塚原史訳）

ジャン・ボードリヤール
（Jean Baudrillard）

1929 ～ 2007　フランス共和国のランスの下級公務員の家に生まれる。ソルボンヌ大学で学び、『物の体系』で博士号取得。10年間、地元のリセのドイツ語教師をし、サルトル主宰の雑誌『レ・タン・モデルヌ』に寄稿。親交のあったロラン・バルトに影響を受ける。パリ大学に新設されたナンテール校で社会学を教授する。写真家でもある。77歳没。

「無印良品」の初期コンセプトに多大な影響を与えた書！
大量消費時代における「モノの価値」とは

『消費社会の神話と構造』は哲学というよりも、現代の消費社会について、ソシュールの言語学、精神分析、文化人類学の考え方をとり入れて饒舌（じょうぜつ）に論じたものです。その出発点となっているのは、かつてマルクスが述べていた時代の商品と現代の商品はまるで異なってしまったという考察です。

マルクスは商品論（価値形態論）の中で、**商品には「使用価値」と「価値」という二つが含まれている**と述べました。使用価値とは、その商品を使うことによる生活上の便利さやメリットのことです。価値のほうは、その商品を生むための労力の大きさのことで、材料費や労働賃金を指します。頑丈でよく切れるナイフならば、高い材料が使われていて生活に役立つということで、この二つの価値のそれぞれが大きいということがいえます。

しかし、**現代社会の商品はその使用価値がとても小さいか、無視されていることが多い**のです。そして、まったく別の新しい価値が異様に大きい。その別の価値とは、**意味記号としての価値**です。

たとえば、バーキンと名づけられたハンドバッグにはしばしばセダンの乗用車よりも高い価格がつけられていますが、これはマルクスが指摘していた二つの価値が高いからではなく、バーキンを持って歩くのはリッチだという意味（観念）の価値がすこぶる大きいからなのです。使用価値だけならば、バーキンはポリエチレン袋とさほど変わらないのです。ここには、自分はリッチな人間だという（心理的）意味を買う（欲求による）消費があります。

その他に、（おびただしい広告によって与えられていた）価値を買う意味、おしゃれな生活や堅実な人生（すべて心理上のものであって現実的なものを意味しない）を買う消費は無数にあり、そのイメージを売り文句やビジュアルにしたショップも無数にあります。一般的な洗濯機にしても、道具でありながらも幸福などの価値要素のほうが強いのです。したがって、現代の消費は次のように定義されます。

◇消費とはすでに、モノの機能的な使用とか、モノの所有のことではない。
◇消費は、個人や集団を権威づけるための機能をもう持っていない。
◇「消費はコミュニケーションと交換のシステムとして、絶えず発せられ受けとられ再生される記号のコードとして、つまり言語活動として定義される」（今村・塚原訳）

たくさんのモノに囲まれても幸せになれない理由

このような**消費は強制されています**。というのも、消費は最初から生産機能の一つだからです。消費者は自分の自由な意思で買ったり買わなかったりすると思わされているだけです。自分で選んだと思わされているものの、実際にはいくつかのパターンから選ばされているだけであり、それこそが一定の生産コードに服従することなのです。

よって、豊かさを求めるための消費というのは、社会的・経済的・政治的に仕組まれた現代の神話であり、消費者はその神話を信仰しているということになります。

このようなわけですから、消費者の追い求める価値は遠ざかるばかりで、それが消費者に新たな欲望の飢餓と慢性的不安を与えます。いくらモノ（コード）を買ったところで実際には豊かにはなりません。では、豊かさや幸せはどこにあるのでしょうか。豊かさとは、財の多さのことではありません。人間と人間との関係が豊かさや幸せなのです。社会関係にフェイクのない透明さがあり、相互に助け合う状態になることが豊かさなのです。

しかし、財の大きさが豊かさだと信じている限り、自分の財を多くしようと努めることでますます孤立し、真の豊かさを生む人間関係から遠ざかることになってしまいます。

「無印良品」の初期コンセプトに貢献

１９８０年の日本では「無印良品」が立ち上げられましたが、これは中心人物の一人であった堤清二（１９２７〜２０１３）が『消費社会の神話と構造』に触発されたものでした。だから彼は初期に「無印良品」を「反体制（アンチブランド）商品」と呼んでいました。

ヒットしたアメリカのＳＦ映画『マトリックス』はボードリヤールの『シミュラークルとシミュレーション』（１９９９）にヒントをえたもので映画の中にもこの本が出てきます。また、１９８０年代のニューヨークでのシミュレーショニズム運動（シミュレーション・アート）をも生みました。しかし、ボードリヤールの考え方がもっとも強い影響を与えたのは現代思想です。

Part 4

政治・社会をめぐる考え方

『大衆国家と独裁』シグマンド・ノイマン
『大衆運動』エリック・ホッファー
『大衆の反逆』オルテガ・イ・ガセット
『ウンコな議論』ハリー・G・フランクファート
『これからの「正義」の話をしよう』マイケル・サンデル
『正義論』ジョン・ロールズ
『国家』プラトン
『論語』孔子
『君主論』マキアヴェリ
『リヴァイアサン』トマス・ホッブス
『蜂の寓話　私悪すなわち公益』マンデヴィル
『社会契約論』ルソー
『道徳および立法の諸原理序説』ベンサム
『アメリカにおけるデモクラシーについて』トクヴィル
『経済学・哲学草稿』マルクス
『自由論』ミル
『アナーキー・国家・ユートピア』ノージック
『隷属への道』ハイエク
『マルチチュード』アントニオ・ネグリ

100 GREAT PHILOSOPHY BOOKS THAT CHANGED THE WORLD

『大衆国家と独裁』

シグマンド・ノイマン

（原題　Permanent Revolution : The Total State in a World at War　1942）

独裁は大衆の性格につけこむ

「全体主義の第一目標は、〝革命を制度化し〟恒久化（こうきゅう）することである」

「現代の独裁は、組織の怪物である」

「独裁制のダイナミズムが人に訴える根本的な理由は、その〝安定の約束〟にある。休息を渇望（かつぼう）する大衆は、自由を投げ出しても経済的安定を求めようとする」

（岩永健吉郎・岡義達・高木誠訳）

＊　名前のシグマンドは英語読み、本来のドイツ語読みではズィクムント。

シグマンド・ノイマン（＊）
（Sigmund Neumann）

1904～1962　ドイツのライプツィッヒのユダヤ人家庭に生まれる。ドイツとフランスの各大学で社会学、経済学、政治学を研究。ライプツィッヒ大学と（ベルリン自由大学の前身の）ドイツ政治大学で教え、ヒトラー政権が誕生した1933年にイギリスに移住。翌年にはアメリカに移住。戦後はミュンヘン大学、ベルリン自由大学で教える。57歳没。

ドイツからの亡命者が「ファシズム国家」を分析！現代日本人が、今、まさに読むべき一冊

『大衆国家と独裁』はファシズム、**すなわち現代における全体主義体制と独裁国家についての特質を明らかにした研究書**です。それまではドイツ政治の研究をしていたノイマンをファシズム研究に動かしたのはソビエト連邦共産党、イタリアのムッソリーニが指導する国家ファシスト党、ヒトラー政権のナチスドイツといったファシズム政治の台頭(たいとう)とその暴力でした。

次に、『大衆国家と独裁』の要点をいくつかまとめた形にしておきます。

・独裁政治体制の誕生

全体主義の独裁的な政治体制はどのようにして現れるのか。それは、われらこそ進歩的だという強い主張、古いデモクラシーを超克(ちょうこく)しつつ新しい秩序をもたらす、という宣伝文句で登場します。

また、その秩序は更新をくり返され、そのつど革命と名づけられます。そういう特徴から、『大衆国家と独裁』の原題が「恒久革命（Permanent Revolution）」とされているのです。（現代の典型例は北朝鮮指導者が口にする絶えざる「革命」です）

しかし、これに大衆は救世主を見るかのように心酔し、よりよい時代の到来を期待して支持するのです。

このとき、**大衆は新しい民主主義国家が脱皮的に生まれるのだと信じていますが、実際に与えられるのは民**

主主義を装った独裁体制です。単一政党制の下で、党と国家は同一化されてしまうのです。

・大衆の統制方法

独裁国家が大衆を統制する方法は二つあります。一つは、**自分たちの党と国家が一体化し、政治が経済を下に置くような法制度をつくって適用させる**ことです。もう一つは**宣伝によって価値観を決めつけ、教育や家族のありかたをも統制**します。

しかもそれらが経済的安定の約束であるかのように見せかけ、経済的にも心理的にも不安定である大多数の大衆の勝利であるかのようにします。そうして独裁国家は大衆を自由で安定したかのごとく思わせつつ、実質的に「征服」するという目的を達成するのです。

・独裁体制下での単純化と反知性主義

自己中心的で偏見をかかえている大衆は感情的に動かされやすく、なにがしかの満足を与えられ、すべてがしっかりと定まっていて、それにしたがうだけでよいという安定的な状況を好むということを独裁者はよく知っています。たとえばヒトラーは、**「(大衆は)頼もしい力に対する漠然とした情緒的渇望によって影響され、弱者を征服するよりは強者に服従することを好む」**(岩永・岡・高木訳)と述べていました。

さらに、不確定と不安定をなによりも嫌う大衆は、**物事の価値を決めてくれる独裁体制支配の下で明快さ、単純さを取り戻すような気分を味わいます**。学術的な正確さ、自由であるがゆえの不安定さを嫌悪するのです。

6～7世紀に生きたムハンマドもまたイスラム教の名のもとに独裁体制を敷いたのですが、アレクサンドリアの図書館の前に立ったムハンマドは、ここにある本の内容がコーランの教えと一致するなら、これらの本は不要だ、もしコーランの教えと一致しないのならばこれらの本は有害だ、と述べました。

したがって独裁体制にあっては、自由な立場からの学問研究は遠ざけられることになります。よって、（ナチズムが）**「攻撃の主目標を知識層においたのは決して単なる偶然ではない」**のです。このことについてノイマンはわざわざ、**「しかしデモクラシーの下では、真理の探究と、善悪の識別における選択の自由とは、決して放棄されない」**と書き記しています。

・独裁体制を補佐する幹部たち

独裁体制をかついでいる幹部たちは、指導者の承認のみによってその権力と特典を得ていて、彼らはただ指導者の支配的地位を維持することにしか力を傾けません。国民の福祉についてなどはまったく何もしないどころか、考えることすらしないのです。

行なわれていることは要するに**「ボス支配」**であり、そのボスの近くの幹部たちはボスの個人的腹心です。彼らも含めて幹部たちは追従者（ついしょう）であり、自分より地位が上の人間にへつらうことしかしない取り巻きエリートなのです。

独裁体制を防ぐにはどうすればいいのか

まさに激しく動き出して世界を変えようとしているナチズムの本質がどういうものであるか断片的にしかわかっていなかった当時、**これまでの独裁体制の共通した特質をえぐりだして世界の民主国家に貢献したの**が、この『大衆国家と独裁』でした。

ノイマンによれば、独裁体制というものは、たんに狂信的な少数による暴力的な支配のことではなく、**多くの人間を巻きこんだ組織の怪物**だということになります。支配下に置かれる大衆はだまされているのではなく、大衆の嗜好(しこう)と性情につけこまれているのです。

ノイマンは最終章の後半で、独裁をはびこらせないために市民は社会から権利を付与してもらうことを期待するだけでなく、それと同時に社会への奉仕と献身をも要求されているのだと書いています。独裁体制が生まれるかどうか、それは多くの人々の意識の持ち方、生き方にかかっているのです。

ところで、日本の読者が『大衆国家と独裁』と『アメリカにおけるデモクラシーについて』を読んであらためて確信するのは、日本の政治体制の特徴がデモクラシーどころではなく、独裁体制の諸特徴にみごとに合致しているということでしょう。ですから、この本は今でこそ日本で読まれるべき一冊となっています。

『大衆運動』
エリック・ホッファー

（原題 The True Believer 1951 原題を直訳すれば「忠実なる信仰者」）

つるむ連中のおぞましさ

「私たちには、自分たちの存在を形成する種々の力を、自己の外部に求める傾向がある」

「大衆運動は、欲求不満をもつ者に、自我全体の身代りを提供するか、そうでなければ、欲求不満をもつ者が自分自身の個人的資質からは呼びさませないけれども、人生に生きがいを与えるはずの要素に代るものを提供する」

「大衆運動の活動力は、その信奉者がもっている共同行動と自己犠牲への傾向から生ずる」

（高根正昭訳）

エリック・ホッファー
（Eric Hoffer）

1902～1983　アメリカのニューヨークにドイツ系移民の子として生まれる。労働のかたわら独学で大学レベルの物理学、数学、植物学をマスターする。社会哲学者。カリフォルニア大学の研究教授になってもサンフランシスコでの港湾労働（沖仲仕（おきなかし））の仕事を辞めなかった。80歳没。

若者のカリスマ〝働く哲学者〟の世界的ベストセラー 大衆運動の狂気をえぐる名著

ホッファーの最初の著作であるこの本はやや長めの断章のつらなりで書かれているもので、テーマの**「大衆運動」**（宗教運動、民族運動、革命的政治運動など）についてホッファーが見出したことはだいたい次のようにまとめられます。

◇あらゆる大衆運動は、「親分、子分」などの家族に似たものを与えるという特徴がある。
◇大衆を動かす運動というものはどんな立派な見かけのものであれ、狂信、熱狂、異常な希望、憎悪、不寛容などを育てる。
◇本質は宗教運動と同じである。なぜなら、盲目的な信仰と忠誠を要求するからだ。
◇欲求不満の人間が大衆運動によって自分を不安から救おうとするが、結局は依存性の高い人間になってしまう。
◇その根底には、形骸(けいがい)化した民主主義政治が横たわっている。

ホッファーが大衆運動について研究を始めたきっかけは、ヨーロッパで1933年以降ヒトラーによる大衆運動が始まり、10年以上にわたって猛威をふるったことでした。

昔であれ現代であれ、さまざまな大衆運動に参加している人たちは血気盛ん(けっき)な感じがあり、運動に熱中しきっているものです。あらゆる大衆運動は**「どのような主義を説こうと、どのような綱領(こうりょう)**（運動方針や主要規則のこと）**を打ち出そうと、狂信、熱狂、熱烈な希望、憎悪、そして不寛容を育てる」**（高根訳）からです。

大衆運動は必ず**「盲目的な信仰と一筋の忠誠を要求する」**わけですが、これはその構造が熱狂的な宗教運動と少しも変わらないからです。そしてもちろん、運動の積極的な参加者というのは人生や自分の生き方、環境、能力に不満を持つ人たち（狂信者）なのです。

「大衆運動の活動期間は短いほうがいい」その理由は？

ホッファーによれば、大衆運動の進行と影響には次のような特徴が見られます。

一人の人物、あるいは同じ型の人物が最初から最後まで運動をひきいた場合、その運動は結果として大きな不幸をもたらします。（ヒトラーによるナチズムがこれの典型です）

また、大衆運動はその目的がどれほど高い社会的価値があるように見えようとも、その活動がずっと続くのはよい結果を生むことがなく、活動の期間は短いほうがよい結果をもたらします。例としては、マハトマ・ガンジー（1869〜1948）によるインド独立運動、宗教改革、（結局は敗北に終わった）清教徒革命、フランス革命、アメリカの独立があげられます。

しかし、大衆運動が活発である間は、文化的創造の面では不毛が続きます。なぜならば、運動が続いている間、一方向のみへの価値観が重視され現実を否定する傾向が強くなり、その結果、多方面への創造的能力が大衆活動にむざむざと浪費されてしまうからです。たとえば、イギリスの詩人ジョン・ミルトン（1608～1674）は、清教徒革命で軍人政治家オリバー・クロムウェル（1599～1658）の動きに没頭していた20年の間、パンフレットの文章を書いていただけでした。ミルトンはしかし、清教徒革命が絶えてから、不遇の中で叙事詩『失楽園』（1667）を仕上げるのです。

そういったことに見られるように、**大衆運動に関わる場合の熱狂はその人本来の創造性を窒息させる**ものです。しかし、大衆運動が終わったとたん、個人の創造性はようやく解放され、新しい文化や新しい時代が生まれやすくなるのです。

波乱の生涯から生まれた哲学

各地で肉体労働をしながら独学で多くのことを学び、じっくりと考察し、しかし機会があってもアカデミックな職に安住しようともせず、65歳まで港湾労働を続け、自由と自己への愛に開かれていたホッファーは、CBSテレビに出演したこともあって1970年頃には多くの若者たちから知的カリスマとみなされました。その人間愛は深く、今なお忘れさられることなく、彼の自伝と本心を正直に吐露した本は世界で読まれ、感銘を与えています。

賢人のつぶやき

「何者かであり続けている」ことへの不安から、何者にもなれない人たちがいる

『大衆の反逆』
オルテガ・イ・ガセット

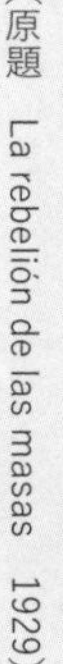

「みんな」は危険な言葉

「大衆的人間は、国家を匿名（とくめい）の権力であると見、また自分が匿名者――凡庸（ぼんよう）な人間――であると感じているから、国家は自分のものだと考える」

「理想を実現する途方もない能力はおびただしくもっていると思っているのに、いかなる理想を実現すべきかわからない、そういう時代にわれわれは生きているのである」

（寺田和夫訳）

ホセ・オルテガ・イ・ガセット
（José Ortega y Gasset）

1883～1955　スペイン王国マドリードの有名で裕福なジャーナリストの家系に生まれる。15歳でマドリッド大学に入り21歳で博士号を取得、ドイツに留学し、27歳でマドリッド大学形而上学正教授。民衆啓蒙運動、政治運動を盛んに行なう。72歳没。

現代の民主主義が直面する困難を予言！ヨーロッパを傾かせる「大衆的人間」とは!?

『大衆の反逆』で指摘されている「大衆的人間」とは、たんに一般的な人々のことや労働者階級のことではなく、ある種の人間類型に対するオルテガ独自の呼び名です。

つまり、大衆的人間とは、**連帯責任など負うことなく自分の権利ばかりを主張し、ひたすら欲求を満たすことに貪欲で甘やかされた野蛮な人たち**のことを指します。そして、彼らを生み出したのは国家の安全な庇護性だというのです。

そういう大衆的人間は下層階級ばかりか上層階級にも（知識人や科学者の中にさえ）たくさんいて、「**すぐれた伝統をもつ集団においてすら、大衆、俗衆が支配的であることが、現代の特色**」（寺田訳以下同）となっています。そして、「歴史のなかで、群集が現代ほど直接に支配するにいたった時代があったとは、考えられない。だからこそ、**私は超民主主義というのである**」とオルテガはなげきます。

大衆的人間は「みんな」という言葉をいつも口にしますが、その「みんな」とは彼ら自身だけのことなのです。

「大衆は、すべての差異、秀抜さ、個人的なもの、資質に恵まれたこと、選ばれた者をすべて圧殺するのである。みんなと違う人、みんなと同じように考えない人は、排除される危険にさらされている」

大衆的人間は、人間の間に優劣はなく、そしてまだ自分が大衆であるからこそまっとうだと考え、大衆的であることに満足するばかりか、自分の知性が完全であるとさえ思いこんでいます。

しかし、彼らの頭の中に詰まっている言葉は、「できあいの決まり文句、偏見、観念の枝葉末節（しようまっせつ）」など世間的なものばかりなのです。かつ、排他（はいた）的な性格の彼ら自身が国家の主権であり、「みんな」で国を治めるのが当然だとまで考えているのです。

そういう人々が増えるほど、伝統と歴史を持たないアメリカとソ連に押されてヨーロッパはますます斜陽化していくとオルテガは心配します。

そして、ヨーロッパを支配していくのは、自己節制の力すら持っていない大衆的人間ではなく、かつてそうであったように少数の優秀で高貴な人間性を持った人たち、真の自由主義者たちだと主張します。大衆的人間に席巻（せっけん）されてコミュニズムやファシズム国家を連鎖的に生まれさせない運動は、全ヨーロッパ的に行なわれなければいけないというわけです。

「ヨーロッパ大陸の諸国民を一丸（いちがん）として、一大国家を建設する決意だけが、ヨーロッパの心臓をふたたび鼓動させることができるであろう」

このように述べたオルテガは、現代のＥＵ（１９９３年成立の欧州連合）の必要性を予見していたともいえます。

賢人のつぶやき

堕落とは自分の義務を放棄すること

『ウンコな議論』

ハリー・G・フランクファート

（原題　On Bullshit 2005）

その議論はなぜ議論ではないのか

「広告や広報といった分野、そして今やそれと密接に関連した政治の分野は、あまりにまぎれもない、まったく議論の余地のない古典的な見本といえるウンコ議論の事例だらけ」

「ウンコ議論の本質はそれが誤っていることではなく、それがまやかしだということだからである」

「ウンコ議論屋…中略…その人物は真実の側にもいなければ偽の側にもいない。その目は正直者や嘘つきの目のように真実のほうを向いておらず、単に自分の発言で切り抜けるにあたって有益なときだけ事実のほうを見ている」

（山形浩生訳）

ハリー・G・フランクファート
（Harry G. Frankfurt）

1929～　ジョンズ・ホプキンズ大学で博士号取得。イエール大学、ロックフェラー大学、プリンストン大学で教える。道徳哲学者、プリンストン大学名誉教授。

SNSでの暴言やフェイクニュース……世界に蔓延(まんえん)していく"ウンコ発言"を撃つ！

フランクファートは、**人がなぜ「ウンコな発言」をするのか**、その状況と心理について考察しています。ウンコな発言をする人は、みんなをウンコにまみれさせてやろうとか、ミスリードさせてやろうという悪意を持ってウンコな発言をしているわけではありません。むしろ、**自分がこの場で発言することに大いなる意義を感じているく**らいなのです。

しかも、「**ウンコ議論や屁理屈は、**知りもしないことについて発言せざるを得ぬ状況に置かれたときには避けがたい」（山形訳以下同）ものです。したがって、ウンコな発言が生まれるのは、「何かの話題について語る義務や機会が、**その話題に関連した事実についての知識を上回る**」ときだからです。要するに、見栄や自尊心なども手伝って、つい知ったかぶりをする際にウンコ発言が出されてしまうのです。

しかし、それだけではありません。ウンコ発言の根はもっと深く、自由民主主義世界に住む市民として避けられない場合もあるとフランクファートはいいます。

つまり、教養やメディアの浸透によって、世間で起きていることについて誰もがそれなりの見解や感想を持っているはずだという圧力が周囲にあるからだというわけです。つまり、その場での状況にふさわしい応答として軽い気持ちでなんとなく口にしてしまう、それがウンコでしかない発言になるのです。

さらにまた、現代では価値観が相対的（あるいはつねに懐疑的で、真実は容易にわからないという態度）になってしまっていることが、ウンコ発言が出てくる土台になっています。そのため、**何事についても客観的検討ということがおざなりにされてしまいます。**

そして重要とされるのは、自分の考えはこうであると言い表すこと、または何かコメントすること、そのアクションだけなのです。つまり、各人が勝手に今の自分に正直であろうとして（浅くて、あやふやで、気分的な内容をコメンテーターとして）発言し、それに対して周囲の人は「彼は自分に誠実に語っている」とその姿勢を高く評価するのです。

こうしてウンコ発言はえんえんと拡大再生産されていくことになります。しかし、ウンコ発言を容認する彼らが思っている自分への誠実さなど、まさにウンコの中核にあるウンコ的なものだということにはいつまでも気づかれないままなのです。

ウンコ発言に惑わされないためのSNS時代の「必読の書」

翻訳版で50頁ほどしかないこの哲学エッセイは１９８６年に雑誌に載りましたが、２００５年にアメリカで書籍化されたとたんベストセラーになりました。当時のイラク戦争でのアメリカとイギリスの政治的発言がウンコそのものだったからです。

『On Bullshit』という俗語を使ったタイトルや話題の身近さから、一見して哲学書ではないような感じを受けるものの、フランクファートは結局のところ、自由意志、真偽、文化・社会の影響、言説と生き方について真剣に問題提起をしているのです。
ウンコ発言が今以上に世界に蔓延(まんえん)していくならば、その場限りの改善をよそおった政治家たちのウンコ発言によって人々は惑わされて何が真偽かわからなくなり、いっそう愚かになり、そして深い差別や深刻な戦争へと向かう可能性がひときわ高くなるからです。

ウンコな発言をする機会は、SNSの発達にともない拡大を続けています。その典型例は最近ではアメリカのトランプ元大統領のツイートでしょう。そこには必ず、思慮の足りなさ、事実よりも自分の感情先行、身勝手さなどがありました。

これはわたしたちにもいえることで、したがってウンコな発言を少なくするためには、わたしたちの言葉一つひとつが暴力や凶器にもなることを自覚し、社会に向けた過激な発言で自分を目立たせれば有名になれるし得をするという現代の悪癖(あくへき)から脱し、各人がこれまでよりもずっと真摯(しんし)に生きるようにすることではないでしょうか。

賢人のつぶやき

嘘もおためごかしも、いずれも歪曲表現である

47

『これからの「正義」の話をしよう』

マイケル・サンデル

（原題　Justice : What's the Right Thing to Do?　2009）

「共通善」こそがわれわれの正義だ

「都市国家に住み、政治に参加することでしか、われわれは人間としての本質を十分に発揮できないのだ」

「道徳に関与する政治は、回避する政治よりも希望に満ちた理想であるだけではない。公正な社会の実現をより確実にする基礎でもあるのだ」

（鬼澤忍訳）

マイケル・ジョゼフ・サンデル
（Michael Joseph Sandel）

1953～　アメリカのミネアポリスのユダヤ人家庭に生まれ、ロスアンゼルスに移る。ブランダイス大学をへてイギリスのオックスフォード大学に留学して学位取得。27歳からハーヴァード大学で政治哲学を教える。人気の講義「Justice（正義）」は2005年に12回のテレビシリーズとなった。「道徳学のロックスター」と呼ばれる。

ハーヴァード大学史上最多の履修者数を記録しつづける、超人気講義をもとにした全米ベストセラー！

ハーヴァード大学での学生の履修数がこれまでもっとも多かった政治哲学者サンデルの「正義」についての哲学の内容をまとめたものが『これからの「正義」の話をしよう』です。

この原題を直訳すると、「正義――何がなすべき正しいことなのか」となります。このタイトルにはっきりとサンデルの主張がこめられていて、本文ではその通りに正義と善について語られています。

しかし、（古代にソクラテスが議論していたような）形而上学（けいじじょうがく）観念として考えられるような**正義と善**についてではありません。判断の難しいたくさんの事例を出して参考にしつつ、現代社会でなお有効だと思われるところの正義と善という政治哲学的な意味での道徳原理を見出そうという姿勢で一貫されています。

結論では、サンデルは（観念の上での）**正義よりも社会的な共通善こそが重要**だとします。そして、政治哲学的な立場としては**「コミュニタリアニズム」**が有効だと主張しています。

「リベラリズム」「リバタリアニズム」「コミュニタリアニズム」

サンデルは、正義と善についてのこれまでのいくつかの代表的な立場の考え方を紹介し、リベラリズム（自由主義）、リバタリアニズム（自由原理主義）、コミュニタリアニズム（共同体主義）の特徴をきわだたせています。（これら日本語へのいくつかの翻訳語は意味のとり方によって誤解を生む可能性が高いため、ふつうは英語のまま使われることが多い）

それら三つのちがいは次の通りです。

・リベラリズム（liberalism）

自由で平等で公正な社会の実現のために大きな政府を認める立場です。しかしながら、国家は道徳や文化の価値を語ってはならないとします。個人は社会からまったく独立していて、その思想と価値観を自由に選択し、また自由に行動ができます。

・リバタリアニズム（libertarianism）

個人の自由、経済の自由を重視し、完全自由主義とも呼ばれます。

自由主義であっても「新自由主義」（neoliberalism）は主に（自分の利益ばかりを追求するために）経済の自由のほうばかりを重視する立場です。

・コミュニタリアニズム（communitarianism）

自由と民主主義を尊重するのですが、個人の自由よりも、文化的共同体（国家、地域、家族、等）の中でつちかわれる価値観を重視します。そして、正義よりも、その共同体の成員にとっての共通善を先行させ、政策も共通善を重視するよう望むのです。

（ここにある共通善というのは、政治思想での概念です。共通とあるのは、そこに共同体があることを前提としているからです。つまり、共同体の成員の合意によって善とされたものが共通善だというわけです）ですから、誰もが共同体の価値観に規定されることになり、政治や生活の場では共同体の価値観に縛られます。したがって、政治的に見ればコミュニタリアニズムの立ち位置はやや左翼側になります。

サンデルの支持するこうしたコミュニタリアニズムは、古代ギリシアの哲学者アリストテレスの『政治学』と『ニコマコス倫理学』での考え方が基礎になっているものです。

それらの著書においてアリストテレスは、すべてのものは目的を持っている、その目的とは最高善だ、人間も共同体も最高善を目的としている、人間にとっての最終の共同体がポリス（都市国家）であり、ポリスは最高善を目的としている、と述べています。

したがって、ポリスにおける正義とは法が判断することではなく、正義は共同体の成員の善良な生活に役立つこと、それぞれの人にその人に値するもの、ふさわしいものを与えることとなります。それをサンデルは共通善と名づけています。

つまり、正義と善といった道徳全般について政治が積極的にかかわるべきだと主張しているのです。

「正義」と「善」についての現代的な挑発的議論

サンデルのこの著書が政治哲学の書物にもかかわらず多く売れたのは、綿密（めんみつ）に組み立てられた台本に沿った正義と善についての挑発的で知的な討論が活発に行なわれる公開授業のいきいきとした雰囲気がテレビシリーズでくり返し流されたからでしょう。それは大学レベルでの講義という以上に、メンターとしてのサンデルと潑剌（はつらつ）とした学生たちが展開するドラマを観るような興奮をもたらしたのです。

その他に、ハーヴァードというブランド、一方的な教授型ではなく討論型講義という新鮮さ、技術の発達した現代にこそ生まれてきた新しい問題の取り扱い、といった要素が多くの人の関心を引きました。また一方では、この本によって世界中で正義や善についての議論があらたに活発になりました。というのも、サンデルが善と正義について提示するさまざまな現代の問題がわたしたちに強い社会的ジレンマをもたらしているからです。

たとえば、5人の命を助けるために1人を犠牲にすべきかと問いつめてゆく有名なトロッコ問題、同性婚をどう考えるのか、妊娠（にんしん）何カ月までの中絶を認めるべきか、戦争責任をなぜあとの世代が引き受けるのか、といったことです。

しかし実際には、これらの現実問題はまだ難問であり続け、いくらコミュニタリアニズムの立場であってもやすやすと解法を見出すことはできないでいるのです。

賢人のつぶやき

運命の偶然性を実感することは、一定の謙虚さをもたらす

48 『正義論』
ジョン・ロールズ

（原題　A Theory of Justice　1971）

何が正義かは「無知のヴェール」から知られる

「正義にかなった社会においては、〈対等な市民としての暮らし〉(equal citizenship)を構成する諸自由はしっかりと確保されている」

「成員の利益を増進するようもくろまれているだけでなく、正義に関する公共的な考え方が社会を事実上統制している場合、その社会は秩序だっている」

（川本隆史・福間聡・神島裕子訳）

ジョン・ボードリー・ロールズ
（John Bordley Rawls）

1921 ～ 2002　アメリカのメリーランド州ボルチモアの生まれ。第二次世界大戦では歩兵として参加し、原爆を投下された広島の惨状に心を痛める。プリンストン大学、オクスフォード大学で哲学研究。マサチューセッツ工科大学、ハーヴァード大学で教える。81歳没。

戦後の政治哲学の議論に貢献！リベラリズム（自由主義）を理解する上で欠かせない一冊

政治に理想や確固とした規範が必要だとする政治哲学は、アメリカでは（ヴェトナム戦争の影響などで）1960年代後半にはすっかり衰退し、現実の政治については学者がさまざまに分析するだけになっていました。そのようなときにロールズの『正義論』が書かれ、政治哲学が復活しました。

この『正義論』ではある思考実験が提案されます。それは、各人がいったん**「原初状態」**に立ち戻って何が正義なのかをじっくりと考えてみようというものです。

この「原初状態」（original position）とは、自分の境遇、階級上の地位、社会的身分、資産、能力、知性、体力、運や不運についてみじんも知らず、他人のそれらについてももちろん、他人の考えや心理的性向も知らないという状態を指します。

そういうまっさらの「無知のヴェール」をかぶったような状態に自分を置いて、いったいどういうものが社会の正義なのか考えてみようという思考実験です。そうすることによってようやく人はかたよりのない純粋な正義を判断できるだろうというわけです。

ただし、この場合の正義とは一般概念ではなく、現実社会のさまざまな制度の徳性（すぐれた性質）を意味します。たとえば、社会的要求がいくつかあり、その利益をめぐって対立があって、そこに適切な折り合いをつけるルールが見出せるならば、そのルール付きの制度は正義にかなっているというわけです。だから、そのルールを見出すためにも原初状態になって考えなければならないというのです。

ロールズの考える正義のある社会とは?

では、ロールズの考える正義にかなった社会とはどういうものでしょうか。そこには二つの原理がなければならないといいます。

優先する「第一の原理」は、**個人の平等な自由の保障**です。もちろん、人種、階級、宗教、信条、出身、能力を考慮しない状態での自由となります。そして、個人の自由は集団の自由よりも重要とされます。

「第二の原理」は、その自由からどうしても不平等が生じざるをえない場合は、完全な機会均等をはじめとしてもっとも恵まれない人に最大の利益がもたらされるように調整されなければならない、というものです。つまり、**正義の一つである平等は全体の効率性や有益性よりも重要**だとみなされるのです。

要するにロールズは、差別のない、できるだけ機会の平等な、自由が保障された、大きな福祉国家が正義にかなった社会だという理想を主張しているわけです。

リベラリズムへの批判と現実

分量が多く、難しく、はなはだ抽象的な内容でありながらも一時は脚光を浴び、かつまた多くの批判もわきおこったロールズの『正義論』は、今では政治哲学分野で参考にすべき古典となっています。これを古いものとしたのはサンデルが著した『リベラリズムと正義の限界』（1982）による批判もその一つになるでしょう。

その批判は、**「原初状態で考える」というロールズの思考実験は非現実的だ**というものでした。どんな人もその人がすでに属してしまっている共同体からまったく関係のない価値観を持っているはずがないから、「原初状態で考える」ことなど無理だというのです。

なお、ロールズの立場はいわゆるリベラリズム（本書224頁参照）なのですが、リベラリズムはアメリカでは左翼とみなされ少数派に入ります。多数派である保守とのちがいの一つは、どの程度まで市民に干渉する政府を望むかということです。リベラリズムは大きく広い権限を持った政府を望み、保守は小さな規模の政府を望みます。

保守に属する人たちは、政府からの干渉をいやがり、自己防衛ですら自分たちで行なえるというわけで全米ライフル協会を支持する人が多いのです。政府の介入は治安程度でいいとし、税金を多めに払いたくないから、教育はもちろん、善や正義についても自分たちで決めるという態度です。したがってそういう保守から見れば、左翼的なリベラリズムよりも、サンデルのコミュニタリアニズム（本書224頁参照）のほうに親近性があるのです。

賢人のつぶやき

善に対する正の優先

『国家』

プラトン

（英題　The Republic）

国家統治は哲学者にやらせろ

「認識の対象となるもろもろのものにとっても、ただその認識されるということが、〈善〉によって確保されるだけでなく、さらに、あるということ・その実在性もまた、〈善〉によってこそ、それらのものにそなわるようになるのだと言わなければならない——ただし、〈善〉は実在とそのまま同じではなく、位においても力においても、その実在のさらにかなたに超越してあるのだが」

（藤沢令夫訳）

プラトン
（Platon）

前427～前347　ギリシアの最後のアテナイ王一族の血を引く家に生まれる。本名はアリストクレス（広い肩幅という意味を持つプラトンとはレスラーだったときの呼び名）。政治家を断念してからは哲学者ソクラテスに学び、不敬神の罪でソクラテスが刑死したのち、執筆しつつ自分の学園アカデメイアで哲学や数学を教えた。80歳没。

西洋哲学の祖！　今なお残る重要な概念の多くを提唱したプラトンの「国家論」

プラトンが50歳のときから10年をかけて書いた『国家』には、若いときは政治家志望だったプラトンが考える国家像が描かれています。その特徴はほぼ次のようなものです。

◇国家の成員は統治者、補助者（つまり、公務員）、生産者である。
◇生産は分業であり、一人が一つの仕事を持つ。
◇補助者は防衛も受け持ち、彼らの教育の教科は体育、文芸、音楽である。
◇性交は祭りの日のみ許され、相手は抽選で選ばれる。
◇良い家系の人のみ妊娠できる。
◇家族と結婚の制度を廃止し、子どもはすべて国家の託児所で養う。
◇統治者になる人には多くのテストを課し、人々の福利のみに奉仕する人間が選ばれる。
◇統治者は哲学者である。

プラトンは民主制について、結局は独裁政治を生むものだと批判しています。

その理由は、民主制にすると、人々がやがてどこまでも自由を要求するようになり、それがこうじて無政府状態におちいり、そのうち民衆の指導者が独裁者になっていくというのです。民主制が、ポピュリズム（大衆迎合主義）の芽となると見ているわけです。

あらゆるものの「本質」はこの世の中にはない

ところで、プラトン哲学のユニークさは以上のような国家論よりも、『国家』の中にも書かれている**「イデア論」**にあります。イデアとは、**「それが何であるかわかるような真実の〝形〟」**のことです。たとえば、精確そのものの純粋な三角形が三角形のイデアです。現実の三角形はどうしても精確な三角形ではありません。真・善・美も、現実のそれは完璧なものではありません。

個々のモノ、たとえばテーブルにはテーブル性というものがあり、このテーブル性がイデアです。目の前のテーブルが奇妙な形をしていても、あるいは破壊されたりなくなったりしても、テーブル性というイデアは永遠に不変です。

しかし、形（form）ばかりではなく、大きさ、美しさ、善さ、正しさ、もイデアです。ある美しい人がいたとして、その人はいつからか美しくなくなる。しかし、だからといって美しさそのものがなくなるのではない。美しさというイデアは永遠に残ります。

したがって、プラトンはイデア自体こそ真実の姿であって、この世にあるものはすべてがイデアの姿の影のようなものにすぎないといいます。そして、真に存在しているものは、個々のモノ自体ではなく、イデアだとプラトンは結論づけるのです。

なぜ、こういうイデア論が『国家』と題された本の中に書かれているかというと、**国家の統治者はこのイデアがわかっていなければならない、つまりイデアを感知できる高い知性を持っていなければならない**とプラトンは考えるからです。

そうでなければ政治において正義が行使できないし、国家において悪がやむことはないというわけです。ですから、この『国家』の副題は「正義について」となっているのです。

キリスト教と密接に結びついて、ヨーロッパに影響を与え続ける

プラトンが始めた学園アカデメイアでアリストテレスは20年間も学びましたが、プラトンがとなえたイデアを空想的だとして認めませんでした。そしてアリストテレスは別の地で自分の学園を開設して、現実的、実務的な哲学を教えることになります。これが、いわゆる「学問の始まり」とされます。

3世紀になるとプロティノス（本書417頁参照）がイデア論を応用してリアリティを持たせた説、**「すべてのものは一者から流出する」**をとなえました。キリスト教の神学者たちがこれを取り入れたのは、神が世界を創造したとするキリスト教という一神教を説明しやすかったからでした。また、神の国があるということも教えやすかったのです。

賢人のつぶやき

自分に打ち勝つことが、もっとも偉大な勝利である

『論語』

孔子

立派に見られるように自制せよ

「煮つめてとっておいたスープを、もう一度あたためて飲むように、過去の伝統を、もう一度考えなおして新しい意味を知る、そんなことができる人にしてはじめて他人の師となることができるのだ」

「りっぱな人間は親しみあうが、なれあわない。つまらぬ人間はなれあうが、親しみあわない」

（貝塚茂樹訳）

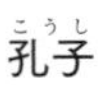

孔子（こうし）

紀元前552～前479　魯の国（現在の中国山東省）の（現在の）曲阜（きょくふ）に住む貧しい役人の家に生まれる。本名は孔丘（こうきゅう）、のちに孔子（子は先生という意味）という尊称で呼ばれる。政治家を志し、52歳で大司寇（だいしこう）（司法長官）に抜擢されたが4年で失脚。14年にわたる諸国放浪ののちに69歳で魯に戻って私塾を開く。73歳没。

2500年の時を超え、『聖書』と並び読み継がれてきた孔子の教え

『論語』は孔子が書いたものではなく、孔子の死後400年までに弟子たちなど関係者が孔子の言動を全10巻全20編に編纂したもので、その内容は主題ごとに構成されたものでも、論が組み立てられたものでもなく、孔子の言葉が雑然と並べられているだけです。

ただ、くり返し述べられている事柄があり、これはのちの時代の研究から孔子の教えとして**「五常」**（あるいは五徳）と表現されるようになったもので、**「仁・義・礼・智・信」**の五つを指します。

「仁」とは万人を思いやって愛すること、「義」とは自分の損得にかかわらずになすべきことをすること、「礼」とは仁の具体的行動、「智」とは道理をよくわきまえた生き方をしていること、「信」とは真実を口にして誠実であること、です。

これらを各人が行なえば社会に模範的人物が生まれ、そのことを通じて社会はよい変化をしていくと孔子は考えていたようです。当時は古代中国の春秋時代で、諸侯が対立抗争をくり返していた動乱期でしたから、社会の変化が望まれていたのでしょう。

孔子の教えの特徴は、**自制と否定**、**世俗性**です。ですから、その教えにあっては、何々をしてはいけない、という言い方が多く見られます。たとえば、『聖書』のイエスの教え「人からしてもらいたいとあなたが思うことを人にしなさい」と似ているとしばしばいわれる行動の規範についての表現も、**「自分がしてほしく**

ないことを、他人にしない」(貝塚訳)というふうに否定文と自制の形をとっています。

そして、これに続く文には**「そうすれば、国につかえていても、恨みを受けることなく、家庭で生活していても恨みを受けることはない」**というふうに世俗的な損得の根拠がついています。

神格化された孔子の教え

孔子の死後にまとめられた『論語』は中国の人々に大きな影響をおよぼし、今では**儒教の経典「四書」の一つ**となっています。

儒教とは、孔子の教えを土台にして、古代からの神話、制度、習俗がつけ加わった集合体としての思想・信仰体系のことで、これは紀元前の漢王朝の儒教再興から始まったとされています。その孔子の霊を祀るという孔子廟は日本を含めたアジア一帯の国に見られ、人々はその廟において礼拝をしています。しかし、孔子は『論語』において、神や鬼など、宗教的なことについては一つも述べていないのです。ちなみに、現在のハルビン市にある五常市は、徳目の「五常」に由来しています。

孔子の思想はイエズス会宣教師によって16世紀にヨーロッパに知られることになりましたが、『論語』の翻訳はようやく17世紀後半になってからでした。

賢人のつぶやき

義を見てせざるは勇無きなり

『君主論』

マキアヴェリ

（原題　Il principe　1532）

愛されるより恐れられろ

「君主たる者は、自分の領民を結束させ、忠誠を誓わすためには、冷酷だなどの悪評をなんら気にかけるべきではない」

「自分の行動のなかに偉大さや、勇猛心、重厚さ、剛直さなどが窺えるように、努力しなくてはならない」

「誰からりっぱな進言を得たとしても、よい意見は君主の思慮から生まれるものでなければならない。よい助言から、君主の思慮が生まれてはならない」

（池田廉訳）

ニッコロ・マキアヴェリ
（Niccolò Machiavelli）

1469 ～ 1527　フィレンツェ共和国の中流貴族の家に生まれる。フィレンツェの激動期の外交官、政治思想家、戯曲家。市民兵の創設を主張した。58歳没。

慎重であるより果断であれ！時代を超えて読み継がれるリーダー論

難しい論理や理想論などいっさい語ることなくわかりやすく書かれたこの本は、**国家を統治するために君主はどのように考え、どのようにふるまうべきか**についてのノウハウが書かれています。

それは次のように実際的な手練手管（てれんてくだ）です。

◇国民に愛されるよりも恐れられること。（しかし、反乱を起こさせないために、嫌われてはならない）
◇道徳やキリスト教会の教えに縛られる必要はない。
◇慈悲深いという評判を得ること。（実際には残酷であってもかまわない）
◇悪人にもなりきれなければならない。
◇重要なのは、高潔（こうけつ）さなどよりも、権力の掌握（しょうあく）である。
◇害を加えるときは一気にやり、恩恵はなるべく小出しにせよ。
◇どんな手段を用いても統治すべきである。

以前はフィレンツェ共和国の外交・軍事関連の秘書官であったマキアヴェリですが、彼が自分の知見を土台にここまで強力な君主の態度を描いたのは、彼が住む当時のフィレンツェが政治的に混乱していたために、イタリアを統一するためにはどうしても力強い権力をふるう人物像が必要だと考えていたからでした。

権力を獲得して保持し続けるにはどのような力量が必要か

マキアヴェリのこの現実的な統治の方法論の底にずっと流れているものがあります。それは、**「運命と力量」の関わりあいによって統治が成功か失敗のどちらかに転じる**ということです。

マキアヴェリは、物事の変化の半分は運命の支配にあるといいます。それは時勢という形で現れ、その時勢に君主のやり方や計画が一致しているときに、物事はうまくいくというわけです。

つまり、時勢の流れを読み、時勢を自分に引き寄せるほどの力量がなければならないのです。しかも、その流れの変わり方に合わせることもまた必要となります。

どんなに用意周到な君主であっても、時勢と合っているかどうかで結果が大きく変わります。しかしマキアヴェリは、**「用意周到であるよりはむしろ果断に進むほうがよい」**と述べています。思慮は深くなくてかまわない、荒々しく大胆なほうがよい結果をもたらすというのです。

そこでマキアヴェリは、歴史上のすぐれた統治者として、チェーザレ・ボルジア（1475～1507）をほめたたえています。カトリック大司教でもあったこのチェーザレは冷酷で知られる政治家で、今では小説やテレビドラマにもなっています。

この本は大ロレンツォと呼ばれていたロレンツォ・デ・メディチの孫（ロレンツォ２世）に献呈されたものです。それまでマキアヴェリが外交などの官職に就いていたフィレンツェ共和国がフランスの侵攻によって揺らぎ、１５１２年になるとカトリック教皇の同盟国スペインと戦ってフィレンツェ共和国は解体させられ、そのあおりで片田舎に追放されていたマキアヴェリがメディチ家への仕官を望んでいたからでした。（１５１９年にはロレンツォが没したので仕官はかなわなくなった）

マキアヴェリズムへの誤解と再評価

マキアヴェリの死後に出版された『君主論』は、（教会を気にして）道徳論ばかり語られる書物がほとんどであった当時にあって、刺戟（しげき）の強いものでした。ですから、世評のおおかたは、**「これほど不道徳なのは悪魔が書いたからにちがいない」**というものでした。

それだけ生々しく人間の暗部を照らしているし、キリスト教的倫理など実際には役立たないと主張するなど、全体的に無神論的でもあるからです。

そういったことから、「マキアヴェリズム」という名詞が生まれたほどでした。それらは、どんな非道徳的な手段でも国家が富むならばゆるされる、とか、計算高いずるさ、という意味であり、これは現代でもそのように使われています。

『君主論』が当時の多くの人にショックを与えたというのは、１５５９年にカトリック教皇庁の禁書目録に入ったということからもわかります。

シェイクスピアの戯曲『リチャード三世の悲劇』（初演1591年、身体障碍者で残忍な野心家リチャードが策略を用いて王位につくがやがて戦死する）は、『君主論』がなければ書かれなかったでしょう。

この『君主論』が書かれたからこそ、のちにホッブズ、ロック、ルソー、モンテスキューの政治哲学が生まれることになったと一般的に考えられています。

賢人のつぶやき

政治は道徳とは無縁である

『リヴァイアサン』

トマス・ホッブズ

(原題 Leviathan or the Matter, Forme and Power of a Commonwealth Ecclesiasticall and Civil 1651)(*1)

国民国家を樹立せよ!

「多数の人々が一個の人格に結合統一されたとき、それは《コモンウェルス》——ラテン語では《キウィタス》と呼ばれる。かくてかの偉大なる《大怪物》(リヴァイアサン) が誕生する」

「この人工人間(*2)は、自然人(*3)よりは大きくて強く、自然人を保護し防衛することを意図している。また人工人間にあっては、〝主権〟が人工の〝魂〟でありそれが全身に生命と運動を与える」

(永井道雄・上田邦義訳)

*1 この原題を訳すと、「リヴァイアサン、あるいは教会的、そして市民的な意味でのコモンウェルス(政治的コミュニティ、共通善)の素材、形態、権力」
*2 リヴァイアサンのこと。 *3 生物として個々の人間のこと。

トマス・ホッブズ
(Thomas Hobbes)

1588 ～ 1679 イングランド王国のウィルトシャー・ウェストポートの聖職者の家に生まれる。オックスフォード大学卒業。いったんフランスに亡命、のちに帰国。伯爵家に仕えた政治哲学者、数学者。91歳没。

世界初の「近代国家論」！「万人の万人に対する闘争」状態とは……

17世紀のホッブズのこの『リヴァイアサン』が今でも有名なのは、世界で初めてとなる「近代国家論」だからです。

当時1642年から1649年にかけて、史上初の市民革命といえるイギリスの「ピューリタン革命」（イングランド、スコットランド、アイルランドでの王と議会との対立と内乱）が起き、ホッブズは同じ国民同士が戦う動乱を体験し、中でも1649年に国王チャールズ一世が神の命令として処刑されたことが『リヴァイアサン』を英語で書く大きな動機となりました。

題名となったリヴァイアサンとは、旧約聖書の「ヨブ記」第3章と41章、「詩篇」第74篇などに出てくるレヴィアタンの英語読みで、**神の次に強いとされている海の怪物**をさします。（しかし、聖書に出てくるレヴィアタンはナイル川の鰐（わに）のことです）

その強さを国家の特徴になぞらえた『リヴァイアサン』で、ホッブズは**主権を持った強大なコモンウェルスの設立**を主張します。このコモンウェルスとは共和体制国家とも国民国家とも訳せます。そのような公の団体を設立して市民がその一員とならなければ世界は暴力に満ちるとホッブズは恐れたのです。

なぜ、国民国家を樹立しなければ、暴力や戦争に満ちてしまうというのか。彼は人間を次のように見ています。

◇生命とは手足の運動でしかない。心臓はゼンマイ、神経は線、関節は歯車だ。

◇人間の心とは、感覚と思考、そして思考の連鎖（れんさ）という運動である。

◇感覚とは、体の外にあるものが人間の感覚器官に圧力を与えるときに人の心に抵抗する運動が生まれるが、そのときに心が外からの物体だとして想像することだ。

◇人も動物も血と肉からできている機械だ。宇宙に存在できるものは物質だけだ。

こういう人間観からわかるように、天文学者ガリレオ・ガリレイ（1564～1642）と面識のあったホッブズの思想は「唯物論（ゆいぶつろん）」です。ですから、この宇宙にあるのはすべて物質だと考えます。人間には魂（たましい）があるというのですが、魂もまた物質であり、ただ知覚できないだけなのだというのです。

「いっそう大きな力を求める欲望」こそが人間の基本だとされます。そして、**いつも各人は自己保存のために自分の力の拡大をずっと続けていく**というのです。こういうふうに欲望のまま自由に行動するのが人間の「自然権」だというわけです。

ホッブズの人間論はいつも欲望と関係づけられていますから、たとえば喜びについては、**「人間の喜びは、自分と他人とを比較することにあり、優越感以外の何ものをも楽しむことはできない」**（永井・上田訳以下同）などといいます。

「人間は争う生きものだから！」――戦争から平和への手段としての国家

人間を自然状態にしておくと、その自然権のために人は自分の欲望のままにふるまい、その結果として、**「それぞれの人が他の人に対する戦争」**や内乱の状態となってしまいます。この危険な状況を防ぐためには、お互いに同意できるような平和条項が必要です。

そのためには各人が互いに自分の自然権をいくらかでも放棄（ほうき）する必要が出てきます。そういうふうにして初めて互いに自分の安全が確保されるようになるからです。つまり、公共的な約束（ある意味での服従）がなされなければならないのです。

この公共的な権力が働く場として生まれるのが、多数の人々が合議（ごうぎ）によって一個の人格に統合されたものとしての**「コモンウェルス」**です。コモンウェルスの定義として、ホッブズはこう書いています。

「それは一個の人格であり、その行為は、多くの人々の相互契約により、彼らの平和と共同防衛のためにすべての人の強さと手段を彼が適当に用いることができるように、彼ら各人をその（行為の）本人とすることである」

多くの人が契約したこの**「合議体」**（Assembly）を聖書に記されている生物になぞらえて、リヴァイアサンと呼んでいるのです。なぜ怪物の名称を与えたかというと、法律の制定ができ、強大な強制力を持ち、かつ絶対的で不可侵の主権だからです。ホッブズはこれを**「平和と防衛とを人間に保証する地上の神」**とも呼び、また、「人工人間」とも呼んでいます。

このリヴァイアサンが当時の絶対王政（国王の絶対権力による政治体制）と大きくちがうのは、各人の自己保存が主目的だということです。したがって、自分の安全と自由がおびやかされると思う人は**「服従しない自由」**を行使してもいいのです。

スピノザ、ルソー……宗教的な倫理観からの脱却に貢献

この著書があからさまに無神論的に見えたため、キリスト教の宗教界からはもちろん、王党右派からもホッブズは異端として攻撃されました。しかし、ホッブズが重要だと考えた各人の自由や平等は政治思想に強い影響をもたらしました。当時は、一般人に自由があるというふうに考えることがなかったからです。スピノザ（本書143頁参照）は有名な著書『エチカ』を人間の本性（ほんせい）から始めていて、これはホッブズの『リヴァイアサン』から影響を受けたものと見られます。

フランス革命（1789〜1799）の思想の源となったルソー（本書252頁参照）の『社会契約論』もまた、ホッブズの契約論から強く影響されたものです。また、ホッブズの人間にとって最高の善とは各人の生命の安全、すなわち自己保存だという人間中心の考え方も、キリスト教会が教える宗教的な倫理に価値観が縛られていた時代には革新的なものであったのです。

賢人のつぶやき

自然状態では人間は人間にとってオオカミである

『蜂の寓話(はちのぐうわ)　私悪(しあく)すなわち公益』

マンデヴィル

(原題　The Fable of the Bees: or, Private Vices, Publick Benefits　1714)

悪はおいしい調味料

「いわゆるこの世で悪と呼ばれるものこそ、われわれを社会的な動物にしてくれる大原則であり、例外なくすべての商売や職業の堅固な土台、生命、支柱であること、そこにわれわれはあらゆる学芸の真の起源を求めなければならないこと、悪が消滅するとすぐに、社会はたとえ完全には崩壊しないにせよ、台なしになるに違いない」

(泉谷治訳)

バーナード・デ・マンデヴィル
(Bernard de Mandeville)

1670 ～ 1733　ネーデルラント共和国(現在のオランダ)のロッテルダムの名家の生まれ。ライデン大学で医学と哲学を修める。英語を学ぶためにロンドンに移住し、開業医をしながら文筆活動。62歳没。

強欲や虚栄、悪徳や欺瞞こそが社会を反映させる！アダム・スミス、ケインズ、ハイエク、マルクスらの想源となった書！

『蜂の寓話』（翻訳版）は最初に20頁ほどの寓話詩が置かれ、あとはこの詩についての注釈が述べられるという形になっています。その詩はだいたい次のようなものです。

大きな蜂の巣を自分たちの世界として暮らしていた蜂たち、彼らはそれぞれ自分の欲望のままに生き、蜂の巣は一見してカオスの状態でありながら、その社会全体としてはとても豊かでした。

しかし、異変が起こります。蜂たちが自分の悪を隠しながらも他の蜂たちの嘘やごまかしや詐欺はだめだといい始めたのです。そして、ついにジュピター神が、この蜂の巣からあらゆる悪徳を一掃すると怒りました。

すると、蜂の巣の世界はたった半時間ほどで一変しました。

まず物価が下がり、いたるところで正義が行なわれ、みんながまじめでおとなしくなり、むだな費用がいっさいなくなると仕事もなくなり、蜂たちはみなひとしく貧しくなってしまったのです。

マンデヴィルはこの寓話詩の最後に置いた教訓で、「欺瞞や奢侈や自負はなければならず、そうしてこそ恩恵がうけられるのだ」（泉谷訳）と書いています。

そして緒言（しょげん）では、**人間を社会的な動物にしてくれるのは、善良さとか哀れみとか温和さといったものではなく、下劣でやっかいな性質、ずるがしこさ、贅沢好きなど、数々の悪徳だ**と述べます。実はそういったもののこそ幸福で繁栄する社会に適合できるための資質なのである、というのです。

マンデヴィルはひねくれた逆説を述べているわけではなく、本気で**人間のさまざまな悪徳が社会の繁栄をもたらす**と考えているのです。つまり、それぞれの人間の利己心や欲望の発露こそがめぐりめぐっていずれは社会全体をうるおすものになるのだ、という主張です。だから、この本のサブタイトルが「私悪すなわち公益」となっているわけです。

マンデヴィルは自分の人間観を序文にはっきりと示しています。

それは、人間とはいろいろな情念の複合体であり、刺戟（しげき）を受けてそれら情念の一つでも強くなると、その人の意志とは無関係にその人を支配するものだ、というものです。つまり、人間はみずからの情念によって動かされている。理性や良心などのみで動いているわけではない。しかし、そういう人間の性質こそが社会を豊かにしていくのだ、というのです。

人間の美点とみなされる徳などは、被支配階級をしたがわせるために支配階級が用いる偽善にすぎない。

そして、国の経済成長は、自分の自尊心や欲望を満たそうとする個人の能力に左右されるというわけです。見栄やぜいたくな生活への欲望が経済社会を大きく動かし、貯蓄などは不況の原因となるばかりなのです。『蜂の寓話』はこのような内容から、ベストセラーとなったリチャード・ドーキンスの『利己的な遺伝子』（1976）の18世紀版のような書物だといえるでしょう。

「経済の書」としての影響

『蜂の寓話』が世に出ると、キリスト教関係者など各方面からおびただしい反論が湧きおこりました。悪徳を礼賛していて不道徳だというわけです。あのバークリー（本書149頁参照）をも怒らせました。

しかし、経済の書としてみれば、核心を突いている可能性が高いのです。たとえば、アダム・スミス（1723〜1790）は**「見えざる手」**（『国富論』第4編）という表現で、個々人の利己心に基づいた行動によって需要と供給が自然に調節され、結果として経済を成長させると説いています。

また同じく経済学者のジョン・メイナード・ケインズ（1883〜1946）は『雇傭・利子及び貨幣の一般理論』の第23章で、マンデヴィルは有効需要創造の重要性を説いているとしました。また、経済思想的にケインズとは反対の立場のハイエク（本書276頁参照）もまたマンデヴィルを称揚（しょうよう）しています。

帰化したマンデヴィルが生きていた18世紀当時のイギリスで流行していたのは、トルコで生まれたカフヴェ・ハーネの西洋版であるコーヒー・ハウスでした。1650年にオックスフォードで開業され、18世紀初めにはロンドンで3000軒もありました。女性が入れなかったコーヒー・ハウスは社交場のような場所となり、ここで船乗りも含めた男たちが政治、金融、商談、株取引などの情報交換をし、世界最初の保険市場（ロイズ）が始まったのです。その活気、騒々しさはまさに蜂の巣を思わせるものだったでしょう。

賢人のつぶやき

人間の強い習慣や嗜好を変えるものは、いっそう強い願望のみである

54

『社会契約論』

ルソー

（原題　Du Contrat social, ou principes du droit politique　1762）

難易度
5

法はみんなの意志に沿うべき

「一般意志のみが、公共の福祉という国家設立の目的に従って、国家の諸力を指導しうる」

「人民全体の意志である場合、表明された意志は主権の行為であり、法をなすものである」

「社会契約は政治体に全構成員に対する絶対的権力を与える」

（井上幸治訳）

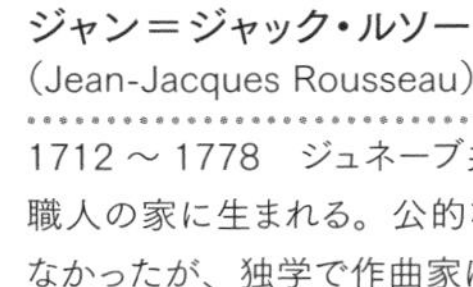

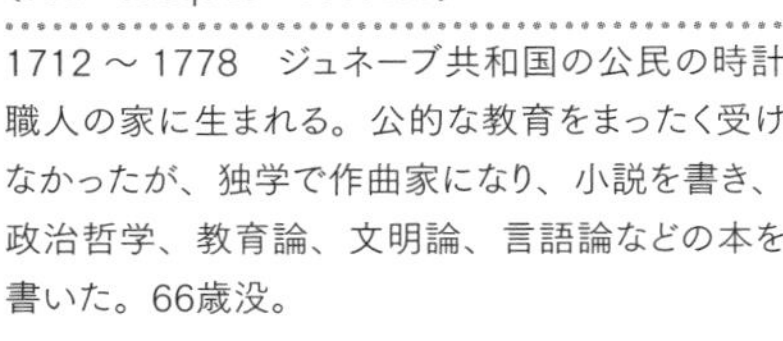

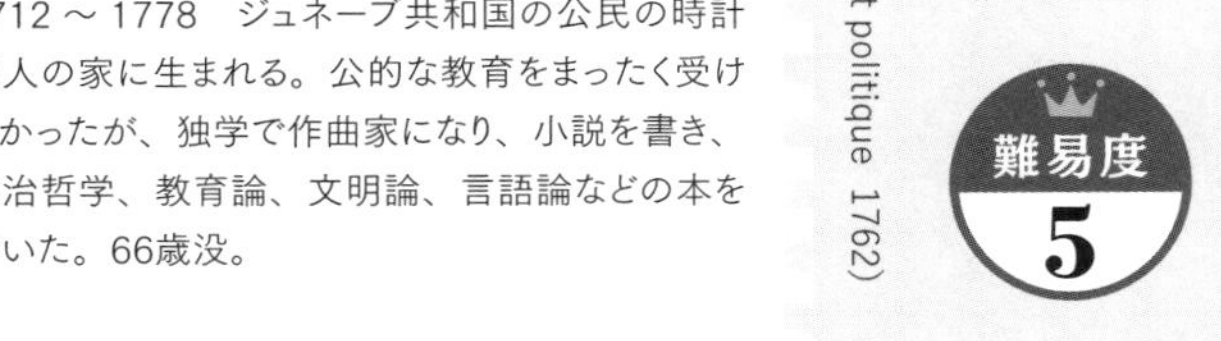

ジャン＝ジャック・ルソー
（Jean-Jacques Rousseau）

1712～1778　ジュネーブ共和国の公民の時計職人の家に生まれる。公的な教育をまったく受けなかったが、独学で作曲家になり、小説を書き、政治哲学、教育論、文明論、言語論などの本を書いた。66歳没。

フランス革命の〝導火線〟！近代政治思想の基礎となる書！

この本はルソーが政治について述べたもので、ルソーの理想は**民主制国家**です。**君主の権利は自然からもたらされたものではない。神からもらった権利でもない。主権は君主にではなく、人民にある。よって、統治する人は君主ではなく、人民自身である。**

しかし、人々が自分の好みや利害を勝手に主張するのではなく、共同利益のために平等を志向するような洗練（せんれん）された主張を政治に反映させるべきだ。それをルソーは**「一般意志」**と呼びます。そして、法は一般意志に沿ってつくられるものだとします。

各人が安全に保護されて生きるために、各人が相互間に社会的な契約を結ぶ、それが法になるわけです。そのようにすると、人民が自分の損得ばかり考えていた以前よりもいっそう道徳的に生きるようになれるというのです。要するに18世紀に民主主義的な思想を打ち出したわけですが、これは当時では多くの人の常識的な考え方にさからう思想でした。というのも、人にはそれぞれにふさわしい職業と場所が決められているものだという中世以来の固定観念があたりまえの世の中だったからです。

興味深いのは宗教についても述べていることで、次のように書かれています。

国家の宗教がキリスト教だというのは適切ではない。なぜならば、彼らキリスト教徒というものは「ひたすら天上の事柄に関心をもっている」から、「真のキリスト教徒の社会とは、もはや人間の社会ではない」（井上訳以下同）であろう。また、キリスト教の聖職者たちは「隷属と依存」の説教しかしないものだ。そのような精神は専制国家からすればあまりにも有利なので「専制はそれを利用しないではおかない」だろうというわけです。この文章の次にはこう書かれています。「真のキリスト教徒は、奴隷たるべくつくられている」と。19世紀に生きたニーチェがその著書『善悪の彼岸』と『道徳の系譜』でキリスト教道徳は奴隷の道徳だと書きましたが、その前にルソーがこのように書いていたのです。

教育論『エミール』も執筆。カント、トルストイにも影響

ルソーの『社会契約論』は広く読まれ、のちになって人民主権などを求めたフランス革命（1789〜1799）の指導者たちにも影響を与えました。

ルソーは民主制の共和国を建てれば公正な国家ができるだろうと期待していました。しかし、現代のわたしたちがよく知っているように、民主制という国家の形をとってはいても、現実は換骨奪胎（かんこつだったい）されたものであり、欲得の取り引きや利害関係に染まっていない「一般意志」などどこにも見あたらない状況です。

ところで、正規の教育をまったく受けずに独学をしたルソーは多才であり、少年教育についていまだに影響力の強い『エミール』を書き、作曲家でもありました。

賢人のつぶやき

人間は生まれながらにして自由である。しかし、いたるところで鎖につながれている

『道徳および立法の諸原理序説』

ベンサム

（原題 An Introduction to the Principles of Morals and Legislation 1789）

幸福は計算できる

「われわれが何をしなければならないかということを指示し、またわれわれが何をするであろうかということを決定するのは、ただ苦痛と快楽だけである」

「動機が善または悪であるのは、ひたすらその結果によるのである」

「政府の仕事は、刑罰と報償（ほうしょう）によって、社会の幸福を促進することである」

（山下重一訳）

ジェレミイ・ベンサム
(Jeremy Bentham)

1748～1832 イングランド王国ロンドンの中流階級であった公証人の家に生まれる。英才教育を受け、12歳でオックスフォード大学に入り15歳で卒業。法律を成文化するための提案をする著述業となる。ミルの思想に影響を与える。84歳没。

法とは何のためにあるのか？「功利主義」を定式化したベンサムの記念碑的名著

『道徳および立法の諸原理序説』の内容はだいたい次のようなものです。

◇人の行為を決定するのは苦痛と快楽である。
◇その苦痛と快楽に、善悪の基準や因果がつながれている。
◇快楽を増し、苦痛を除くものは幸福をもたらすから善である。
◇その幸福の度合いは計算できる。
◇政府や法律は、人が生存できるように安全を整える。
◇教育が（幸福への）習性化の手伝いをする。

ベンサムの政治哲学の原理の特徴は、**苦痛と快楽を基準にすること、そして苦痛と快楽は計算できる**と主張していることです。今では有名になったフレーズ「**最大多数の最大幸福**」は、欄外の註釈に書かれていますが、これはもともとスコットランドの哲学者フランシス・ハッチソン（1694〜1746）による表現です。

その計算のためには、苦痛と快楽について次の7点が条件に入れられます。**その強さ、その持続性、その確実性、その遠近性、その多産性、その純粋性、それが影響する範囲。**

ここにある「その遠近性」とは、自分に身近か、縁が遠いか、ということです。「その多産性」とは、苦痛と快楽にかんしてどちらの可能性が多いかという配分のことです。「その純粋性」とは、たとえば快楽であっても少しは、あるいは多く苦痛がともなえば、純粋性が薄いということになります。「それが影響する範囲」とは、その苦痛と快楽の影響を受ける人々の数のことです。

あなたにとって「快」であることは「善い」こと

では、一般的に悪いことに快楽を感じる場合はどうでしょうか。

「ある人の動機が悪意であって、邪悪、嫉妬、残虐などと呼ばれるものであるにしても、その人の動機は、やはりある種類の快楽である。…中略…このようないまわしい快楽も、それ自体としては善である。…中略…その快楽が続くかぎり、また悪い結果が到来するまでは…中略…善なのである」(山下訳)

もちろん、その人自身にとってのみの快楽、善です。ただし、この場合の「それが影響する範囲」はごく狭いものであり、その人だけの場合が多くなります。

ベンサムによれば、倫理とは可能な限りの幸福を生み出すために人々の行為を指導する技術となります。だから、これを私的倫理と呼んでいます。

倫理は個人ばかりではなく社会に向けても一般的に用いられます。その場合は、立法とか行政という形をとります。対象が未成年ならば、教育という形になります。したがって、私的倫理、立法と行政、教育の三つは、人を幸福にするという同じ目的を持っていることになります。

公平でどこの国でも使える完璧な法典「パノミオン」構想

ベンサムがとなえる「**功利主義**」はその意味の適用範囲が広いものであり、**個人の場合に適用させるならば幸福がその目的となり、社会的な範囲での適用ならば、福祉、公利公益が目的となります。**

功利主義の原語は utilitarianism ですが、これはベンサムによる造語です。ベンサムは他にも新しい言葉をいくつも生み出していて、panopticon（一望展望監視、ギリシア語ですべてを見るという意味）、international（国際的）、codification（成文化）、pannomion（総合法典）、maximize（最大化する）、minimize（最小化する）などがあります。

刑務所にある展望監視装置とはベンサムが考案したパノプティコンを応用した、看守の位置から全方位の監房を見渡せる仕組みのことです。しかし、ベンサムとしては、救貧院(きゅうひん)や、工場でも仕事の能率を上げるために使えるようにと考えていたのです。

そもそもベンサムはイギリスと欧米の法を体系化したうえで文章にし、誰にでもわかるような形の総合法典にしようという意図を持っていました。その総合法典をベンサムはギリシア語を使って「パノミオン」と呼んだのです。

したがって、『道徳および立法の諸原理序説』は法律を考える土台とするための原理のほんの入り口にすぎず、ベンサムが意図していたことはもっと先、**世界各国の立法と文章化**にかかわることにあったわけです。

現代では各国の法律は誰もが読める形で書籍となっており、法律が新設、変更された場合にはそのつど改訂されていきますが、当時はそうではなく、それぞれの地域での昔からの一般的慣習（各地の法律関係者はこの判例をコモン・ローとしていた）とされるものを法とみなしていたのです。しかも刑罰は重く、イギリスではスリをしただけで公開死刑に処されるという過酷さでした。

また、当時の訴訟（そしょう）や裁判はいわゆるブラックボックスのようなもので、費用と時間ばかりかかって法律関係者だけがもうかるものでした。そういう状態をベンサムは市民に利益を与えていないと批判し、合理化・簡素化して公平でどこの地域でも使えるパノミオンの必要性を説いたのです。

事情は他の国でも同じだったので、ベンサムは各国がパノミオンを持つよう望み、実際に1820年代のベンサムはヨーロッパやラテンアメリカ諸国に法典執筆と編纂（へんさん）の申し入れをしました。その結果、ようやく74歳のときにポルトガルから憲法の法典を書くようベンサムに依頼がありましたが、5年をついやしてその第1巻が出版されたときはすでにポルトガルの自由主義政権は崩壊していました。

ベンサムは自分が死んだら解剖してからオートアイコン（自己標本）にして保存するように望み、彼の遺体はその通りに帽子をかぶって杖を持って座った姿でロンドン大学ユニバーシティ・カレッジのキャビネットに保管されています。これはインターネットで検索すれば、映像を見ることができます。

賢人のつぶやき

いかなる法律も自由の侵害である

『アメリカにおけるデモクラシーについて』

トクヴィル

（原題 De la démocratie en Amérique 第1巻1835、第2巻1840）

移民の集まりであることが民主制を容易にした

「十七世紀のはじめ、アメリカに定着しようとして渡来した移住者は、デモクラシーの原理をヨーロッパの旧社会の中で（彼らが）敵対して闘った他の諸原理から何とか分離し、これのみを新世界の岸辺に移植した」

「合衆国では、全体の繁栄が個人の幸福に影響するのを民衆が理解している」

（岩永健吉郎訳）

アレクシ＝シャルル＝アンリ・モーリス・クレレル・ド・トクヴィル
（Alexis-Charles-Henri Maurice Clérel de Tocqueville）

1805～1859 第一帝政期フランスのパリの生まれ。ノルマンディー貴族の家柄。パリ大学で法学を専攻。1831年、アメリカを10カ月ほど旅行。裁判所判事。プロレタリアートが主体となった二月革命で生まれた政府の議員、1849年にオディロン・バロー内閣の外務大臣。クーデターに巻き込まれて逮捕され、政治から退く。53歳没。

フランス貴族が見た新大陸アメリカ。現代デモクラシーを理解するための必読書

『アメリカにおけるデモクラシーについて』は、**新大陸アメリカで民主制（デモクラシー）がなぜ成功したか、また、その民主制を支え動かしているものは何か**について述べたものです。その背景にあったのは、１７７６年の建国から半世紀が過ぎたアメリカを１８３１年に10カ月ほど、友人のギュスターヴ・ド・ボーモン（１８０２～１８６６　フランスの治安判事）と広範囲に視察旅行したことでした。

当時のアメリカは、第７代大統領で民主党のアンドリュー・ジャクソンによるデモクラシーの時代にありました。トクヴィルは代々の貴族でありながら、ヨーロッパの国々もまたやがては貴族制の政治から民主制の政治へと移っていかざるをえないことを確信していたのでした。

デモクラシーは今では「民主制」とか「民主主義」と訳されることが多いのですが、直訳ならば**「多数（の人民）支配」**となります。クラシーが支配を、デモが人民を意味するからです。この政治体制と対立するのは、「最上者支配」を意味する**アリストクラシー**です。アリストクラシーは「貴族制」と訳されることが多いのですが、その場合の貴族とは少数特権階級貴族のことを意味しています。

このアリストクラシーの体制にあっては、自由は王と一部の貴族階級のみが持てるものです。地位や階級は血統や運命で決定されているという考え方を土台にした政治体制だからです。貴族階級間に闘争がなけれ

ば統治はもちろん平和に行なわれます。下層の平民に自由はもちろん、福祉などありませんでした。社会という概念もありません。社会という言葉が生まれるのはヨーロッパでは市民革命以降、アメリカでは１７６０年代からです。

貴族制が崩れてきたのは、キリスト教界ですべての人に聖職者になる道が開かれてからでした。農奴（のうど）でしかなかった者が聖職者として貴族と同程度の地位に昇ることが可能となったのが原因です。次に商業や交易によって裕福になる平民が現れ、金銭の力が国事に影響力を強くします。王や貴族たちは紛争や戦争で金銭を必要としたからです。

その間に啓蒙（けいもう）が広がり、学問による知が社会的な力へと変わり、それにつれて家柄の価値がだんだんと低下し、13世紀には爵位（しゃくい）（貴族の地位）が買えるまでになりました。また、王が敵対する貴族の力を低下させるために、下層の人に政治に参与させることもしました。これらの変化が人間の平等化をじりじりと行なうことになり、それがやがて政治の方法の一つとしてのデモクラシーという概念をつくるようになりました。

伝統や血統を持たない人々によるデモクラシー

歴史がそのように人間の平等化へと流れてきたのを知識としても体感としても知っていたトクヴィルがアメリカで見出した民主制成功の要因は、だいたい次のようなものでした。

◇多くの人種で構成されたアメリカの人々の習俗（心理、性向、気質）

◇政治と宗教の分離（実際には公定宗教の廃止）
◇行政的中央集権の欠如から生まれた連邦制
◇人民の積極的デモクラシー参加の姿勢による地方自治の活発な活動

アメリカでデモクラシー政治がうまくいった大きな要因の一つは、**そもそも全員が移民であったために、誇るべき血統や家系もなく、そこから派生してくる独特な習慣や階級の差による考え方の決定的なちがいがなかった**からです。そのため、一人ひとりが個人として平等であり、対等な話し合いが行なわれ、他人に対して想像力が豊かという特徴も加わり、それが各人の独立心を生んでいたのです。また、大陸に移り住んだ彼らにはその土地を自分の手で支配したいという気概（きがい）がすでにありました。

しかし独立心は一般的に自分の関心を自分の周囲にのみ向けがちになり、他人との依存によって生きていることを忘れやすくさせます。それを防いだのがアメリカでの**地方自治の重視**でした。自分たちの意見や考え方によってその地方の政治が決まることを明白にし、公共の繁栄が自分の利得になることを知らしめ、政治参加に意義を持たせたのです。こうして、アメリカでは共同の利益のための小さな自発的な政治結社がたくさん生まれ、多くの人々を政治好きにさせました。

したがって、アメリカという大きな一国でありながら、行政は中央集権的ではなく、各州によってそれぞれ異なる行政が行なわれるという連邦制になったのです。

民主制についての基本を教えるテキストとしての価値

トクヴィルはデモクラシーならすべてがよいと考えているわけではありません。個人主義のために各人が群集の中に埋没しやすい傾向が生まれ、その反面、社会が大きくなってしまい、それがこうじるとデモクラシーにおける権力の集中が生まれやすくなること、ついには多数によるソフトな圧制や専制が生まれやすいということを恐れていました。これはもちろん、**ファシズムへの危惧**(きぐ)です。

またトクヴィルは、デモクラシーは能率のいい政府を生み出さない、行政はゆっくりと行なわれる、ビジネスと同じく他人の感情に強く訴えるものが勝利しやすい、感覚的な言葉が増える、といった傾向があることも指摘しています。デモクラシーを支えるこれらの要因を見ると、それらが心理的なものを土台にしているということがわかります。

トクヴィルのこの本は、すでに有名だったミル(本書268頁参照)が書評で絶賛し、その後も英語世界でよく読まれるようになり、現代においてもデモクラシーを理解するための必読書となっています。トクヴィルはプロレタリアート革命をとなえたマルクスと同時代の人になりますが、二人を比べると、マルクスは階級と歴史を固定させた理論で階級間の闘争をあおり、トクヴィルは今後の展望として諸階級が平等になっていくことを誰にでも理解できる文章で説いたという大きなちがいが見られます。

賢人のつぶやき

私はアメリカのなかにアメリカを超えるものを見た

57

『経済学・哲学草稿』

マルクス

（原題 Ökonomisch-philosophische Manuskripte 1844）

難易度 4

生産物は資本家のものではない

「労働が対象の形を取ること、それが疎外としてあらわれるのだが、この疎外は、労働者が対象を生産すればするほど、所有できる対象はそれだけ少なくなり、かれは自分の生み出した資本にそれだけ大きく支配される、という形で進行する」

「疎外された労働と私有財産との関係から出てくる帰結として、私有財産その他の隷属状態からの社会の解放は、労働者の解放という政治的な形で表現されることが挙げられる」

（長谷川宏訳）

カール・ハインリッヒ・マルクス
（Karl Heinrich Marx）

1818 ～ 1883　プロイセン王国のトリーアの裕福なユダヤ系ドイツ人弁護士の家に生まれ、イエナ大学で学位を取得。国籍を捨てたため45年から無国籍者。49年からイギリスに住み、57年から『資本論』（未完）を書く。64歳没。

若き日のマルクスが綴った のちの『経済学批判』『資本論』に結実する経済学的思考！

マルクスが一般的な意味での哲学者だったのかどうかについて、いまだ評価は定まっていません。しかし、最初は扇動的なジャーナリストであり、次に共産主義の普及に力を注いだ亡命の活動家であったことは確かです。

マルクスが若いときに書いた『経済学・哲学草稿』（マルクスの死後に編纂された）はいわゆる**マルクス主義の基本的な考え方が記されている**ものですが、その核心は**「疎外論」**であり、次のようにまとめることができるでしょう。

労働者は富の源泉となる商品を生産する。ところが、商品を生産するほどに裕福になるわけではない。労働者は多く生産するほどいっそう貧しくなるのだ。

そもそも人間は自然に働きかけて生産し、そうして社会的共存をなして、総じて自己実現をする。だから、生産的労働が自己実現となる。

しかし実際には、労働者が生産したものが労働者のものでなくなっている。一方、労働も生産もしなかった人（資本家である経営者）が生産物を私有物としている。

よって、**労働者はその労働によって自己実現を阻まれ、「疎外」されている**のである。

この疎外の原因は、生産物と生産手段の私有にある。私有は、利己的で、排他的であることを原理としているからだ。したがって、市民社会での財の私有制度を廃止し、生産手段を集団で所有しなければならない。そうすることでのみ、労働者階級と人間はついに解放される。

「観念」と「現実」とのくいちがい

歴史の上では、マルクスとエンゲルス（社会思想家 1820〜1895）らがとなえた共産主義運動が実り、いくつかの国が実際に共産主義国家になりました。それは多くの労働者がマルクスの大著『資本論』を読んだからではなく、自分たちが疎外されていると強く感じていたからでもなく、**富と力を独占していた資本家を倒したかったからであり、そうすれば自分たちが主人となる国ができるだろうと期待したから**でした。

しかし結果は、私有財産が国有財産に名称を変えただけで、労働者は強固な国家体制の下に押しこめられ、いっそう自己実現ができない存在になっただけでした。つまり、共産主義思想と体制が新しい人間疎外を生むことになったのです。

そもそも、自己実現にいたったかどうかの判断はきわめて個人的なものであり、また疎外されているかどうかは個々人の心のみが感知できるような問題です。したがって、何がその人の自己実現であり、何が疎外となっているのか、他人が判断できるものではないのです。

にもかかわらず、『経済学・哲学草稿』のように、生産と経済からのみ自己実現と疎外の有無を判断するというのはあまりにも一方向的な観念的思考ではないでしょうか。

『自由論』

ミル

（原題　On Liberty　1859）

難易度 3

個人が自由なほど社会はよくなる

「社会が関与すべきでない事がらにいやしくもなんらかの命令をくだした場合には、社会は多くの種類の政治的圧迫よりもさらに恐るべき社会的専制をなすことになる」

「多様性は悪ではなくて善である」

「国家の価値は、究極的には、それを構成する個々人の価値である」

（早坂忠訳）

ジョン・スチュアート・ミル
（John Stuart Mill）

1806 ～ 1873　イングランド王国のロンドン生まれ。功利主義者として有名なベンサムの友人であり、哲学者、経済学者の父から英才教育を受ける。イギリス東インド会社に勤めたあと、下院議員として初の女性参政権論者となる。セント・アンドルーズ大学学長。66歳没。

イギリス政治哲学の大家による「自由とは何か？」

ミルの『自由論』の背骨になっているのは**「危害原理」**です。簡単にいえば、**他の人々に危害がおよばない限りにおいて人は自分のしたいことをしてもよい**というものです。

法律は、その危害を防ぐためだけに制定されるべきだといいます。だから、法律の制定によって誰かの自由を侵害してはならないのです。ミルは各人の幸福のために各人の自由を最大限に尊重しようとしたのです。

したがって、他人に危害をおよぼさないのに人の自由を制限するような法律があってはならないのですが、ミルは法律の他にも個人の自由を制限したがるものがあると指摘します。それは、もちろん**宗教**、それから**世間**です。特に、世論や世間の監視、すなわち多数者の専制は政治的な専制よりも強力なのです。

「社会は多くの種類の政治的圧迫よりもさらに恐るべき社会的専制をなす」（早坂訳以下同）

そのようにして世間がじわじわと個々人に強要してくるものは、論理や深く熟考された結果から生まれた倫理ではなく、それはたんに、「彼らの偏見や迷信であり、往々にして彼らの社会的感情であって、また彼らの反社会的感情、羨望（せんぼう）や嫉妬（しっと）、傲慢（ごうまん）や侮蔑（ぶべつ）であることもまれではない」のです。

「世論のくびきはおそらく強いが、法のそれは軽い」

実際に、**「世界全体にも、世論の力によって、また法の力さえ用いて、社会の権力を個人に対して不当に広げようとする傾向が増大しつつある」**のです。

ミルのこういった洞察(どうさつ)は、現代の日本にも十分にあてはまると誰もが気づくでしょう。

一人ひとりの「個性」の発揮を最大限に許容することが、幸福につながる

社会的圧力は人を強制して一様な社会に適合させます。すると、どうなるか。社会は停滞し、自由はせばめられます。社会体制に何の疑問も持たずに順応する人が増え、各人の潜在能力はくすぶり、国家全体として衰弱するようになってしまいます。

それとは反対に、いわゆる変な人、社会の慣習に少しも縛られることなく個性的で自由な人が多いほど、つまり、そういう**独創的な人たちに寛容な社会であるほどに社会全体は豊かになる**ものだとミルは強調しているのです。ですから、国家の役割は国民の統制ではなく、国民に自由を与えることなのです。

そしてミルは、個性的な人が他人から理解されないことを自分の経験からかんがみ、次のような弁護の一文も残しています。

「独創性とは、独創的でない精神の人々が、その効用を感じとることができない唯一のものなのである」

ベンサムの「功利主義」との違い

一般的にミルはベンサムとともに功利主義者としてひとくくりにされることが多いようですが、この二人の功利主義は質においてかなり異なっています。

ベンサムの功利主義は有名なキャッチフレーズ「最大多数の最大幸福」という言い方によく表れています。ベンサムが考える功利は量としてはかられることができるものです。

一方、ベンサムより世代が若く、ベンサムを批判することもあったミルの功利主義は、**個人がその人なりに幸福に生きられるようになることを目指す**ものです。

ミル自身がいわゆる大衆ではない能力の高い個性的な人物であったからこそ、今なお有効であり続ける『自由論』を書けたのですが、実はこの本の著者はもう一人います。それは1851年に結婚したハリエット・テイラー夫人です。すぐれた人間であった彼女がいたからこそ、ミルは初めて女性参政権論者ともなることができたのです。

父親の方針で学校に行かずに家で教育を受けたミルは、10代にならないうちに古代ギリシア語、ラテン語、ユークリッド幾何学、論理学を修得したほどの早熟の天才であり、長じてからは各分野で才能を発揮し、また、イギリスが生んだもう一人の天才バートランド・ラッセルの名付け親でもありました。

賢人のつぶやき

人間の自由を奪うものは、暴君でも悪法でもなく、社会の習慣である

『アナーキー・国家・ユートピア』

ノージック

（原題　Anarchy, State, and Utopia　1974）

税金は必要ない

「政治哲学の根本問題は、苟(いやしく)も何らかの国家がなければならないのかどうかにあり、この問題は国家がいかに組織さるべきかの問題に先行する。なぜ無政府状態(アナーキー)にしておかないのか」

「〔ユートピアとしての最小国家は〕自分の生を選び、（自分にできる限り）自分の目的と自分自身について抱く観念とを実現してゆくこと、を可能にしてくれる」

（嶋津格訳）

ロバート・ノージック
（Robert Nozick）

1938 ～ 2002　アメリカ合衆国のニューヨーク市のロシア系ユダヤ人実業家の家に生まれる。コロンビア大学、プリンストン大学、オックスフォード大学で学び、ハーヴァード大学哲学科教授。63歳没。

ハーヴァード大学哲学教授による「最小国家」についての試み

『アナーキー・国家・ユートピア』は、現代アメリカのリバタリアニズム（本書224頁参照）に立つノージックによる**ミナキズム**（minarchism）の主張がなされたものです。

ミナキズムとは「最小国家主義」（最小政府主義とも）と訳され、文字通りに**国家は規模、役割、影響力において最小（minimal）であるべきだ**という考えのことをいいます。

一方、アナーキズムというものがあり、「無政府主義」と訳されていて、これはいっさいの政治的権力と権威を否定するためどんな国家や政府であろうとも（軍や警察などの暴力装置は）個人の自由を侵害するものであるから無用だとする考え方です。

ミナキズムが国家をなるべく小さくしてその庇護（ひご）を受けるのをこばもうとするのは、**個人の自由を最大化しようとするから**です。どちらも、個人の自由にもっとも重い価値を置いている点では共通しています。

自由至上主義の「ユートピア国家論」

ノージックは個人の自由を最大化するのが目的ですから、**国家はその役割を「暴力、盗み、詐欺からの保護、契約の執行」にのみ限定すべき**だとします。

国家が富の再分配をするためにに課税するというのならば、それは強制労働をさせるようなものだといいます。どんな人であっても何かを強制されてはならないし、自分の所有物を自由に利用するという基本の権利を侵害することだからです。ノージックのこの考えは、なるべく税金を払いたくない実業家たちを喜ばせました。

さらにノージックは、国民が自分の自由のために互いの権利を侵害することがないように、財の取得と移転の「権原」（権限ではない。権原は、なんらかの事実行為、あるいは法的行為を正当とする法律上の原因のこと。たとえば、所有権や地上権はこの権原の一つになる）についての正義は保護されなければならないといいます。この「財の取得と移転」についての正義が具体的に何のことかというと、要するに商売の元手が合法的に入手されたものかどうか、市場での自由な取り引きによって生まれた資産かどうかをはっきりさせるということです。

したがって、互いの権利のその保護のため、いくつかの相互保護協会を形成しようというアイデアが出されます。これが超最小国家の正義を具現化したものとなるわけです。自由至上主義に立つこういう小さな国家をノージックはユートピアと呼んでいます。

反響が大きかった「メタユートピア論」と転向

15～16歳のときにプラトンの『国家』をこれみよがしに持ってブルックリンの通りを歩いていたというノージックは長じてついに自分なりの国家論を書き、全米図書賞を受賞しました。そして、この本が出ることによって賛否両論がわきあがり、「リバタリアニズム」という用語が認知され定着することにもなりました。

しかしながら、『アナーキー・国家・ユートピア』はノージックなりの政治哲学とユートピア論を述べたものであり、とうてい現実的ではない部分も多々あります。そのため、同じハーヴァード大学のサンデルから批判されてもいます。

その批判は、ノージックが自由とからめて強く主張する自己所有の権利とはいったいどういうことかという点です。つまり、共同体との関係がいっさいない場合でも今の状況の自分でありえるのか、純粋な自己所有がありえるのかどうかという問題です。

政治哲学において過激な見解を展開したノージックですが、のちにエッセイ『生のなかの螺旋（らせん）』（1989）を書く頃になると、**人々の連帯と一体感の価値を表現するために課税も積極的に認めるという立場に一変**してしまいました。

さらに『The Nature of Rationality』（1993）でノージックは、おおむね次のようなことを述べています。

「自分が『アナーキー・国家・ユートピア』で提示した政治哲学にはわたしたちの社会的絆（きずな）と、それに配慮する表現がいかに重要かということをあまりにも無視していた。だから、私のその著書に書かれた政治哲学は不十分なものであった」

彼はあれほど徹底していたリバタリアニズムからすっかり離れ、コミュニタリアニズムに近づくことになったのです。

賢人のつぶやき

勤労収入への課税は、強制労働に等しい

60

『隷属への道』

ハイエク

（原題　The Road to Serfdom　1944）

難易度 4

「集産主義」が自由を窒息させる

「ここで、私はきわめて不愉快な真実を述べなければならない。その真実とは、実はわれわれは、ドイツがたどってきた全体主義に到る運命を再び繰り返すという危険に、すでにある程度陥っているのだということである」

「ド・トクヴィルやアクトン卿たちが、〝社会主義は隷属を意味する〟と警告していたというのに、われわれはその社会主義の方向に、着実に歩みを進めてきたのである」

（西山千明訳）

フリードリヒ・アウグスト・フォン・ハイエク
（Friedrich August von Hayek）

1899 ～ 1992　オーストリア＝ハンガリー帝国のウィーンの学者の家に生まれる。ボヘミア貴族の家系。第一次世界大戦で兵役に従事。ウィーン大学で学び、法学と政治学の博士号を取得。ロンドン・スクール・オブ・エコノミクスの他、ドイツやオーストリアの大学での教授。1974年、ノーベル経済学賞受賞。92歳没。

ノーベル経済学賞も受賞。現代の偉大な思想家による「市場自由主義」を代表する一冊！

『隷属への道』の主張は、**民主主義を標榜**（ひょうぼう）**しているような現代の社会主義であったとしても、あらゆる形の社会主義は結局のところ新しい型の隷属を生むことになるから危険だ**、というものです。

この場合の社会主義は総称であり、そこには、共産主義、社会主義、ナチズム、ファシズムなどが含まれます。それらはみな同じ根を持っており、その共通の根とは国家が市場の景気を創り出そうとする**「集産**（しゅうさん）**主義」**〈collectivism〉だとハイエクは指摘します。（あるいは、「設計主義」〈constructivism〉といいかえてもかまいません）

集産主義というのは、国家が経済に介入し、統制された体制を整え生産手段を集約化することによって中央集権的計画経済を展開することです。この集産主義による体制が敷かれ、それを実行するということは、計画に沿って社会を形成するということです。

ですから、個人よりもいくつかの集団の権利に承認と優先権、あるいは独占権を与え、経済の競争が起きないようにします。その整合性のために多くの法律やルールが変更され、ついには集産主義の政治体制が社会経済全体を統制することとなります。

ハイエクの考える「国家の役割」

集産主義の政策が行なわれると、それがしだいに自己目的化して民主主義が形骸化しますから、個人の自由よりも共同体の発展が優先されてしまいます。もっとも、ハイエクが使う場合の「自由」とは、もっぱら英米系の政治哲学者が使う意味での自由です。つまり、何か特定の行為を自分がするときに他人からの強制を受けていない状態を自由といっています。これには、支配からの自由、束縛からの自由も含まれます。

ところが、そういう意味での自由がいつのまにか忘れさられ、別の意味での自由、つまり富の平等な分配による貧困からの自由が真っ先に求められるようになり、その実現に向けて国家がコントロールする集産主義的政策が民主主義国家で行なわれるようになってしまうのです。

そのことに反対するハイエクは初期のリバタリアン（本書224頁参照）の一人だといえるでしょう。ハイエクは、**国家は小さくあるべきだし、また国家が介入するにしても最小限に抑制し、市場経済の自由にまかせるべきだ**と考えるのです。

さて、国家がどのような経済体制にしようとも国民である個人は、個人なりに自由な経済活動ができるではないかと思われがちです。しかし、多くのことが直接的ばかりか間接的にもつながっている現代においては、ほとんどすべてのことについて他者から提供される物やサービスに依存しなければ生きていけない状況になっています。

また、外側のシステムが何か少しでも変更されれば、それはすぐさま自分の生活と経済を左右する力を持っています。ですから、国家による集産主義的な経済計画は結果的に個々人の生活のほとんどを統制する力をもあわせ持つことになってしまい、それはまさに国家の力によって隷属を強いられることと同じなのです。

日本では現在も進行中の隷属への道

ハイエクの視点は、現代もなお有効であり続けています。

たとえば日本では、国家によって経済ばかりではなく生活全般をも覆い尽くすような集産主義の立場で政策が実行されています。個人の生産は産官学連携の生産に押しのけられ、何事を行なうにしても許認可で厳しく制限され、逃げ場も自由もないのです。

要するに政府は民主主義の看板を掲げたファシズムによる圧制を行なっていることになります。それは、政府と政商の力だけを強大にしていきます。日本国民の多くが感じているとされる「閉塞感」や「重圧感」はそこに起因しているのではないかと思われます。

かつ、政府には民主主義の名の下で見えづらい独裁制を敷きたがっている兆候があります。というのも、「侮辱罪」など解釈があいまいで抽象的な新法、超法規的な閣議決定などによって、不満を持つ国民への圧力や監視が可能な装置を多く持ち始めたからです。

賢人のつぶやき

人間は誰しも怠惰で愚かなものだ。〝合理的経済人〟なる妖怪はいない

『マルチチュード』
アントニオ・ネグリ

（原題 Multitude 2004）

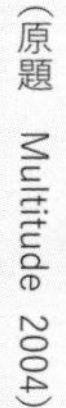

国際企業に対抗する新勢力を待つ

「〈帝国〉が支配するのは、内部分裂や階層構造によってバラバラになり、さらには恒常的な戦争に苛まれたグローバル秩序である。〈帝国〉において戦争状態は不可避のものであり、戦争は支配の道具として機能する」

「マルチチュードにとって絶対に欠かせないのは、不服従の権利と差異を求める権利だ。マルチチュードの構成は恒常的かつ正統な不服従の可能性にもとづいている」

（幾島幸子訳）

アントニオ・ネグリ
（Antonio Negri）

1933～　イタリア王国のパドヴァの生まれ。マルクス、スピノザの研究者であり、アウトノミア・オペライアにも参加した。テロ容疑をかけられ、フランスに亡命。元パドヴァ大学教授。

貧困や不平等の拡大……〝帝国〟による支配から脱却して、「全員による全員の統治」の可能性を描いた注目の書

アメリカの哲学者マイケル・ハート（Michael Hardt　１９６０〜）との共著になる『マルチチュード』は、**新しい「帝国」が出現する新しい世界と、その「帝国」に反抗する「マルチチュード」の出現**について述べたものです。

ここで「帝国」と呼ばれているものは、どこかの一国の帝国主義と呼ばれるような政治体制のことではなく、**目立つことなく世界を統治するネットワーク状の権力**のことです。

この権力は特定の国に所属しないため中心を持たず、インターネットや輸送技術を使うことによって国境を越えてグローバルネットワークでつながった権力です。要するに、数々の多国籍企業はもちろん、G20、ＩＭＦ、ＷＴＯ、ＩＣＰＯや世界経済フォーラムなどのことです。これらの「帝国」がわたしたちを日々管理し、資本主義に順応するよう育成しているのです。

この「帝国」に対抗しようとするのがマルチチュードです。ふつうの言葉としてのマルチチュード（multitude）は多数という意味になりますが、本書ではこの**「帝国」の支配下にありながらも、その権力に対抗しようとしてネットワークでつながった国籍、人種、階層を超えたすべての人々**のことを指します。

マルチチュードという表現はマキアヴェリの著作やスピノザの『神学・政治論』（１６７０）にも出てきます

が、その意味は理性のない群衆といったものです。しかし、ネグリが新しい言葉として提出したマルチチュードは、自分の専門分野を通じて世界的ネットワークでつながり、資本主義の問題を解決していこうとする人々のことですから、スピノザらの考えていたマルチチュードよりもずっと知的で解放された存在だということになります。

「マルチチュードはブルジョアジーやその他の排他的・限定的な階級形成とは対照的に、自律的に社会を形づくる能力をもつ」（幾島訳）

ネグリは、こういうマルチチュードによる新しい民主主義の可能性を考えているのです。

地球規模の新しい民主主義へ

世界を支配しているのは「帝国」ですが、その体制の維持はみずからの実力によるものではありません。マルチチュードによる実質的な生産に依存してのみ可能です。こういう関係にあるからこそ、**マルチチュードは主権統治とアナーキー（無政府状態）の間に存在し、そのことから新しい政治の可能性が生まれてくる**のです。それが地球規模の民主主義になることをネグリは期待します。

このマルチチュードが手がけるものは何でも、**〈共〉**（原語ではcommon）にもとづきます。これまでは、〈公〉と〈私〉の対立構図でした。そこを超越したこの〈共〉にもとづくのですから、生産においても、もはやこれまでのような各国の各人、各社の生産ではなく、世界的ネットワークでつながったマルチチュードによる有形無形の協働の生産となるということです。

これと同じように、社会的諸関係、政治的意思決定もまた、〈共〉になされるのです。それこそ、マルチチュードによる地球規模の新しい民主主義の誕生だというわけです。それはいわば絶対的民主主義とでも呼ぶべきものであり、具体的には**「全員による全員の統治」**になるのです。

「アウトノミア・オペライア」の思想

やや現実味のあるユートピア論ともいえる『マルチチュード』は世界で読まれ、その革新的内容から賛否両論を巻き起こしました。しかしネグリは本気で世界のありようの変換を考えているのです。というのも、ネグリは「アウトノミア・オペライア」に参加して、その理論的指導者でもあったからです。

このアウトノミア・オペライアは「労働者の自律」という意味で、英語ではオートノミズムといいます。１９６０年代のイタリア労働者の共産主義から生まれたもので、政府や企業などの外部組織から強制されることなく、各人が各人の規律にもとづいて生きていこうではないかという政治運動のことです。つまりは、一種の反資本主義的な政治を目指すための自律の運動ですが、これには一般的な賃金労働者の他に家政婦、学生、非雇用者も含まれています。

賢人のつぶやき

主権かアナーキーかという二者択一はもう存在しない

理解のためのコラム③　キリスト教について

キリスト教は４世紀以降に、アルメニアやローマ帝国が国教とし、ヨーロッパを中心として世界に広まった宗教です。キリストとは「救世主」という意味です。

その信者はだいたい次のことを信じています。

＊中東のナザレ出身のイエスは処女マリアから生まれた。

＊イエスは人間の罪を救うため、十字架にかかった。

＊十字架による死刑の３日後にイエスは復活し、天に昇った。

＊イエスは神の子であり、キリストである。

＊イエスは最後の審判のときにすべての人間を裁く。

＊神には三つのペルソナがあり、それは神・神の子イエス・聖霊であり、これを三位一体と呼ぶ。

＊聖典の聖書には歴史的事実と預言（神から預かった言葉）が記されている。

上記のことはキリスト教の神学から生まれた事柄がほとんどであり、近代以前のキリスト教徒たちのすべてが理解し納得していたということではありません。

近代の前までは、キリスト教は住民にとって、生まれたときからのあたりまえの習俗の１つでした。つまり、みずから聖書を読んでその内容を信じるようになるわけではなく、居住地域の共同体の大多数がしているように幼児のときから信者になっただけです。

そもそも聖書はヘブライ語、ギリシア語で書かれていたため、教育を受けていない庶民は読めませんでした。それ以前に聖書の入手など庶民には不可能でした。庶民は地域の教会で壇上に立つ聖職者が口にすることを神からの教えとして信じるだけだったのです。

母国語で聖書が読めるようになったのは、ルターによるドイツ語聖書が印刷（1522年〜）されるようになってからでした。それでもまだ字の読めない人が大半でした。

ヨーロッパにおいてキリスト教信者であることは有利でした。なぜならば、それが地域の共同体の成員の最低条件だったからです。同じ価値観を持たずに自由に考えて独自な意見を述べたり、特異な才能を発揮すると、いわゆる差別を受けるか、最悪の場合は魔女あつかいされて火刑に処される危険がありました。

キリスト教の聖職者たちは細かい生活規則をつくっては信者たちに遵守するよう仕向けましたが、それは猥褻（性交で快感を得てはならないとされ、体位や性交日まで決められていた）や悪の味つけを濃くすることにも役立ちました。信者の生活を厳しく律していながら聖職者たちは社会的な特権階級に属していて、その地位を利用したさまざまな悪徳に手を染めていることがありました。

言葉をめぐる探究

『論理哲学論考』ヴィトゲンシュタイン
『一般言語学講義』ソシュール
『言語と行為』オースティン
『声と現象』ジャック・デリダ
『言葉と物』ミシェル・フーコー

100 GREAT PHILOSOPHY BOOKS
THAT CHANGED THE WORLD

『論理哲学論考』

ヴィトゲンシュタイン

（原題　Tractatus Logico - Philosophicus　1922）

美や倫理は言語で表現できない

「命題は、高貴な事柄を何ひとつ言い表すことができない。
倫理は超越的である。
言い表せぬものが存在するのは確かなことである。
それは、みずからを示し表す。
それこそ神秘である。
語りえぬものについては、沈黙しなければならない」（私訳）

ルートヴィヒ・ヨーゼフ・ヨハン・ヴィトゲンシュタイン
（Ludwig Josef Johann Wittgenstein）

1889～1951　オーストリア＝ハンガリー帝国のウィーンの大財閥の家に生まれる。シャルロッテンブルク工科大学、イギリスのマンチェスター工科大学で学ぶ。志願して従軍、第一次世界大戦を経験する。中学校と小学校の教師を経て、40歳でケンブリッジ大学に再入学。50歳で哲学の教授。のちにイギリス国籍取得。62歳没。

哲学を否定した哲学！

この有名な『論理哲学論考』は英語版でたった70頁ほどしかありません。詩か警句のようにぽつぽつと並ぶ短い文章にはそれぞれ番号がふられています。そして、全体として言語のありよう、そして言語を正確に使うことの限界について、たんたんとつきつめていくように述べられていくのです。

「哲学において、言語を使っての表現や議論はいったい意味あるものだろうか」という問いに対して、その答えが与えられているのが『論理哲学論考』という本です。

これを書いた若き日のヴィトゲンシュタインの主張は、次のように明確でした。

◇哲学とは、物事を解明することだ。

◇だから、輪郭（りんかく）のあやふやな思考をすることではなく、その思考はごまかしや想像や勝手なものではなく、事実と合った明晰（めいせき）なものでなければならない。

◇そのため、哲学の場では輪郭のあやふやな言葉を使ってはならない。

ここでヴィトゲンシュタインがいう「言葉」とは、わたしたちがふだん使っている日常の言語のことではありません。哲学の書物や議論で使われる**「命題」**の文章のことです。

この**「命題」とは、その意味内容についての真偽の評価が可能となる一つの文章のこと**を指します。

たとえば、「その車は乗り心地がいい」と「その車の色は黒である」という二つの文章があるとすれば、この後者の文章だけが命題であり、前者の文章は命題ではありません。

どうしてかというと、「乗り心地がいい」という意味内容があやふやだからなのです。いったい何とどのように比べてどれだけ乗り心地がいいと言っているのか、少しもはっきりしていません。したがって、その真偽を判断できない。よって、命題ではないのです。

しかし、車体の色が黒だというのならば、その真偽は判断できます。現実のその車の色と照らし合わせてみればいいからです。よって、「その車の色は黒である」という文は命題だということになります。

ところで、命題の文章は事実に相応するものでなければならない、とヴィトゲンシュタインは決めつけているのですが、命題は必ずそうでなければならないと世界中で決められているわけではありません。

しかしここでは、ヴィトゲンシュタインにしたがって、命題は事実と相応しているものであるとしましょう。そうして過去の哲学をふりかえってみると、これまでのほとんどの哲学に使われてきた文章は命題ではないことが多いとわかってくるのです。

「哲学に用いられる言葉と文章は命題のみで構成されていなければならない」とヴィトゲンシュタインは断言するのです。

つまり、**哲学は（検証ができる）自然科学の命題以外のこと、たとえば神について、善などの倫理、美などの感性について語ってはならないのです**。そうでないと、結局はあやふやで意味のないことを語ることになってしまうからです。

ヴィトゲンシュタインのこの主張は結局のところ、これまでの哲学はあやふやで不明瞭なことを語っていたということを意味します。

「ウィーン学団」の結成に直接影響

思考と論理の明晰さを求めた『論理哲学論考』の影響は大きく広がり、ウィーン大学を中心とする論理実証主義派の哲学者と科学者たちの集団、いわゆる**「ウィーン学団」**（1928〜1938）の立ち上がりを勢いづけました。

また、『論理哲学論考』の考え方は従来の観念的な哲学（たとえば、ヘーゲルの『精神現象学』やハイデッガーの『存在と時間』のような哲学）からの脱出を促進しました。

影響は他にも広がり、美学、倫理学、宗教哲学、言語哲学の考え方にまでおよびました。

気をつけなければならないのは、ヴィトゲンシュタイン初期の『論理哲学論考』の主張がまったく正しいとされた場合、数値を用いた分析や論理などの科学的姿勢こそが重要で意味あるものだということになってしまいます。すると、形而上的なもの（形のない抽象的なもの、倫理、美、信仰）についての思考のすべてをいいかげんで低いものとみなすようになります。

しかし実際にそのようにかたよった傾向は現代でも多く見られるのです。たとえば、数値や統計と経済を重視して人間の倫理などとるにたらないこととみなす現代の新自由主義者たちの考え方などがそれにあたるでしょう。

また、ヴィトゲンシュタインは生涯をかけて言葉の問題に関わりましたが、現代のわたしたちもまた言葉や表現に悩まされているのではないでしょうか。

差別や不平等、法律、規制、政治の駆け引きや裏切り、コンピュータ言語や暗号等々、現代の問題の根底にあるのは、かつての哲学がいつも問題にしていた「人間の理性」などではさらさらなく、つねに言葉の意味内容と範囲なのです。

20世紀最大の哲人のひとり。みずからの主張も批判

ヴィトゲンシュタインは田舎での教師職の間、『小学生のための正書法辞典』（1926）を書き、出版しました。彼が生前に出版したのは『論理哲学論考』と合わせてこの2冊だけでした。

その後、小学校教師からケンブリッジ大学に戻って、すでに刊行されていた『論理哲学論考』で博士号を取得し、やがて哲学教授として教えることになったヴィトゲンシュタインは、体裁(ていさい)を気にせずに行動し、自他ともに嘘を赦(ゆる)さない性格などから周囲から奇行(きこう)の人と見られました。

たとえば、授業中に長い時間考え込んでしまったり、授業が終わったらウサを晴らすようにそそくさとアメリカの単純なウエスタン映画を観に行ったり、フランネルのシャツとジャケットしか着なかったり、食事は質素でバターとパンとココアだけのときもあるということが奇行だと見られたのです。しかし、ただ生き方が自分に正直で世間的でなかったとも見ることができます。

さて、ヴィトゲンシュタインは『論理哲学論考』の序文にこのように書いていました。

「この本の全意義を次のような言葉にできるだろう。
〝もともと言い表せることは明晰に言い表せる。
そして語りえないことについて人は沈黙する〟」（木村洋平訳）

ところが、大学で教えるようになってから、ヴィトゲンシュタインはみずからの主張「命題は実際の像を写しだす」を批判し始めたのです。そして、１９３２年頃の講義から**「言語ゲーム」**という概念を使うようになりました。

この「言語ゲーム」は、日本では「ゲーム」と翻訳されていますが、原語はSprachspiel（シュプラッハシュピール）ですから、「言葉遊び」とも訳すことができます。この「言語ゲーム」をひと言で説明すれば、**「日常の言葉の意味は共通の社会生活の中でおのずと決まる」**ということです。

だから、そのようにして日々変化を続けている言葉を、哲学が一方的に意味の範囲をせばめて固定化し、その範囲でのみの意味で使って思考していくならば、その哲学はあまりにもおかしな、現実から離れたことを語ってしまう結果におちいっていくことになります。

なお、言語ゲームについてのヴィトゲンシュタインの後期の研究は『哲学探究』という原稿にまとまっていましたが、生前には発刊されませんでした。

ちなみにヴィトゲンシュタインは、自分はまちがっているのではないかという不安をずっと抱いていたといいます。

『一般言語学講義』

ソシュール

（原題　Cours de linguistique générale 1916）

言葉自体に意味はない

「要するに、言語には差異しかない、ということに帰する」

「言語においては、すべての記号体系におけると同じく、一個の記号を区別するものが、それを組み立てるすべてなのである。差異が特質をなすのである、あたかもそれが価値と単位とをなすように」

（小林英夫訳）

フェルディナン・ド・ソシュール
（Ferdinand de Saussure）

1857～1913　スイス連邦ジュネーブの学者を輩出した名門の家に生まれる。ジュネーブ大学で化学と物理学を専攻したが、関心は言語学や哲学だった。言語学の中心だったライプツィッヒやベルリンに留学し、1879年、サンスクリット語の研究で博士号取得。パリで大学講師をしてから、ジュネーブ大学特任教授。1907年、一般言語学の講義を始める。55歳没。

「構造主義」を創始した近代言語学の父・ソシュールの真髄！

『一般言語学講義』はソシュールがジュネーブ大学で1907年から1911年にかけて行なった3回の講義が編者によってまとめられ、ソシュールの死後に出版されたものです。この本の内容が一つの事件となったのは、**それまでの言語学の概念を超越し、言語についてのまったく新しい考え方を打ち出していた**ことが1968年以降に明らかになったからです。

ソシュール以前、たとえば、古代のプラトン『クラテュロス』やアリストテレスの『命題論』あたりから言語についての探求は始まっているのですが、その基本的姿勢は、物や概念がまず存在しており、それに名称がつけられているのだという考えが土台にあってゆらぎませんでした。これは、**「言語命名論」**とか**「言語名称目録観」**と呼ばれています。

それは、特定の対象物と特定の名称がどのようにして結びつけられているのかは、各言語の歴史を調べればわかるし、いつかその源まで行きつくことができれば、物と名称の一致があるだろうと期待するものです。いいかえれば、**言葉の意味と名称には分かちがたい関係があり、その背後には歴史がひかえている**というわけです。

ところが、ソシュールはまったく異なるアプローチをしたのです。それは、言葉の関係性や法則の要因のみを見る、つまり、**使われている言葉の構造（Structure）、システムを明らかにする**という方法で言語の研究にあたることでした。（これをソシュールが使った用語で**「共時言語学」**という。共時言語学とは、あえて歴史を考慮せず、現在の、あるいは一定時期の言語の法則性についての探求という意味）

言葉は記号であって、関係性の中でのみ意味を持つ

ソシュールのその共時言語学の結論によれば、**言語というものは記号だということ、その記号の概念や意味は、その言語（記号）だけで決定されることがなく、必ず他の言語（記号）との関係によって決定される**、ということです。

たとえば、チェスゲームにおける駒も一つの記号です。それぞれの駒が記号としての役割しか持っていませんから、他の物に代えても役割をはたします。チェスのキングの駒がどこかになくなってしまっても、大きめのボタンなどで代用できることになります。

くり返しますが、その駒がキングだというのはたんなる名称でしかありません。その駒だけがどの方向へも一マスずつ自由に動けるというのは、キングの意味（概念）です。だから、洋服のボタンで代用しても同じです。それはキングとして少しも過不足なく、自由に動けます。記号にすぎないからです。

言葉もこれと同じで、どんな言葉も名称（語や音の形、シニフィアンという）と概念（意味、シニフィエという）の二つからできています。だから、ある特定の概念に、今までは別だった名称がくっついたとしても、ふつごうなことは一つもありません。逆もまた同じです。

しかも言葉それぞれの意味は、現実とは何も関係がありません。たとえば典型的なのは、右という現実の場所はどこにもなく、右という概念は左という言葉とのちがいからのみ理解されるだけです。すなわち言葉の全体の中のちがい（差異）だけで概念が決まってくるのです。

だから、ソシュールは**「言語には差異しかない」**と強調したのでした。言語は、現実から離れて自律しているものなのです。

人間は使う「言語」によって作られる

もちろん、各国において、地域において、時代において、言語は変わっていきます。（なぜどのように変わるかはわかっていません）たとえば、日本語の水と英語のwater（ウオーター）は、名称もその概念もだいぶ異なっています。日本語の水は必ず冷たいものを指し、英語のwaterは湯を指す場合もあるからです。

日本語の「好き」という動詞の対応は簡単な辞書では、英語でlike（ライク）、ドイツ語でmögen（メーゲン）、フランス語でaimer（エメ）とされていますが、これらは実は意味の範囲ではぴったりと重なり合ってはいません。このように、言語は場所が変わると対応しないのです。（よって、厳密な翻訳は不可能です）また、英語の青とロシア語の青のちがいなどに見られるように、色の名称と概念も各言語でへだたりが大きくなっています。

これらのことは、**「言語が世界を分節（ぶんせつ）する」**ということを示しています。つまり、自分が使っている言語によって世界の切り取り方が異なってくるというわけです。したがって、それにつれて価値も異なってきます。これを言い換えると、人間は自分が用いるその言語によって形成されるということになります。

新しい研究手法「構造主義」を生み出す

ソシュールの『一般言語学講義』は現代の**「記号論」の新しい土台**となりましたが、もう一方において、研究の新しい手法としての**「構造主義」**を生み出しました。

構造主義とは、物事をその関係のあり方において見ること、現在あるものを総体的に体系としてとらえること、共通している要素を見出したら形式化し、そこから要素の互いの関係を検証すること、といった方法をとります。

構造主義のこの方法は多くの分野で応用することが可能であり、レヴィ＝ストロースが人類学の研究に使ったのが有名です。その他には、イエルムスレウ、メルロ＝ポンティ、ロラン・バルト、ラカン、デリダ、クリステヴァ、チョムスキーらの言語学や哲学の方法論に強い影響を与えています。

なお、ソシュールの生前に刊行された書籍は一冊だけで、21歳のときの『印欧諸語の母音の原初体系に関する覚え書き』（1878）でした。

64

『言語と行為』

オースティン

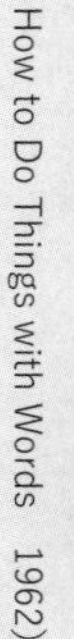
（原題　How to Do Things with Words　1962）

言葉が行為をそそのかす

「古来哲学の中に巣食うある想定に疑問を投げかけよう…中略…その想定とは…中略…実際に考察されたすべての場合について、何ごとかを言う（say something）ことは常に、かつ、単に何ごとかを陳述する（state something）ことにすぎないとするものである。この想定は、疑いの余地なく無自覚であり、また、疑いの余地なく誤りである。にもかかわらず、哲学の分野においてはこの想定が一見、ことの当然として受け入れられているように見えるのである」

（坂本百大訳）

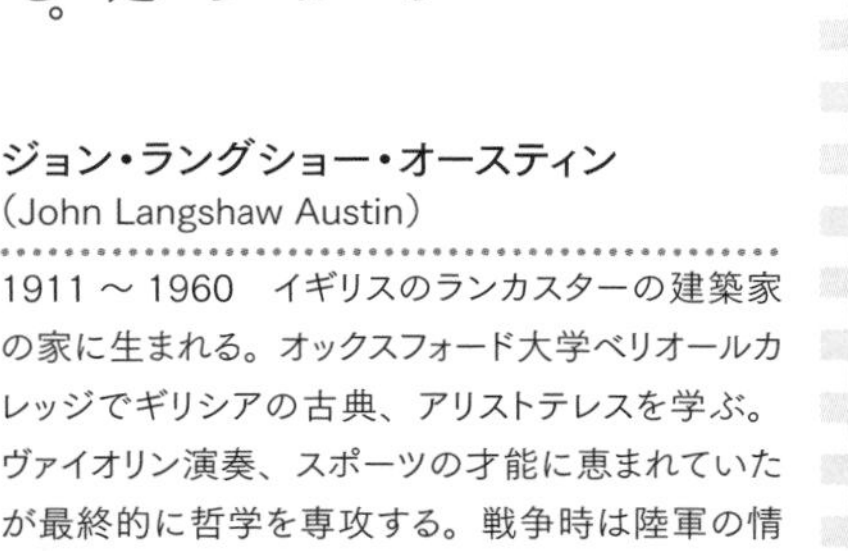
ジョン・ラングショー・オースティン
（John Langshaw Austin）

1911 ～ 1960　イギリスのランカスターの建築家の家に生まれる。オックスフォード大学ベリオールカレッジでギリシアの古典、アリストテレスを学ぶ。ヴァイオリン演奏、スポーツの才能に恵まれていたが最終的に哲学を専攻する。戦争時は陸軍の情報将校。オックスフォード大学出版局理事。1952年からホワイト記念道徳哲学教授。48歳没。

"哲学を破壊する男"と呼ばれたオースティンの「哲学と言語学を結ぶ」名著

『言語と行為』は、オースティンが1955年にハーヴァード大学で行なった記念講演での講義をのちに編纂したものです。**「いかにして言葉で行為するか」**という一見して奇妙な原題を持つこの本が述べているのは、日常の言語行為論です。

ふつうは、発言された言語はたんに言語でしかなく、行為とは関係がないものだと思われています。しかし、言語は行為にかかわりを持っている、あるいは、たんなる叙述文だとこれまでみなされていたものが行為そのものとなっていることがあるというのです。

これを**「行為遂行的発言」**(performative)とオースティンは名づけました。

「私はこの人と結婚します!」=「行為を遂行している」

たとえば、結婚式のときに「私はこの人と結婚します」と発言したならば、この「私」はある人との結婚を行ないつつある、ということです。決して、二人が結婚を行ないつつあるという事実を報告しているだけの叙述にすぎない発言ではないのです。

たとえば、「私はこれに賭ける」や「この時計をきみにあげる」なども同じく行為遂行的発言です。つまり、発言された事柄は行為となっているわけです。もちろん、そのようになる場合は条件や状況がそれなりにそろっていなければなりません。だから、乱暴な言葉の投げかけなどもまた言葉の上のみの野蛮な装飾ではなく、現実に相手に暴力をふるっていることになるのです。

では、「きみの後ろに牛がいる」という発言はどうでしょう。これは牧歌的な情景を述べている叙述文なのでしょうか。いやそうではなく、危険だから今すぐ逃げるという行為をせよ、と言っているのではないでしょうか。

このように、事実を確定させたことを述べながらも行為を引き出す発言を、オースティンは**「発語媒介行為」**(perlocutionary act)と名づけました。ふだん誰もが使う「この部屋は暑い」とか「寒い」という発言も発語媒介行為です。なぜならば、そのように発言したがために窓を開けたり暖房をつけたりする行為を引き出すからです。

したがって、言葉というものはたんに意味を内包した(そこにぽつんと置かれた静的な叙述の)言葉にはとどまらないことになります。言葉は使われることによって、描こうとする現実の動きを見させているのです。そしてオースティンは、言語行為を次の三つの要素に分け、すべての発語を行為遂行的なものとみなしたのでした。

◇発語行為……意味のある言葉を文法にしたがって発する。
◇発語内行為……「今行きます」のように発語自体として行為を遂行している。
◇発語媒介行為……発語によって、なんらかの行為を引き出す。

哲学の本質主義はナンセンスだ！

オースティンはライル（本書350頁参照）と同じくオックスフォード流の英国分析哲学日常言語学派の一人といわれますが、この学派は日常言語の使い方を綿密に分析することによって、哲学の文章や論理に見られる混乱をとりのぞこうとするものです。つまり、哲学に見られる誤りを少なくしようという意図があるものです。

さて、オースティンの『知覚の言語』（1962）には**「否定主導語」**という概念が出てきますが、この「否定主導語」とはたとえば、「本物」「本当」「実体」「健康」「真の」「正常」「直接」「最高」「絶対」「純粋」といった言葉のことです。

これらの言葉は哲学の文章においてとても多く使われていますが、たとえばいくら本物だと強調されたところで、それが本物だと保証されたことにはなりません。なぜならば、「本物」という言葉は、それが偽物であることをたんに否定する役割しか持っていない「否定主導語」だからです。

したがって、哲学において「～の本質とは何か」といくら追究しても結果として得られるものがないことになります。その「本質」という言葉がすでに「否定主導語」でしかないからです。同じように、「神とは何か」とか「存在とは何か」と追究してもナンセンス以外に得られるものはないのです。

このように述べたオースティンはこれまでの哲学を破壊する男ともみなされました。ちなみに、オックスフォードの厳格できわだった人物とされるオースティンは内気ながらもジョークを口にし、礼を失することのない人柄だったと伝えられています。

『声と現象』
ジャック・デリダ

(原題　La voix et le phénomène　1967)

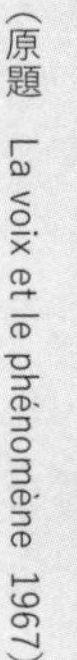

差異こそが意味だ

「イデア的対象は、もろもろの対象のなかでも最も対象的である。……中略……〈イデア的―存在（イデア的であること）〉は、世界の外においては何ものでもない」
「われわれは、意味、イデア性、対象性、真理、直観、知覚、表現といった諸概念の組織的連帯を痛感した。これら諸概念の共通の母胎は、現前としての存在(*)である」

（高橋允昭訳）

＊　確実とみなされるもののこと。現前性（げんぜんせい）ともいう。３０４頁参照。

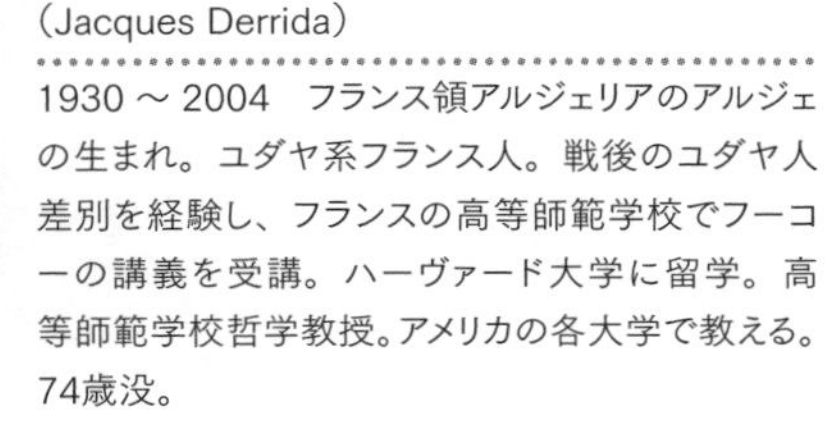

ジャック・デリダ
(Jacques Derrida)

1930 ～ 2004　フランス領アルジェリアのアルジェの生まれ。ユダヤ系フランス人。戦後のユダヤ人差別を経験し、フランスの高等師範学校でフーコーの講義を受講。ハーヴァード大学に留学。高等師範学校哲学教授。アメリカの各大学で教える。74歳没。

「読む」とは何か、「書く」とは何か
これまでの思想を「脱構築」という方法論で批判した大著

『声と現象』は、もともとはフッサールの『論理学研究』をデリダが翻訳したときの序文であったので、その題は「フッサール現象学における記号の問題への序論」でした。

そしてこの序文は**フッサールの哲学に対する批判**となっています。その批判とは要するに、フッサールの現象学では「純粋意識」のような根源、いいかえれば確固とした真理、あるいは本当のものが存在していることを前提として論が展開されているではないかというのです。

しかもフッサールだけに限らず、プラトン以来の数多くの哲学者たちもまたそうであったのではないかというわけです。

多くの哲学は真理というものがどこかにあることを前提にして語っている、そして、その真理に近づこうと努めている。真偽でいえば、真のほうです。けれども、**それが真であることはいかにも真として存在しているかのように装われたものでしかないではないか**、とデリダはいうのです。

「同一性」と「二項対立」

哲学では昔から論理を用いて語ってきたのですが、その論理の基礎にあるのが**「同一性」**と**「二項対立」**

です。この「同一性」と「二項対立」はふつうの論理にも、哲学の論述にも使われるものです。同一性によって「〜は〜である」と決定することになります。この「〜は〜である」からは、同時に「〜は非…である」ということが出てきます。

二項対立とはこういうふうに二つの概念が対立している状態のことです。ですから、たとえば、真と偽、生と死、正常と異常、知性と感性、善と悪、魂と肉体、西洋と東洋、一般的と特殊、主観と客観、というふうに二項対立になっている概念は無数にあります。

対立している以上、どちらかは必ずA、あるいはBと決められます。AでもBでもない、ということはありえないことになります。AでもBでもある、ということもありえないとされます。（このように二項の中間に位置するものはないので、これを論理学では「排中律」といいます）

すると、物事はみなはっきりと分けられていて、それぞれがきっちりと独立しているような印象を与えます。ところが、これら二項の概念の意味は実際には互いに異質でないのではないか。なぜならば、互いに依存しあってでしか、それぞれの意味をたもてないようになっているからです。

たとえば、「暗いこと」を「明るくないこと」というふうにしか、その意味を定義できない。これでは物事の意味を定義するふりをして、実際には定義をしていないことになってしまいます。つまり、**意味は二項対立の論理から生まれてきていない**のです。さきほどの真偽にしても、相手の真や偽がなければ、自分の意味が何なのかわからなくなるのです。

「口から出た言葉」と「書かれた言葉」はどちらが信頼できる？

さらに二項対立では、どちらか一方が優位に（あるいは真とされる位置に）置かれるのがふつうです。言葉についての二項対立の場合だと、**「発話された言葉」（パロール）**と**「書かれた言葉」（エクリチュール）**がその二項となっているのですが、話し言葉のパロールのほうが書き言葉のエクリチュールよりも優位に立つと（ヨーロッパでは）されてきました。なぜならば、発話こそ人間の直接的な言葉であり、ゆえに信頼性が高いからだというわけです。一方、エクリチュールは書かれた段階で加工されているとみなされ、それゆえに低いとされたのです。

新しい哲学の姿勢を目指したフッサールはしかし現象学でもこの立場であり、そこをデリダは批判したのです。デリダは、フッサールの**「現象学は諸原理の原理となっている充実した根源的直観に対する意味の現前ないし現前性（げんぜんせい）を、すべての価値の源泉および保証者と」**（高橋訳）みなしていると批判します。

ここに「現前性」という表現が見られますが、現前性とは今ここ目の前にあって、ありありとした直接的なものという意味です。だから、声を発することであるパロールには明らかに現前性があることになります。（日本でも「生（なま）の声」という言い方をして特別視します）そして、この現前性を高く価値づける姿勢を音声中心主義といいます。（ソクラテスも音声中心主義者だったため、本を書かなかったわけです）

デリダが各時代の西洋哲学の中を貫いてきた音声中心主義による思考を批判するのは、音声中心主義自体が矛盾をはらんでいるからです。

一般的に、パロールは生々しい真実そのものであり、あとになって冷静に整えられたパロールの内容がエクリチュールだとされます。つまり、エクリチュールは声と一致していない劣化したコピー、ニセモノにすぎないから価値が低いのだというわけです。

しかしデリダは、声はオリジナルとはいえないと考えます。なぜならば、その人の声として発せられた言葉は、実は過去の言葉からたまたま引き出してきた言葉、今この場で使うにつごうがよいと判断された過去の誰かの言葉や過去のエクリチュールからつまんできた言葉でしかないからです。そもそも言葉はすべて既存の言葉であり、すべてがコピーの言葉です。こう考えれば、パロールとエクリチュールという二項対立の真偽や優劣は元からどこにもないものだとわかります。

また、この他にもヨーロッパ特有の二項対立において高い地位にある一方のものとみなされてきたものとして、男性的なもの、論理的なもの、自我、目的を持って進むもの、などがあります。もちろん、それらの価値観に確固とした根拠は見出せません。

意味は「差異」から生まれる

こういうふうにしてこれまでの哲学や文献を見直していくこと、西洋で構築されてきたものを解体して既存の価値を抜いていくこと、その中にある二項対立の位階秩序（いかいちつじょ）を転倒させること、をデリダは**「脱構築（だつこうちく）」**（Déconstruction（デコンストルクシオン））と名づけました。

脱構築によって物事は解体され、既存の一般的な意味は薄くなります。そしてあらためて別のさまざまな意味の生まれる契機と状況が浮き上がってきます。さきほど見たように、そもそも二項対立の概念は互いに依存しあって意味を浮き出させているだけでしたから、それぞれの概念の固有の意味は最初からなかったのです。

するど、意味はどこから生まれるというのでしょうか。デリダは**さまざまな「差異」(ディフェランス)から意味が生じてくるのだ**といいます。「～は～である」とする同一性と、差異は二項対立の関係です。ですから、差異は「～は～である」というふうに断定はせず、あらゆる状況によるズレの影響を受けながらも、そのつどの意味を確定的にではなくかもし出してくることになります。

これをわかりやすくするために音楽演奏を喩えとして使ってみれば、ショスタコーヴィッチ作曲のシンフォニー5番の第4楽章の演奏は、バーンスタインとロストロポーヴィッチの指揮ではだいぶ異なります。指揮者が曲想としてなんらかの意味を生むのではありません。ただ、状況における差異の効果が聴き手自身にとってそのときの意味となるのです。そこにはまた、聴き手の状況まで差異として加わっています。

これは文章(エクリチュール)の場合も同じで、音読するのか、黙読するのか、どういう調子で読むのか、また誰がそれを読むのか、どの国で読むのか、どんな声で、どんな姿勢で、といった無数の差異がそれぞれに効果をもたらしてくるのです。

同時にまた、知覚されない差異も無数にあります。つまり、文章はさまざまな「差異の織物」のようなものであり、著者の意図がどうであれ、その文章の意味はあらかじめ「決定」されていることがないのです。

差異がそのように効果をおよぼす動き自体のことを、デリダは「差延」という造語にしました。

人生も評価も差異に満ちたデリダ

これまでの普遍的な概念の二項対立をいっきょに骨抜きにするデリダの発想には、ニーチェからの影響があります。ニーチェは『道徳の系譜(けいふ)』で「弱者のルサンチマンによって悪が何であるかが決められ、その悪と対立するものが善だと決められた」と述べていました。デリダは、善悪のこういう決めつけから、過去の二項対立の発生の自己都合に気づくようになったのです。

全体的に見て、境遇と時代がデリダの差異と差延の思想を形成してきたともいえます。生まれはフランス共和国の領土であったアルジェリアの北の海辺のアルジェです。アルジェリアは1830年のフランスの出兵によって植民地となっていたのですが、1954年からフランス軍との戦争が始まり、結果として1962年に独立することになりました。しかしアルジェリアの独立を機に、それまで身近に住んでいたヨーロッパ人たちが脱出していったため、デリダは生きている故郷の人々を失ったような感覚に襲われます。

1930年生まれのデリダは五世代前からのユダヤ系のプチブルジョアでしたが、フランス人意識がありながらもフランス人ではなく、かつまた土着のアルジェリア人でもありませんでした。9歳のときに第二次世界大戦が始まりましたが国内での戦闘はなく、しかしながらナチスの思想の影響を受け、1942年には人種差別法が敷かれました。

このためデリダはあからさまな差別を受けながらも、自分はヨーロッパ人だという気持ちで生きることになるのです。サッカー選手になるのが夢だった19歳のデリダは、有名な小説『異邦人』を書いた同郷の小説家アルベール・カミュ(1913～1960)がラジオで話すのを聞き、哲学に魅了されていくようになります。

そしてフランスで哲学を始めることになりました。確かなものがどこにもないこと、それを我が身でずっと実感して生きてきたデリダが差延の思想を生んだのです。

差異を基礎にしたデリダの脱構築の思想は急速に流行し、文学、演劇、建築など多方面に、そして世界的に影響を与えました。

しかしデリダの思想や表現に反対する人も少なくなく、その理由は「移民で成り立っているアメリカにはすでに多様性があり、デリダの思想はアメリカでは別に必要がない」「デリダは無駄な言葉が多く、何事についてもあまりにもあいまいに書いている」「修辞が多く、厳密ではない」「学問や真理を攻撃している」といったものでした。

デリダは要するに、これまで西洋哲学が信じてきた「普遍性」の根底を崩したのです。そして差異や多様性の重要性を指摘し、差別や抑圧のない社会を目指したともいえるでしょう。しかし現代は、その多様性や差異が互いに争っているという状況になっているのです。

賢人のつぶやき

目の本質的な役割は、見ることではなく、涙を流すことだ

66

『言葉と物』

ミシェル・フーコー

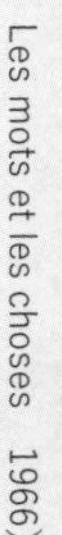
（原題　Les mots et les choses　1966）

言葉一つで変わる世界

「十八世紀末以前に、《人間》というものは実在しなかったのである。
…中略…《人間》こそ、知という造物主がわずか二百年たらずまえ、みずからの手でこしらえあげた、まったく最近の被造物にすぎない」

「人間がそこでは最近の発見である」

（渡辺一民・佐々木明訳）

ミシェル・フーコー
（Michel Foucault）

1926 ～ 1984　フランス共和国のポアティエの上流階級の外科医の家に生まれる。『狂気の歴史』で哲学博士号取得、他に心理学、精神医学の学位取得。パリ第8大学哲学部部長。コレージュ・ド・フランス（国立特別高等教育機関）会員、思考体系史教授。57歳没。

「人間の終焉」を予言。斬新な歴史観で、今なお人々を魅了する革命的思想書

サブタイトルが「人文科学の考古学」となっている『言葉と物』が述べているのは、**ヨーロッパの歴史の三つの時代ごとに「エピステーメー」が異なっている**ということです。

このエピステーメーという用語は、ギリシア語から借りたフーコーの用語で、**時代ごとの学問を成立させる力を持ったその時代に固有な知の枠組み（わくぐみ）、認識体系のこと**をいいます。

つまり、物事のとらえ方、そこから派生してくる価値観が時代ごとにちがっているからこそ、世界がどのように見えていたかが時代ごとにちがってきたのだというわけです。では、その三つの時代に具体的にどのようなエピステーメーがあったというのでしょうか。

16世紀末までの中世、ルネサンスの時代では、**似ているということ**がエピステーメーの土台となっていました。たとえば、脳の形とクルミが似ているから、クルミが頭蓋骨（ずがいこつ）の傷をいやすものとされ、目の明るさは太陽や月の明るさと同じとされていました。

当時は現代とだいぶちがっていて、物と言葉がしっかり結びついていたのです。事物と結びついていない言葉などなかったのです。だから、記録、観察、寓話（ぐうわ）に明確な区別はありえません。空想と事実に境目がないのです。

スペインの作家セルバンテスが書いた小説『ドン・キホーテ』（1605・1615）の主人公ドン・キホーテは水車をドラゴンとみなしますが、その理由はどちらにも羽があるという類似なのです。ですから、ドン・キホーテという男は物語と現実の区別がつかない典型的な中世人だというわけです。

17世紀半ばから19世紀までの古典主義時代では、**分析と計算、言葉による秩序づけ**、がエピステーメーの土台となります。この時代ではそれまでの言葉と物の強い結びつきがなくなって、差異に目が向けられるようになります。

そのため、言葉は現実の物にいつも対応しているということがなくなり、言葉はわたしたちの思考が物を秩序づけるための道具となります。そこから、一般文法、博物誌（目に見える表面だけの分類）、富の分析が発達するようになりました。

その、一般文法、博物誌、富の分析は、近代（19世紀以降）になると、**文献学、生物学、経済学**がとってかわるようになります。言葉そのものが現実に存在する物から離れて独立したからです。

これは経済学の発達でわかるように、市場に流通している貨幣そのものの動きとは異なる次元にある経済の仕組みという目に見えない事柄を言葉にするエピステーメーの時代になったのです。要は、事柄を抽象化して理解する時代になったということです。

エピステーメーのこういう変化は急激に起こるとフーコーは述べています。

この『言葉と物』という書物の後半で目立つのは、**人間という概念が近代の発明だ**という主張です。わたしたちはふだんから人間という言葉を使って表現をしますが、そういうことは、かつてはありえなかったというのです。

近代より前に存在していたのは血筋、身分、役職、出身地、職業などで分けられた大小の者たちだけでした。しかし、近代のエピステーメーによる抽象化によって、社会生活をささえている労働、言語、生命がクローズアップされ、そこに「人間」とか生命科学、心理学、人類学といった概念が生まれてきたのです。ということは、次の時代になれば、人間という概念がなくなる可能性も出てくるというわけです。

「パンのように売れた！」発売すぐベストセラーに

『言葉と物』は豊富な知識と饒舌(じょうぜつ)な文章がびっしりと詰まった本であるにもかかわらず、『レクスプレス』の週間ベストセラー5位以内に入り、その初版は1週間たらずで売り切れ、「パンのように売れた」（一年で2万3000部ほど）と評されました。

他にもフーコーの書いた本はそのつどセンセーショナルな話題をふりまき、それぞれの本のキーワードとなるその印象的な用語、「考古学(アルケオロジー)」「エピステーメー」「一望監視装置(パノプティコン)」「生(せい)（の上にふるわれる）権力」「生政治(バイオポリティクス)（生命と死を管理する政治）」が有名になり、また問題視もされました。

子どものときから生きづらさを感じては自殺未遂まで起こしていたフーコーは、やがてゲイであることを認めました。そういう個性と、歴史に新しい角度からの視点を持ちこんでとらえなおす著述は、自分自身をも含めた人々の多様な生のあり方を解放するものであったようです。

Part6

科学や方法について

100 GREAT PHILOSOPHY BOOKS
THAT CHANGED THE WORLD

『ノヴム・オルガヌム』

フランシス・ベーコン

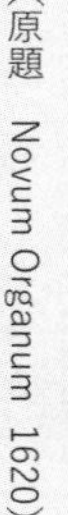

偏見は四つある

「人びとは語ることによってたがいに結ばれるが、しかしその語る言語は、一般人の理解力に応じて定められる」

「人間の知性は、一度こうだと考えきめた（それが承認され信ぜられているので、あるいは自分の気に入るので）からには、他のすべてのことをも、それを支持し、それに合致するようにする」

（服部英次郎訳）

フランシス・ベーコン
（Francis Bacon）

1561 ～ 1626　イングランド王国のロンドン生まれの子爵。ケンブリッジ大学トリニティ・カレッジに入ったが卒業していない。ロンドンのグレイ法曹院で法律を学ぶ。政治家、法学者、哲学者。65歳没。

17世紀の学問と技術の革新をリードした大思想家！「帰納法」を強調

番号をつけた短めの断章を集める形でまとめられた『ノヴム・オルガヌム』は、ベーコンの書いた（未完の）『Instauratio Magna』（大革新）の第2部にあたります。ベーコンの目的は、自然についての新しい知識を発見するための方法論を書くことでした。

『ノヴム・オルガヌム』は、**「新機関」**とも**「新しい道具」**とも訳せますが、ベーコンは自分の本は誰もが正確な円を描くために使えるコンパスのようなものだとしています。

彼自身は自分こそ新しい視点を持っていると思いこんでいたようですが、実際にはコペルニクス（1473〜1543）の地動説については否定的にしか評価せず、天体の運行法則を発見したケプラー（1571〜1630）に対しては無視をしていました。

しかし、現実を観察することを重視して実証的に物事を探求しようという姿勢から帰納法（個々の事実に共通する一般的な要素や法則を求める方法）を強調したという点では、中世から近代への先がけの書物となっています。

「人間の弱さ」を4つの偏見として分類

この本の中でもっとも有名になったのは、真理探究のときに避けるべきものとしての「4つのイドラ」です。そもそもイドラとは幻影とか偶像のことで、アイドルの語源ですが、ここでは理解のあやまりに人間を導くような偏見、あるいは先入観という意味で使われています。

その第一のものは種族のイドラ、第二は洞窟（どうくつ）のイドラ、第三は市場のイドラ、第四は劇場のイドラと名づけられ、それぞれ次のような偏見内容を指します。

〈種族のイドラ〉 人間に固有の偏見。何についても人間の感覚で判断してしまうことからくる偏見。たとえば、物事を人間になぞらえて、あるいは比較して判断する。錯覚も含めた感覚をそのまま事実そのものとしてしまう。

〈洞窟のイドラ〉 それぞれの個人に特有の偏見。その人の癖や習慣、その人が影響を受けてきた教育や人物や書物、または個人的な経験から生まれてくる偏見。

〈市場のイドラ〉 他の人々との交際から生まれる偏見。彼らの独特な言葉の使い方、意味から、知性がゆがんだり混乱したりする。

〈劇場のイドラ〉 特定の哲学や主義・思想に影響されたことから生まれる偏見。

「シェイクスピア＝ベーコン説」と毀誉褒貶（きよほうへん）

同時代の劇作家のシェイクスピア（1564〜1616）についての経歴があまりにも少なくしか知られていないせいか、実はベーコンと同一人物だったという説が古くからありますが、シェイクスピアにはベーコンのレベルの学識がなかったし、占星術などを真（ま）に受けているという点からもベーコンではないといえます。

ベーコンの姿勢は近代科学を前進させることに少しは役立ちました。しかしベーコン自身の半分は数学を理解できない古い中世人でもあり、地位と金銭と贅沢（ぜいたく）が好きな俗っぽい人間でもありました。

だから、ベーコンについての人物像が今なお、下劣で残酷な男と進歩的な人間の間でふらふらと揺れ動いています。ベーコン自身もその考え方も、彼の生きた時代と同じく中世と近代の狭間（はざま）にあったのです。

賢人のつぶやき

知は力なり！

『方法序説』

デカルト

(原題 Discours de la méthode 1637)

本当に確実なのは何か

「そうするとただちに、私は気づいた、私がこのように、すべては偽である、と考えている間も、そう考えている私は、必然的に何ものかでなければならぬ、と。そして〝私は考える、ゆえに私はある〟Je pense, donc je suis. というこの真理は、懐疑論者のどのような法外な想定によってもゆり動かしえぬほど、堅固な確実なものであることを、私は認めたから、私はこの真理を、私の求めていた哲学の第一原理として、もはや安心して受け入れることができる、と判断した」

(野田又夫訳)

ルネ・デカルト
(René Descartes)

1596～1650 ブルボン朝フランスの中部ラ・エーのブルターニュ高等法院評定官の家に生まれる。法服貴族(官僚貴族)の身分。ポワティエ大学で法学学位。オランダ軍に入り、物理数学の研究。スウェーデン女王に招かれてストックホルムで哲学の個人講義をしていたときに風邪をこじらせ、53歳没。

「われ考える、ゆえにわれあり」！近代哲学の父による「真理を見いだす」方法

17世紀当時の学問の慣習として論文はラテン語で書くのが一般的でしたが、デカルトは広く読んでもらうためにフランス語で書くようにしました。その全500頁以上になる論文の序文が『方法序説』です。

文章は平易なエッセイ風であり、自分が今まで学んだ学問だけではあきたらず、もっと確実で新しい思考の方法を求める自分の姿勢をはっきりさせ、そしてついにそれまでの哲学観念や学説にまったく依存しない規則などが述べられます。

その規則とは次の四つです。**明証性**(めいしょう)、**分析**(ぶんせき)、**総合**、**枚挙**(まいきょ)。これはデカルトの専門分野である幾何(きか)学を哲学の思考に応用したものです。

明証性とは、真であると自分が認識したものでない限り、真として受け入れないということです。そうしないと、つい速断してみたり、先入観にまどわされたりしてしまうからです。

少しでも疑いがあるものは「不確か」。最後に残ったものが「真」

自分で決めたその規則にしたがってデカルトは何が本当に確実なものであるかを考え、結論を出しました。それがあの有名なフレーズ「**われ考える、ゆえにわれあり**（ラテン語で、**コギト・エルゴ・スム**）」でした。

この「われ考える、ゆえにわれあり」の論理は次のようなことです。自分が見たこと、経験したことはいくら確かに思われることであっても、不確かである可能性がある。自分の知覚など、そのすべては錯覚かもしれない。ひょっとしたら、現実のすべてが夢である可能性すらある。そんなふうに何もかもが疑いえる。しかし、たった一つ、疑いようもないことが残っている。

その疑いようもないこととは、この自分がここで考えている、という事実です。だから、自分の実在こそ確かだと明証される、それこそ真理だとデカルトはいうのです。

ただ、デカルトのこの考え方には奇妙なところがあり、それは、考える私ではなく、思考だけが疑いえないものではないか、とは考えなかったということです。

ちなみにデカルトが「考える」というとき、問題についてのまとまった思考のことばかりではなく、あらゆる心の動きをも含めた広い意味になっています。

そのように考えたため、いわゆる「デカルト的二元論」というものが出てくることになります。その二元論とは、**この世には精神のような非物体的実在と肉体のような物体的実在の二つがある**というものです。

人間はこの二つがうまく合わさったものだというのです。しかし、精神が人の内部にあって肉体を操縦しているというのではなく、精神と肉体が脳の下部にある松果腺（しょうかせん）（現代医学でいう松果体のこと）で統合されているというのです。

ここから、哲学の新しい問題、心と体はどのようにつながっているのかという心身問題が生まれました。

偉大な影響と奇妙な神の存在証明

生活費を得るためにプロテスタントとカトリックの二つの軍隊に属して生活することで自分のために思考の時間をつくっていたデカルトの哲学はやがて多くの人に影響を与え、論争、批判、称賛を呼び起こしました。哲学界では、ホッブズ（本書243頁参照）、バークリー（本書149頁参照）、スピノザ（本書143頁参照）の考え方に刺戟（しげき）を与えました。

ところで、神の有無の問題になると、デカルトはおざなりで腰の引けた態度になります。デカルトはこう述べています。自分の中には完全な存在についての観念がある。不完全である自分の中に、完全なものの観念があるのはおかしい。それでもなお完全なものの観念があるのは、完全なる神によってその観念がきざみこまれたのでなければならない。だから、神は存在するのだ、というわけです。

デカルトがわざわざこのように、あたかもつけたしのような神の存在証明をしたのは、キリスト教会から唯物論者とみなされて火あぶりにされないようにするためだったのです。

賢人のつぶやき

良い精神を持っているだけでは十分でなく、大切なのはそれをよく用いることだ

『厳密な学としての哲学』

フッサール

（原題　Philosophie als strenge Wissenschaft　1911）

難易度 6

とにかく思いこみはやめろ

「カントは好んで、人は哲学を学ぶことはできない、ただ哲学することを学びうるにすぎない、といっているが、このことは哲学の非学問性の告白でなくていったい何であろうか」

「ここには概念的に明確に限定され、その意味に即してじゅうぶんに解明された問題や方法や理論がいまなお存在しない」

「哲学はまだ学ではない、哲学は学としてまだはじまってさえいない」

（小池稔訳）

エドムント・グスタフ・アルブレヒト・フッサール
（Edmund Gustav Albrecht Husserl）

1859～1938　オーストリア帝国プロスニッツ（モラヴィア）のユダヤ系織物商の家に生まれる。数学の博士号を取得したが、ブレンターノの授業を受講したことで専攻を哲学に変える。フライブルク大学哲学科正教授を退いた後、ナチスにより活動を制限される。79歳没。

現象学の創始者による20世紀の学問、政治、芸術…さまざまな領域に影響を及ぼした一冊

フッサールからすれば、**哲学はまだ学問と呼べるものではない**といいます。もし学問であるならば、どこにおいても、教え、学ぶことができるはずだからです。しかし、それが実際には哲学ではできていない。なぜかというと、哲学では一つの基本的な概念、事柄についても客観的な意味が決まっていないし、さらにまた研究の際に共通する方法や手順、理論というものがないからです。

数学者だったフッサールはこのように、**哲学にも数学のような決められたルールや方法を基礎づけることが必要だ**としたのです。

そのためにはまず、哲学からあらゆる不確実な要素、あいまいなものをとりのぞいていかなければなりません。それは、思いこみ、予断、習慣となってしまっている決めつけや独断、あるいはまた、臆見（おっけん）（期待、想像、推測などによる見解）などです。

たとえば、世界は神によって創造されたという前提に立って物事を考えるならば、それは最初から思いこみや予断です。そこには確かな根拠や事実がなく、根拠がないならば、狂信は生まれますが、どこの誰もが理解できるような学問は生まれてきません。

しかしながら、わたしたちはそういう**「自然的態度」**によって外界にあるものの存在や性質を認めている

ことが多いのです。哲学を学問にしようとする人ならば、その「自然的態度」をとにかくやめなければならないとフッサールは主張します。

哲学を学問にするための「判断中止(エポケー)」

自然的態度をやめるためにフッサールが提出した基本の態度は「**判断中止(エポケー)**」です。目の前に存在している(と見える)ものについていつもの生活の仕方で判断をしない。自分が何をどう認識しているかに自覚的にならなければならないのです。

事物だけではなく、今まで多くの人と自分がしょっちゅう使っていた言葉に含まれている概念の意味や価値についても判断中止が必要となります。たとえば、何か一つの行為を正義とみなすかどうかという場合です。そこで自分の考える正義の概念を持ちだすのではなく、**まず正義についてのすべての判断を中止し、そのうえで正義と呼ばれる概念がどのような条件ならば成り立つのかという土台から始める必要がある**というわけです。

その土台がなければ、哲学は学問ではなくなるとフッサールはいいます。

「現象学」という発想とわたしたちの考え方の癖の修正

フッサールは「現象学」を始めた人として知られています。しかし現象学とは、現象となっているものについて研究することではなく、わたしたちが何かを経験し、そこからどのようにして世界についての知識を獲得していくのかを分析、探求する哲学なのです。

晩年のフッサールは、哲学を厳密な学にする自分の夢はつぶれてしまったと嘆きましたが、彼の現象学の方法は生命科学、社会学に貢献した他、シェーラー、サルトル、メルロ＝ポンティなど多くの思想家に強い影響を与えることになりました。

ところで、フッサールが重要視した判断中止は、わたしたちが日常生活の範囲で何かについて考えたり発言したりするときにも応用できるものです。

つまり、印象や思いこみ、その日の気分、いつもの習慣、あるいは知っている前例にならって、価値や意味や効果をかつてのように判断しないようにするということです。

ふだん、多くの人は世間的な価値判断に無自覚にしたがっていて、その状態のまま物事の善悪、原因、結果をぼんやりと決めています。それをいったんやめてみるならば、いきづまりだと思った事柄にもたくさんの可能性が生まれてくるものです。その可能性は問題の新しい解決策や解消策を生むことに直結していきます。そういう生産性につながる判断中止ができるようになるためには、世間にあふれている価値観やものの見方になじまないような自分の新しい生き方が必要になるでしょう。

賢人のつぶやき

意識はつねに、何かについての意識である

『民主主義と教育』

ジョン・デューイ

（原題　Democracy and Education　1916）

絶えざる変化こそ教育だ

「生活（ライフ）とは、環境への働きかけを通して、自己を更新して行く過程なのである」

「民主主義は単なる政治形態でなく、それ以上のものである。つまり、それは、まず第一に、共同生活の一様式、連帯的な共同経験の一様式なのである」

（松野安男訳）

ジョン・デューイ
（John Dewey）

1859 ～ 1952　アメリカ、バーモント州のバーリントンで食料品店を営む家に生まれる。バーモント大学を卒業後は教師をし、のちにジョンズ・ホプキンズ大学に入って博士号取得。30歳でミシガン大学の教授。シカゴ大学、コロンビア大学でも教える。シカゴ大学付属実験学校を創設。1905年、アメリカ哲学会会長に就任。92歳没。

子どもたちは何のために「学校で」学ぶのか？
学びの本質を問う〝教師のバイブル〟

デューイの主著である教育論の『民主主義と教育』の底を流れているのは、**人間の成長と社会についてのデューイの哲学的人間観**です。

それは、人間の生活（ライフ）とは、その人の周囲の環境への働きかけによって自分というものをそのつど新しく変化させていく過程のこと、**「更新（こうしん）の連続」**のことだ、というものです。

この場合の「生活（ライフ）」とは、日常の雑事のことばかりではなく、「慣習、制度、信仰、勝敗、休養、職業」（松野訳以下同）などを含むもののことで、要するに人間の「生」の全体、人生を指しています。ですから、**生き続けている限り、何を経験しても、何かを見聞きしただけでも、生の更新はなされている**ということになります。（実際そうしなければ安全に生きていくことができないからです）そして、広い意味での教育もまた、この自己更新、つまり成長をうながすものだというのです。

したがって、学校についても、そこは現実の問題に対処する方法や知識を全般的に教師によって外から教えるためだけの装置を持った場所、また、これから社会に出て行く前の準備の場所だとはしません。**学校自体がすでに小さな社会**とされるのです。学校にいる人たちは縮図的な社会集団なのです。その小さな社会にあって、人はそれぞれに自分の生の更新をし、人間として成長していくというわけです。したがって学校は、経験によって自分が成長していく社会の場となります。デューイはこう書いています。

「教育の過程は連続的な再編成（リオーガナイジング）、改造（リコンストラクティング）、変形（トランスフォーミング）の過程なのだ」

ここにある「再編成・改造・変形」とは、自己の変化、自分の成長のことを意味します。たとえば、学校での運動場、作業室、講堂、実験室などの環境においては相互にいろいろと交渉したり、通信したり、説得したり、協働したりするということを通じてそれぞれが（適度な葛藤を抱えつつ）自分を変えていくのです。

少年少女が未成熟だから、知識が少ないから、まだ社会人として働いていないから、そのような改造が必要だというのではありません。幼児も成人も、どの年齢の人であっても、自分を変えていく必要があるという意味で、「教育適齢段階」にあるのだとデューイはいいます。

いろんな刺激があるからこそ、初めて人は成長できる

自己が成長する場としての教育がなされる学校は小さな社会であり、しかもそれは民主的共同社会なのです。なぜ民主的かというと、「外的権威」（王族や貴族や部族が主張する生来的権威や地位や階級）に基づく原理を否定し、それぞれが個人でありながら、なすべきことについて連帯し、共同の生活の部分があるから分けねばならず、それぞれの異なる意見や考えを尊重しつつ、しかも試行錯誤しながら妥協の道を探っていかねば物事が運ばれていかないからです。これらのことは民主主義の実践そのものとなるのです。

しかし、その小さな集団内でのみそのように活動するから民主的なのではなく、その活動は外へも広がります。そして、他の集団との多様で自由な接触点を持つことで自分たちの能力がさらに解放され、自分たち

とは異なる多様な価値観に開かれ、決して単一の理想・単一の価値観へ導くことがないままに相互に信頼しあうからこそ民主的なのです。

したがってこの意味での民主主義とは、かつての王制や貴族制に対抗するものとして生まれたヨーロッパ的な統治原理としてのリベラル民主主義そのもののことではなく、**多様な人が共通の関心に導かれ、相互に自由に交流し、協働もするという豊かな経験を持つこと、という共同体自治のあり方を本質とした姿勢のこと**を指します。

こういうふうに、デューイが考える教育とは民主的な場でのそれぞれの自己の変化・改造のことであり、すべての人にとって生きていくための活動そのもののことを意味しているのです。それは一種の自己実現のプロセスにほかならず、生きている限りはそのプロセスがずっと続くのです。

「道具主義」と呼ばれる思想とは

デューイは主著『民主主義と教育』の他に、『学校と社会』『哲学に及ぼしたダーウィンの影響』『倫理学』『確実性の探求』『経験としての芸術』『人間性と行為』など多くの分野の著書を持ち、哲学のすべての領域に手をつけたとされました。

彼は行動力もあり、実際に1896年に自分の教育論を実践する実験学校「シカゴ大学付属実験学校」（最初の生徒は16人で2人の教師、2年後の生徒数は82人）をつくりました。

そしてアメリカでは『民主主義と教育』は教師のバイブルと呼ばれ、その教育論に影響を受けていない学校はないとされるほどでした。『民主主義と教育』はベストセラーになり、中国語やアラビア語、トルコ語などにも翻訳されました。

デューイの考え方は多くの賛同者を生みだし、コロンビア大学での教え子でのちに左派知識人となるランドルフ・シリマン・ボーンもその一人でしたが、デューイが第一次世界大戦のときにアメリカが軍備拡張するのを是認したことには強く反対しました。

デューイの考え方の大きな特徴は、観念、概念、知識などを道具とみなすことです。この姿勢は、一般的に**「道具主義」**（instrumentalism）とか**「器具主義」**、あるいは**「実験的経験主義」**とか**「経験的自然主義」**と呼ばれています。（ただし、科学哲学で使われる場合の道具主義とはまったく異なります）この道具主義とは、観念、概念、知識といったものは何か現実の問題を解決するための道具の一つとして用いられるものだ、という考え方です。

これは、観念や知識の中身を追究することを哲学とする態度、たとえば、神とは何か、存在とは何か、世界の歴史とは何か、といったような形而上学的な事柄を追究する態度への批判でもありました。想像された観念をいくら追究したところで意味あるものは得られないからです。観念や知識は道具として利用されるためにあるのです。

なぜ観念が道具になるかというと、何か観念（あるいは何か認識の方法）を使うことによって環境（問題の対象など）を変化させる（今までとはちがったふうに見る）ことができ、そのときに問題がこれまでとは別の側面から解決されていくからです。

であれば、理論と実践、思考と行動というふうに異質なものとして二つに分けておくことができなくなります。なぜならば、思考というのは何か問題を解決しようとする事態になってから始まるのですから、そのこと自体がすでに問題解決に進む一つの行動になっているからです。思考というものが観念としてどこかに浮きながらいつも存在しているのではないのです。ですから、思考もまた、道具だということになります。

こういうふうな道具主義が役立つのは、世界が恒常性（いつも同じ状態であること）を欠いていて、安定していないからです。あらゆるものは変化し続けていく。そのたびにさまざまな問題が起きる。だから、その問題に圧されないためには手元のものを問題解決のプロセスのための道具として用いていかなければならないのです。

そうして一つずつ解決するたびに、物事の意味は変化します。そしてまた、それにたずさわった自分もまた変化していく。そういう状況・プロセスの全体をデューイは「教育」という名で呼んでいたのです。

成人になってもなお教育が必要だと主張されるのは、わたしたちの生と社会そのものがつねに問題を生み出し、それらを毎日のように解決し、自分もまた変化していかなければ生き延びることができないからなのです。

賢人のつぶやき

子供の教育は、過去の価値の伝達にはなく、未来の新しい価値の創造にある

『精神分析入門』

フロイト

（原題　Vorlesungen zur Einführung in die Psychoanalyse　1917）

無意識が人を動かす

「精神分析の世間に好まれていない第一の主張は、心的過程はそれ自体としては無意識的であり、意識的過程は心的全活動のたんに個々の作用面であり、部分であるにすぎないということです」

「精神分析は、この性的な欲動（よくどう）興奮は、人間精神の最高の文化的・芸術的ならびに社会的創造に対して、軽視することのできない大きな貢献をなしてきたと主張するのです」

（懸田克躬・高橋義孝訳）

ジークムント・フロイト
（Sigmund Freud）

1856 ～ 1939　オーストリア帝国のフライベルク（現在のチェコ共和国）のユダヤ人毛織物商人の家に生まれる。ウィーン大学で物理、医学を学び、パリに留学してヒステリーを研究する。30歳以降にウィーンで一般開業医として治療経験を重ねるうち自由連想法による治療法にたどりつき、この手法を「精神分析」と名づけた。モルヒネによる安楽死を選び、83歳没。

「意識は氷山の一角」
精神分析の創始者の代表的一冊

『精神分析入門』は、ウィーン大学で1915年から1917年にかけての二度の冬学期に、医師と一般人向けに行なわれたフロイトの講義を編集して出版されたものです。その内容をごく簡単にまとめれば次のようになります。

◇神経症は、患者の無意識のうちにひそんでいたものがゆがんで現れたものである。
◇就寝中の夢には、あえて抑圧によって隠された現実、無意識の願望が別の形になって現れている。その多くは性的な事柄である。
◇性的な志向の対象に向かうエネルギーを「リビドー」と名づける。(日本語で「欲動」とも訳されることの「リビドー」が自己に向かった場合、ナルシシズムとなる)
◇どうしても「リビドー」を満足させられないままに抑圧が続いていくと、ヒステリーなどの神経症になりやすくなる。(神経症は代理的な満足である)
◇この「リビドー」を解放すると、神経症が治る。
◇その解放とは、「自由連想法」などで「リビドー」の葛藤をときほぐすことである。(つまり、神経症に隠されている意味を本人が理解したとき、抑圧がとりはらわれる)

フロイトの精神分析の学説の中心に置かれているのは、**「無意識」の重要な役割**であり、そこから発している**神経症の要因としての性欲（リビドー）、その性欲を抑圧する複雑なメカニズム**です。

有名な「エディプスコンプレックス」の提唱者

そして彼が生み出したたくさんの印象的な用語の中でもっとも有名となったものは**「エディプスコンプレックス」**です。これは、幼児が母親を愛の対象に選び、その一方で父親に対しては敵意を抱くという強い精神状態を意味します。

エディプスとは、古代ギリシアの劇詩人ソフォクレスの戯曲『オイディプス王』（前427）に出てくるテーバイの王のドイツ語読みです。オイディプス王は、父親を殺し、母親と結婚して子どもをつくっています。（ちなみに、フロイトにはギリシアの骨董品を集めるという趣味があったため、古代ギリシアの戯曲から名称を借りたようです）

コンプレックスとは無意識の中に隠された強い感情を含んだ多くの気持ちの複合体のことであり、これが強くなると行動や症状として現れてくるわけです。

また、どういう場合であっても**無意識はたえず快感を求めていく快感原則に貫かれています。これがなんらかの事情でさまたげられると症状が出てきます。**

無意識が快感原則にしたがうというフロイトの基盤にあるこの考えは、ショーペンハウアーの哲学から影響を受けています。ショーペンハウアーはその主著『意志と表象としての世界』（本書379頁参照）で、世界は

「意志」の志向によって動かされているとしていました。

精神分析という手法の流行と文化的広がり

フロイトは無意識の働き（意識されないメカニズム）から人間というものをとらえなおす**「精神分析」**というものをまさしく「創造」し、体系づけました。

そのときに使われた新しい表現、たとえば分析、無意識、欲動、超自我（両親との関係から生まれてきた良心のようなもので、自我の上位に立って自我が行なうことのチェックなどをする）、感情転移（てんい）、退行（たいこう）といった数々の概念がやがて他の分野、たとえばジャック・ラカンなどの哲学などにも応用されるようになりました。

しかし、本当に人間の内部に無意識の世界というものがあるかどうかはわかってはいません。また、フロイトの説では性欲が強調されているため、当時から多くの反発がありました。それでもなお、精神分析によって治癒（ちゆ）する人がいるとされ、いっときはフロイト流の精神分析による治療が主流となり、精神分析は文化となっていきました。

賢人のつぶやき

力は、あなたの弱さの中から生まれるのです

『新しい科学的精神』

ガストン・バシュラール

（原題 Le Nouvel Esprit Scientifique 1934）

科学の発展は非連続的だ

「デカルトの方法は還元的 reductive である。それはどう見ても、帰納的 inductive ではない。このような還元は分析をゆがめ、客観的思考の拡大発展を妨げる」

「科学的精神とは、本質的に、知の修正であり認識枠の拡大である。この精神は自分の過去を審判し、これに有罪の判決を与える」

（関根克彦訳）

ガストン・バシュラール
（Gaston Bachelard）

1884 ～ 1962　フランス共和国のバール＝シュル＝オーブで生まれる。公立の中・高等学校を終えたのち郵便局員を8年以上。第一次世界大戦に徴兵され、前線で戦闘。ソルボンヌ大学を卒業、物理と化学の教師。38歳で哲学の教授資格を取得し、ディジョン大学教授。文学博士号取得。ソルボンヌ大学で科学哲学の教授。フランス学芸大賞受賞。詩論も多く書いた。78歳没。

画期的な科学的発見は、突然に現れる！
フランスの科学哲学者による「科学的知識の獲得の方法」

『新しい科学的精神』はバシュラールが50歳のときに出版されたもので、その科学哲学の考え方の重要な点は、**新しい科学的発見は科学の歴史的な積み重ねや論理のなめらかなつながりの上に生まれてくるのではなく、過去のそれらとは断絶された状態の新しい地点から突然にして現れる**という主張です。

もちろん、それが起きるには、科学者自身が世間の認識、日常のふつうの認識からきっぱりと縁を切ったうえで物事を見るようになり、かつ創発（そうはつ）（物理学用語で、予測を超えたイノベーションを指す）ができなければならないのです。

たとえば、白熱電球の発明もその典型例の一つです。それまでは照明のためには何か物質を燃やさなければならないと考えるのがふつうでした。しかし、新しく発明された白熱電球は、従来の燃焼の技術の真逆となっている非燃焼の技術から生まれたのです。

また、20世紀に生まれたアインシュタインの相対性理論のような新しい科学的発見は、それまでの（ニュートンのような）科学の知を修正するものであり、世界をこれまでになくまったく新しく認識するものとして現れています。たとえば、かつては、速度は質量の関数だというニュートンの知が科学的真理の一つとされていました。しかしその知は、地球の範囲内でのみ有効な知だったのです。宇宙規模で考えるようになるアインシュタインの科学においては、質量が速度の関数になったのです。

こういった知の革新をバシュラールは**「そこには認識論的断絶がある」**と表現しました。つまり、従前の科学とは世界の認識の仕方がまるっきり異なった知が生まれているというわけです。

フーコーなどの現代思想につながる「認識」についての哲学

このようなことからわかるのは、科学の発展と一口にいうけれども、それは発展的な連続だとはとうていうことのできない、非連続的なものだというのです。だからといって、従前の科学をまったく否定する異質なものが生まれてきたわけではなく、**新しい科学のほうが前の科学の法則をも新たに包みこんでしまっているというわけです。**

比喩的にいえば、新しい発見をした科学のほうがその器(うつわ)が大きいのです。よって、非ユークリッド幾何学(きかがく)は先行のユークリッド幾何学の全体を包みこみ、非ラヴォワジエ化学はラヴォワジエ化学(燃焼理論や質量保存の法則など)を包んでいます。ニュートンの科学とアインシュタインの科学を比べれば、アインシュタインの科学のほうが大きく、その科学の片隅にだけニュートンの科学が有効になる場があるのです。

科学の新旧を決定づけるこれらの差の土台にあるのは、世界認識のちがいです。だからこそ、バシュラールは他の論文で物理学の認識論や電気論の認識論的歴史などについてたくさん書きました。

こういうふうに科学的学知を材料にしてはいるものの、そのつど構成されなおしていく認識についての思考になっているため、バシュラールの仕事は哲学だということになり、ここにフランス独自の哲学、科学認識論(エピステモロジー)が生まれ、フーコーなど現代思想につながっていくことになったのです。

苦労人科学者の詩とリラックス法

大学で教授だったバシュラールですが、実は正規の大学教育を受けておらず、小さな町で細々とタバコと新聞をあつかう商店の家に生まれ、29歳まで郵便局員として働きながら独学で数学の高等知識を身につけた人です。戦争が始まると兵士として前線に送られ、35歳で帰国して中等学校の物理と化学の教師となり、46歳まで続けました。その間も学問を続け、43歳で博士号を取得します。そして46歳でディジョンの大学に就職し、56歳のときには招かれてソルボンヌ大学で教えるようになったのです。30歳で小学校の教師と結婚して一人娘をもうけていますが、妻はバシュラールが35歳のときに亡くなり、その後は再婚することなく男手一つで娘を育てています。

彼は科学哲学と並行して、『火の精神分析』『夢みる権利』などイマージュの研究を中心とした詩学、芸術論も多く書きました。なぜ詩や芸術かというと、認識が世間の人と異なるからこそ詩作やアートが可能になるからです。つまり、人が認識を新しくして世界をとらえなおすという点において科学と詩作は共通していて、そこにおいて人間の創造的な思考の働きを総括的にとらえることが可能になるからなのです。

ちなみにバシュラールは科学者たちに対し、研究の疲れをとる最良の方法は睡眠中に水の夢を見ることだと勧めていました。

賢人のつぶやき

相対性理論の天文学は、どんなやりかたをしたとしても、ニュートンの天文学からは出てこない

73

『正常と病理』

ジョルジュ・カンギレム

（原題　Le normal et le pathologique　1966）

ノーマルは本当にノーマルなのか

「異常は、それがまず意識の中に、機能の働きを妨げるもの、不快にするもの、有害なものという形で感じ取られて初めて、科学によって認識される」

「健康の濫用は、実際には、健康に認められている価値を表わしている」

「病理的状態は、それが生命の規範性との関係を表わす限り、当然、正常なものということができる。…中略…そして病的な状態もやはりある一つの生き方である」

（滝沢武久訳）

ジョルジュ・カンギレム
（Georges Canguilhem）

1904～1995　フランス共和国のカステルノーダリの裕福な農家に生まれる。パリのアンリ四世高校でアランの授業を受け、高等師範学校ではサルトルやポール・ニザン（のちに小説家）の同級。バシュラールに師事、哲学、のちに医学を修める。本書のⅠ部は1943年の医学博士号取得論文。バシュラールの跡を継ぎ、パリ大学科学史・技術史研究所所長。91歳没。

「フランス科学認識論（エピステモロジー）」の真髄

『正常と病理』は、正常と病理のカテゴリーを分析したものです。つまり、**人間がいわゆる病気であったり病気でなかったりする状態について明確に分けて判断できるものなのだろうか**ということ、またその新しい判断が述べられています。

一般的には、人が健康ではない状態が異常とされ、病気と呼ばれています。健康は生を持続していることであり、病気は死へと顔を向けた状態だと思われています。つまり、正常と病理は相反したものだというわけです。

しかしながら、カンギレムはこういった考えに疑問を投げつけ、**病気であることもまた人の生き方の様式**だとしました。健康が生であるように病気も生のあり方の一つであり、病気であってはならないという意味を含んだ異常で避けるべき状態だと見られるべきではないと考えたのです。

なぜならば、正常とみなされている健康の状態（生理的状態）、その反対である異常とみなされている病気の状態（病理的状態）は明確に線引きすることができない、いいかえれば**客観的評価ができない**からです。

これまでは、病気かどうかは単純に数量的にとらえられて判断されるか、病気は統計から得られた平均値からはずれた状態のものとされていました。たとえば、血糖は誰の血液にも一定量含まれているものですが、その量が多くなれば糖尿病だと判断されるような理論です。糖尿病か健康かという境目は曖昧なのです。しかし、身体の正常、異常は医学の側から認識されるのがふつうとされています。

そして、その正常と異常という判断には、正常がよいことであり、異常がよくないことであるという価値判断がいつしか入りこんでいるのです。

「健康」など存在しない!?

一般的に正常とはノーマル（normal）だということを意味しています。健康がノーマルであり、ノーマルでない状態が異常（不均衡や不調和）であり、病気とされています。

ところが、このノーマルという言い方は、そのようにあらねばならぬという意味で「規範」です。この規範は価値（抽象観念）を含んだものであり、事実からのみ生まれてきたものではありません。つまり、健康とは事実存在についてのみの概念ではないのです。

要するに、**健康とは実は規範の概念であり、人の頭の中に浮かんだだけの理念だ**ということです。この理念の内に身体の状態がぴったりとおさまっていれば健康だと（医学では）みなされるのです。

この価値概念をある身体障碍の人が持っていれば、たとえば速く走れないということがまさしく自分の身心にとってのさまざまな障碍の一つととらえられてしまうのです。

ここでカンギレムは、規範という言葉を、新しい立場から新しい意味で使い始めます。つまり、それぞれの人の生きる能力から出てきた創造性という意味で規範というのです。

というのも、疾患は死ではなく、疾患もまた生命の一部だからです。身体に障碍を持つ人も健康な人も生きている人間です。生きている以上、どちらも生体です。どちらも自分が置かれている環境に適合して生きているから、生命として正常なのです。

そしてカンギレムは、新しい意味での規範という言葉を使って次のように断言します。

「それ自体正常な事実、またはそれ自体病理的な事実は存在しない。異常や突然変異が、それ自体で病理的なのではない。それらは生命についての別の可能な規範である」（滝沢訳以下同）

だから、奇形であっても、その環境に対して自分の規範を使って対応しつつ生きているのだから、まったく正常だということができます。

健康は日々〝更新〟されていく

では、カンギレムのいう「生命についての別の可能な規範」とは何なのか。それは、医学的な独自の価値概念の規範ではなく、それぞれの生命のそれぞれの規範だということです。

生命の規範とは、新しい生命規範を創造すること、新たな平衡（へいこう）状態をつくることです。いいかえれば、自己保存のために可能となる自己調整の（身体的な）働きこそが生命規範なのです。（もちろん、これは本人が自覚したり意識したりできるものではありません）

たとえば身体障碍であるならば、アスリートのように速く走れなくても、以前より少しでも歩けるようになったこと、そういう変異がそれぞれの生命規範の創造であり、新たな平衡状態の創造なのです。自分の体にそういう変異を起こしていけることが健康と呼ばれてしかるべき状態なのです。

したがって、健康とはもはや公的なものさしとなる言葉ではないのです。自分の今の状態に適応した新たな平衡状態をつくることこそが健康なのです。「長距離走者の規範は短距離走者の規範ではない」ように、わたしたちが自分の以前の規範に応じて、また今の年齢に応じて、規範を変えていくことができることが健康なのです。

自分が老化したならば、老化したなりの自分の規範の状態になっていてこそ健康なのです。その規範を、他人と、あるいは自分の壮年期のときの規範と比べてみても意味がありません。なぜならば、「(その人の)健康は、始まっている破壊の上で(その人が)とりもどしている均衡(きんこう)」のことだからです。

哲学の題材として「医学」を選び、衝撃を与える

フランスの医学・哲学界を動揺させた『正常と病理』は、**疾患や障碍は、健康に必要な規範を創造するのをうながす刺戟(しげき)だ**ということ、**わたしたちの体は健康の規範を創造するすぐれたシステムであること**に気づかせてくれました。

そしてまた、現代において大きくなっている性同一性障碍の問題にも、新しい観点を与えてくれるものともなっています。わたしたちは今まで、人間を機械のようにしか見ない人々から与えられた世間的な価値概念に悩まされ、無意味な差別やコンプレックスを生んでいただけなのです。

わたしたちの目を覚まし、新鮮な観点からの考え方へと導いてくれるカンギレムのこのような哲学は、「医学哲学」とも「科学認識論（エピステモロジー）」とも呼ばれています。これはカンギレムが師と公言する科学哲学者バシュラール（本書336頁参照）の流れを汲むもので、その後はフーコーの『狂気の歴史』やブルデューへと受け継がれていきました。

若いときカンギレムはリセでアランの授業を受け、「アランこそ本物の哲学者だ」と信奉（しんぽう）していました。ところで、すでにリセの教員として哲学を教えていたカンギレムが32歳にもなってから医学の勉強を始め、医学博士号を取得したのは、たんに哲学をするためでした。医学への問題意識からでも医学そのものへの関心からでもありませんでした。

彼が医学を修めたのは、哲学をするにあたってその題材はこれまでなじみのないものこそふさわしいとカンギレムが信じていたからでした。だから、哲学の材料としてなじみのない医学を選んだのでした。

なお、カンギレムは著書の少ない人で、単独の主題をあつかったものとしては他に科学認識論である『反射概念の形成』（1955）しか出しませんでした。

賢人のつぶやき

異常が病気に変わることはあるが、しかし異常だけが病気なのではない。どの瞬間に異常が病気に変わるかを決定することは、容易ではない

74

『暗黙知の次元』

マイケル・ポランニー

（原題 The Tacit Dimension 1966）

スキル以上の器用さの秘密

「科学や芸術での天才がもつ暗黙的な力」

「つまりそれは、科学者が発見の活動に従事しているとき、彼にとって問題が見えている、という経験である」

「外界についての我々のすべての知識にとって、その究極的な装置は我々の身体である」

（佐藤敬三訳）

マイケル・ポランニー
（Michael Polanyi）

1891 ～ 1976 オーストリア＝ハンガリー帝国（帝政ロシアの衛星国）のブダペストにユダヤ系家庭に生まれる。医師、物理化学者、科学哲学者。ナチス迫害から逃げてイギリスに亡命。オックスフォード大学主任研究員などを歴任。息子のジョン・ポランニーは1986年ノーベル化学賞受賞。84歳没。

稀代の天才科学者が「人間の知」の謎を突く！

いわゆるふつうの知識、言葉で説明できるような知識、したがって教えることができ、他人から習うこともできる知識を一般的に**「形式知」**と呼びます。わたしたちが口にする知識、学校などで習う知識のほとんどはこの形式知です。

その形式知とは異なる別の知識があります。

それは、身体があるからこそ修得できるような知識であり、さまざまに考え工夫するといったことをしなくても、一種の勘（かん）を使って物事を難（なん）なくなしとげることを可能にするレベルの知識です。これは**「経験知」**とか**「身体知」**と呼ばれています。

ポランニーが提示した「暗黙知」は、その経験知や身体知の中にひそんでいるものです。

しかし、無意識の中にある特別な能力のようなものではありません。

「暗黙知」は、人が何かにかかわるとき、そのさいに自分の身体を通じてその何かを経験として受けとるときに自分が格別の努力も抵抗もなく獲得してしまうような知です。

それはどうしても一般的な言葉で説明することができないもので、また、その個人にのみ属していて、決して外に表れないような知です。科学的発見にはその科学者の中にあるこの「暗黙知」が働いているとポランニーはいいます。

ある事柄についての特別な技能や手腕を持っている人、熟練者や「名人」にも「暗黙知」があるわけですが、周囲の人から見ればそれがことさら目立つため、一般的な技能をはるかにしのぐ何か特別な才能が与えられているかのように見えてしまいがちです。

しかし、そこにあるのは特別な才能ではなく、**自分がかかわる対象に"dwell in"する**という態度です。

このdwell inは「潜入する」と訳されていますが、「そこに深く棲む」とか「腰をおちつけてなじむ」というニュアンスもあり、自分が手がける物事と深く一体化することを意味しています。

「暗黙知」はそのようにいつも個人的なものなのですから、**決して客観的に表現できるような知識ではないし、絶対にマニュアル化することもできず、よって、教えることもできない知識になります。**そしてまた、「暗黙知」の獲得の仕方はその人によって、またその同じ人でも場合によってまちまちになります。

生活の中の「暗黙知」

めざましい発見や発明をする科学者ばかりではなく、わたしたちもまた生活の中でそれぞれ自分の「暗黙知」を使って生きています。というのも、「暗黙知」がなければ、生きることがかなり困難になるからです。

たとえば、自転車を乗りこなすためにも、友情や愛情を育んでいくためにも、その陰では「暗黙知」が働いているからです。他人を知ること、自分の人生を知ること、仕事をこなしていくことにも「暗黙知」が働いています。外国語を習得すること、誰かとつきあう場合にも「暗黙知」はわたしたちを助けています。

では自分の「暗黙知」はどういうものだろうと探究したところで、それは見つかりません。しかしながら、その感触、その雰囲気を自分自身（の身体）はよくわかっているのがふつうです。たとえば杜氏（とうじ）が名酒をつくれるのも「暗黙知」が働くからですが、その働く場所は論理や手順ではなく、自分の五官がある身体なのです。

ところで、自分がかかわることへの全身的な埋没、そして一体化、それが「暗黙知」への通路なのですから、これはブーバーが述べている「我（われ）―汝（なんじ）」（本書134頁参照）の関係と同じ構造ではないでしょうか。かかわりを持つ場合、それが「我―それ」の関係にとどまる限り、その関係はよそよそしく、対象はたんなる形式知にとどまります。対象と「我―汝」の関係のようになったとき、そこに「暗黙知」が生まれてくるのです。ポランニーはこう述べています。

「人の心を知ることと、科学的研究を行うことのあいだには、構造的な類縁性（るいえんせい）がある」（佐藤訳）

なお、日本の経営学の一部では「暗黙知」を誰にでもわかる形式知にする技術がとなえられていますが、これはポランニーが示している「暗黙知」とはまったく別のいかがわしいものです。

賢人のつぶやき

科学は観察の拡張であり、技術は制作の拡張であり、数学は理解の拡張である

『思考について』

ギルバート・ライル

（原題　On Thinking 1979）

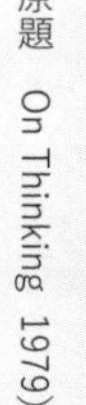

思考はカエルのように
ジャンプする

「なぜ、私はあなたに当てがわれた分の思考能力ではなく、自分に当てがわれた分の思考能力しか獲得できないのか。モーツァルトがイマニュエル・カントの考えたことを自分で考え始める、あるいはその逆のことが、なぜ起こらないのか」

（坂本百大・井上治子・服部裕幸・信原幸弘共訳）

ギルバート・ライル
（Gilbert Ryle）

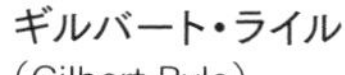

1900～1976　イギリスのブライトンの生まれ。オックスフォード大学で哲学、古典学を学ぶ。哲学者のヴィトゲンシュタインと親交。第二次世界大戦では諜報将校。アリストテレス協会会長。ウェインフリート記念講座哲学教授。哲学誌『マインド』の編集にたずさわる。オースティンと並んでオックスフォード流の分析哲学日常言語学派の総帥とされる。76歳没。

「心身二元論」を痛烈に批判！日常言語学派の代表的人物による「考えるとはどういうことか？」

思考とは何か、もちろんいまだにわかってはいません。

心や魂といったものが思考するのだとデカルトは考えましたが、その心や魂というものが物質とは別の独立したものだとしたので、どのようにしてそういうものが物理的なものである身体に包まれているのか説明できなくなりました。

現代では思考は情報処理のようなものだという考えが一部に強くありますが、しかしこれは思考という行動をとても狭い範囲で考えた場合です。コンピュータではなく人間の思考はさらに複雑で微妙なものであるはずです。

ライルはユーモアあふれた日常的表現で書いた『思考について』において、思考とは何かではなく、**問題解決のために思考しているとき、あるいは何が事実かと考え出そうとしているとき、いったい何が起きているのか**を、一般的な経験を土台にしてえぐり出しました。その重要点は次のようなものです。

◇思考は自分との対話などではないし、言語だけを使うとは限らない。
◇特定の技術や技能を使うことではない。
◇合理的ではない。（思考するときは、時間性の無視、矛盾の無視、たくさんの要素の自由な組み換えを

している）

◇過去のルーティンなどの経験を新しい状況に適合させてみている。

◇一歩ずつ決まりきった段階をたどらない。（要するに、演繹（えんえき）的な思考をしない）

◇「自然の斉一性（せいいつせい）」にとらわれずに考える。（要するに、帰納（きのう）的な思考をしない）

◇思考するときは、必ず新しい状況や問題に対して敏感に対応をしている。

◇思考のときは、「可能な手がかり、糸口、示唆（しさ）、叱咤（しった）、練習問題、刺激などを実験的に自分に浴びせかけて」（坂本ら共訳以下同）いて、いつも試行的である。つまり、たえず見直しと試行錯誤（しこうさくご）が行なわれている。

演繹思考という言い方があるように、思考は論理的であり演繹的なものだとみなされているかもしれませんが、ライルはそれを否定しています。なぜならば、問題解決のための思考は「常道（じょうどう）、型にはまったやり方、**型通りの手法に固執しない**」からだといいます。思考は習慣とは無縁であり、前例と同じことをしないのです。というのも、前例主義でいては新しく生じてきた問題をとうてい解決できないからです。

では、演繹は何に使うかというと、他人に対して論証してみせるとき、つまり順を追って説明するとき、他人を説得するときに使っているわけです。一方、帰納的な思考は、発見のときに用いるわけです。

要するにライルが述べているのは、**思考のときはたゆまぬ試行錯誤と自由な思いつきが中心となって力をふるっているということです。**

思考は既成のステップを踏むことはせずに、不意にジャンプするので、ライルはそれを「**一連の心的な蛙（かえる）**

飛び」と呼んでいます。また、このことを**「(市街電車に乗らずに)バスに乗る」**とも表現しています。つまり、あらかじめ敷(し)かれている(論理の)レールの上を進んだりしないということです。

ですから、教条主義的な人や考え方の硬直(こうちょく)した人ではなく、いつでも自由に態度を変え続けることのできる人のほうが柔軟に思考して結論を出せることになります。

「心は機械の中の幽霊だ」

なお、主著とされている『心の概念』(1949)でライルは、デカルト以来ずっと西洋哲学の主調となってきた「心身二元論」はカテゴリーの誤り(category-mistake)だと述べました。なぜならば、心身二元論では、「技能知」(knowing how)と「事実知」(knowing that)が混同されてしまっているからです。

「事実知」とは、何がどうであるかを知っていることです。たとえば、そのボールが野球の硬球(こうきゅう)だと知っているのが事実知です。「技能知」のほうは、何々をすることができるという知なのですから、実際にその硬球を投げることができます。この場合、硬球を投げることは、そのボールが硬球だという知を持たなくても可能なのです。

だからといって、その技能知が硬球を投げることのできる人の心にあるとはいえません。

もし、そう思うのならば、技能知を事実知だととらえていることになります。

したがって、精神が身体に住む、あるいは身体の中にあると考える心身二元論の考え方はカテゴリーが別々のものをいっしょにするというミスを犯しているのです。

だから、心身二元論はニセの哲学問題であったといえます。そこでライルは皮肉をこめて、心身二元論において考えられている心を「機械の中の幽霊だ」とあざけりました。

ライルやオースティン（本書297頁参照）はヴィトゲンシュタインの分析哲学に影響を受けています。そしてこの二人は1940年代にオックスフォード大学を中心に英米哲学界で活躍し、日常の言語から哲学の問題を考える「日常言語学派」のトップとなりました。

賢人のつぶやき

「市街電車に乗らずにバスに乗ること」こそ、知的であることの一部

『ファスト&スロー』

ダニエル・カーネマン

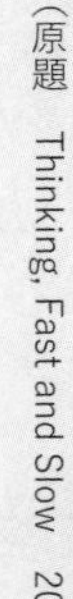

たまにはゆっくり考えろ

「システム1は、ごくわずかな情報から結論に飛躍し、しかも飛躍の幅がどの程度かがわからないようにできている。〝見たものがすべて〟なので、手元にある情報しか問題にしない。それに基づく結論のつじつまが合っていさえすれば、自信が生まれる」

（村井章子訳）

ダニエル・カーネマン
（Daniel Kahneman）

1934～　イギリス委任統治領パレスチナのテルアビブ生まれ。アメリカとイスラエルの国籍を持つ。「プロスペクト理論（不確実性下の意思決定のモデル）」で2002年のノーベル経済学賞を受賞。プリンストン大学名誉教授。

「行動経済学」を世界にしらしめたカーネマンの代表的著作

一般向けに書かれた『ファスト&スロー』は、心理学での「二重過程理論」に新しく解釈をほどこして人間の認知的錯覚について述べたもので、その柱となっている二重過程理論というのは、**思考がどのように二つの異なったプロセスで生まれるか**を説明したものです。

カーネマンはこの二種類の思考プロセスを「**システム1**」と「**システム2**」に分けて性質を明確にし、その大きなちがい、そして認知的錯覚によって起こってしまう考えまちがいについて専門外の人にもわかりやすく説明しています。

システム1は、**直感や感情**から判断を生みます。システム2は、**熟慮**を重ねてから判断を導きます。この二つのシステムの特徴はだいたい次のようになります。

【システム1】 無意識的で判断がすばやい。直感的。感情に左右される。努力を必要としない。ほぼ自動的。意識で停止できない。記憶や経験に影響を受ける。

【システム2】 判断までに時間がかかる。どちらかといえば論理的（抽象的）、あるいはまた統計的に考える。意識的にのみ考える。エネルギーと集中が必要。

要するに、システム1はとっさの判断（危険を察知する。勘（かん）が働く。印象を受けとる。突然の発想、連想など）のことであり、システム2はよく考えたうえでの判断のことです。

まちがいや錯覚を多く起こしやすいのはシステム1ですが、遅い思考であるシステム2を使えば、そこを修正することができます。とはいうものの、問題に対しての知識や能力が不足していれば、システム2もまたまちがいを起こすことになります。

もちろん、この1と2は脳の中で部位として明確に分かれているということではなく、人の判断についての一種の比喩表現です。

「速い思考」と「遅い思考」の長所と短所

わたしたちに役立つのは、**思考システムがおちいりやすい数々の判断の癖**についてでしょう。たとえば、システム1の癖として、自分が目にしたものが事実のすべてだと思いこんでしまうというものがあります。これは目撃談が事実と異なっている場合があるとか、映像の切り取りによって事実が変造されてしまうことなどを意味しています。

もう一つのシステム1の大きな誤りは、本来の問題の周囲にまとわりついているあたかも本題のように見える簡単な問題についてのみ答えてすませるという「置き換え」（一種のごまかし）を無意識的に行なってしまっていることです。それが起きやすくなるのは、**感情、好き嫌い、自分なりの損得計算**、事情などがからんでいるときです。

その他に判断のまちがいが生じやすいのは、相手や事態に強い印象を受けたとき、強い思いこみがあるとき、自分の経験以上に心に記憶がきざまれているとき、強い願望や期待を持っているとき、時代の影響があるとき、（よいニュースよりも）悪いニュースを聞いたとき、他人の視線を感じているとき、制限を与えられているとき、といった状況が挙げられます。

また、たとえば何かのランダムな出現についても、ストーリー、流れ、因果関係を見たがるという人間の癖が判断をあやまらせています。企業の業績、銘柄を選択する投資家の成功と失敗、政治評論家の予測などもランダムなものにすぎないのですが、わたしたちはその結果に特別な能力や因果性を見てしまうというあやまりを犯してしまうわけです。

では、どうすれば判断のあやまりをなくすことができるのでしょうか。

それは、すぐに湧きあがってくるシステム1の判断だけで決めつけてしまうようなことをせず、システム2による熟考も加えること。

何かの予測をしなければならない場合は、できるだけ多くのパラメータ（情報、母数、変数などのこと）から推測しようとせずに、そのアルゴリズム（論理的な手順や計算）には基本的なパラメータのいくつかだけを用いること。

考えたり、他の人と議論するときは自分の思考にバイアスがかかっているかどうかに気をつけながら、すぐに結論を出そうとせず、かつ使用する言葉や用語の意味をできるかぎり明確にし、なるべくあいまいな表現を用いない、等々ということです。

Part 7

空想的な世界観の思想

『ユートピア』トマス・モア
『モナドロジー』ライプニッツ
『純粋理性批判』カント
『知識学への第一序論』フィヒテ
『精神現象学』ヘーゲル
『意志と表象としての世界』ショーペンハウアー
『存在と時間』ハイデッガー
『哲学』カール・ヤスパース
『差異と反復』ジル・ドゥルーズ

100 GREAT PHILOSOPHY BOOKS
THAT CHANGED THE WORLD

『ユートピア』

トマス・モア

（原題　Utopia　1516）

健康こそ快楽だ

「私有財産が存在し、すべてのひとがなんでもかでも金銭の尺度ではかるようなところでは、社会が正しく治められたり繁栄したりすることはほとんど不可能だと思えます」

「あらゆる災禍（さいか）の首領であり親であるあのただ一匹の恐ろしい怪獣、すなわち高慢心」

（沢田昭夫訳）

トマス・モア
（Thomas More）

1478 〜 1535　イングランド王国。ロンドンの法律家の家に生まれる。オックスフォード大学、リンカーン法曹院で学び、法廷弁護士資格取得。下院議員をへて王ヘンリー８世に仕えた大法官。ヘンリー８世の離婚に反対したため斬首刑に処せられた。57歳没。

ヘンリー8世により斬首刑にされたイギリス大法官の「風刺と理想」

ユートピアというのはトマス・モアがギリシア語から考案した造語で、**「どこにもない国」**という意味で、トマス・モアが思い描いた理想国の姿です。

その正しいタイトルは「社会の最善政体とユートピア新島についての楽しいと同じほどに有益な黄金の小著」という長いもので、2巻に分かれ、出張で滞在していたフランドル（現在のベルギーとフランス北部にまたがる地方）で第2巻から書き始められました。第1巻ではイングランド王国の社会批判がなされ、第2巻ではユートピアの社会の様相を主人公が聞き書きした体裁で進みます。

このユートピア社会には次のような特徴があります。

◇私有財産がない、金銭の流通がない。
◇共同生活をする。
◇農業の他に、誰もがなんらかの技能を持っている。
◇急いで立法化しない。（思いつきや自分の発言を重視させず、熟考するため）
◇公職は学者から選出される。
◇法律はごくわずかのみ。（教育がある人たちには少ない法律で十分たりるため）

◇外国と同盟を結ばない。
◇健康こそ第一の快楽という価値観。
◇女性の結婚は18歳以上、男性の結婚は22歳以上。
◇配偶者を選ぶときは、互いの裸体を見せる。
◇誰でも各人の家に自由に出入りができ、家は10年ごとに抽選でとりかえられる。
◇一日に6時間の労働制。
◇巨大でゆったりとした病院が用意されている。
◇便器は金銀でつくられている。
◇犯罪者は奴隷にさせられるが、その自由度はかなり高い。
◇病人みずから行なう断食、あるいは眠らされる安楽死が認められる。
◇ユートピア市民は死を悲しまない。

トマス・モアが考えるこういうユートピア国家の生活は、知的で理性的な人々が好んで住むような世界になっています。

しかしそれは当時のイングランド王国の腐敗の裏返しであり、また、トマス・モアがプラトン（本書231頁参照）の『国家』をヒントに想像した穏やかで平和な市民国家なのです。

社会批判から人間批判へ

トマス・モアは、わがままで強欲なヘンリー8世が治めるイングランド王国の中枢で高級官僚として働いていましたが、その周囲の王侯貴族や聖職者たちのしていることについては犯罪的だと思っていました。しかし、彼らだけが悪いのではなく、**悪の原因はいつも人間の高慢な心だ**とトマス・モアは『ユートピア』の後半で指摘しています。その高慢さをつぶすためにも**貨幣を流通させない制度、共同生活**が必要だというのです。トマス・モアは『ユートピア』が実際の政策要綱の参考になればいいと思っていたようです。

トマス・モアとエラスムス（本書79頁参照）は友人同士であり、まず1週間で書きあげられて1511年に出版されたエラスムスの風刺文学『痴愚神礼讃（ちぐしんらいさん）』がベストセラーになり、トマス・モアがそれに刺戟（しげき）を受けて『ユートピア』を書いたという経緯（けいい）がありました。

社会批判の本としては直接的な批判となった『痴愚神礼讃』のほうが数倍多く売れましたが、のちに禁書とされました。なお、この二冊とも当時の教養人の共通語であったラテン語で書かれたのですが、それは国境を越えて広く読まれるためであったのです。

ちなみに、ラッセル（本書31頁参照）は、こういうユートピアでの生活はがまんできないほど退屈であろう、なぜならユートピアでの幸福には多様性がないからだ、とコメントしています。

賢人のつぶやき

天が癒すことのできない悲しみは地上にはない

78

『モナドロジー』
ライプニッツ

（原題　Monadologie　1720）

難易度 6

実体はモナド

「モナドは、自然における真のアトムである。一言でいえば、森羅万象の要素である」

「モナドの自然的変化は内的な原理からきている」

「どの物体も、宇宙のなかで起こるすべてのできごとを感知する」

（清水富雄・竹田篤司訳）

ゴットフリート・ヴィルヘルム・ライプニッツ
（Gottfried Wilhelm Leibniz）

1646～1716　ドイツ国民の神聖ローマ帝国のザクセン選帝侯領ライプツィッヒの大学教授の家に生まれる。ライプツィッヒ大学、イエナ大学で学び、アルトドルフ大学で法学博士号取得。積分記号のインテグラル（∫）を考案し、二進法の研究を始めた数学者、官僚、錬金術から中国の易経まで学問を幅広くあつかう哲学者。70歳没。

微分積分の概念も発見！天才数学者が提唱する「宇宙を形作っている究極単位」

モナドロジーとは**「単子論」**という意味であり、**「モナド」**という単語を日本語では単子と訳しています。モナドはギリシア語のモナスに由来する言葉で、「1」を意味していますが、ライプニッツにおいては究極的不可分の存在のことになります。つまり、**「実体」**だというわけです。

実体とは、真に実在しているものを意味します。（実体が何であるかということは、古代ギリシア時代からさまざまに述べられてきています）その実体をライプニッツはモナドと名づけました。

そのモナドとはいったいどういうものであるか、死の2年前1714年にフランス語で90節にまとめて書きあげられた『モナドロジー』（ライプニッツを尊敬した長官宛てに遺された短い原稿にはタイトルがつけられていなかったので、ドイツ語で出版する際につけられたタイトル）で説明されます。

モナドのだいたいの特徴は次のようなものです。

◇世界はモナドで構成されている。
◇モナドは生きた鏡のようなものであり、それぞれ他のモナドを映しあっている。
◇モナドを魂（あるいは精神、理性）と呼んでもいい。
◇モナドの鏡には、宇宙が映っている。

◇モナドの鏡に映る宇宙は異なっているが、その異なり方は個々のモナドからの見晴らしの異なり方と同じである。
◇すべてのモナドは無限に向かっていて、宇宙のすべての出来事を感知している。
◇一つのモナドが他のモナドになることはないから、魂の転生といったものはない。
◇死とは、モナドが「内へすぼまること」であるから、厳密な意味での死はありえない。
◇精神は神の似姿であり、神とは父と子の関係にある。
◇すべてのものは神の摂理によって調和しており、常に最善の状態で存在している。

ライプニッツはモナドという抽象的存在を措定することによって世界のすべてを説明できるはずだと考えていたようです。

というのも、アルファベットのような26個程度の記号の組み合わせで世界の多くの事柄をほぼ説明できるように、**他になにか単純な記号を用いて、そこから世界のすべてを導き出そう**という数学者らしい情熱を持っていたからです。

だから、彼にとってモナドとは宇宙の基本となる非物質的存在であり、人間はもちろん、動物、物体の中にもあるという精神の基体（基礎となる実体）だったのです。これらの着想はとても奇抜です。

79『純粋理性批判』

カント

（原題　Kritik der reinen Vernunft 1781）

理性が認識の装置だ

「我々の認識が必ずしもすべて経験から生じるのではない」
「理性は或る種の概念および原則の根原をみずからのうちに含んでいる」

（篠田英雄訳）

イマヌエル・カント
（Immanuel Kant）

1724 ～ 1804　プロイセン王国の東プロイセンの首都ケーニヒスベルクの革具職人の家に生まれる。ケーニヒスベルク大学で哲学、数学、自然科学、神学を学ぶ。ケーニヒスベルク大学の哲学教授、総長。79歳没。

近代哲学の骨格を築いたカントによる西洋哲学史上もっとも重要な書物！

『純粋理性批判』は、**人間の経験と認識の仕方**をあつかっています。**人間は何を見て、何を経験しているのか**、ということです。

そして、カントが出した結論の一つは、わたしたちは眼前にある物を見ていると思いこんでいるけれども、実際には物自体を見ているわけではない、ということです。

では、わたしたちは何を見て（認識して）いるのでしょうか。わたしたちは物を見ているように思いこんでいるけれどもそうではない、**わたしたちの内部でわたしたち自身がつむいでいる観念を見て、それこそが現物の物自体だと思っているのだ**、とカントはいうのです。

存在は「12のカテゴリー」の中に潜んでいる

カントによれば、わたしたちが何かを認識しているとき、わたしたちは**「理性」**というものを使っているといいます。カントがいうこの「理性」とは、冷静な判断や冷静な思考というような、日常的に使われている意味ではまったくなく、**「理解能力」**という意味です。

そしてこの理性は、物がどうであるかを理解するときに、自分（理性）があらかじめ備えている**「概念の**

カテゴリー」をあてがいます。そのカテゴリーは次のように12あります。

①量　（単一性、多数性、全体性）
②質　（実在性、否定性、限界性）
③関係（実体性、因果性、相互性）
④様態（可能性、現実存在、必然性）

見ているものはだいたいこれらのカテゴリーのどこかに複数あてはまり、そのときに理性はそれが全体としてどういうものであるかを理解できます。

カテゴリーとは、物を認識するときの枠組みです。**この枠組みに入った分だけ、何かを認識できます。**それは、枠組みに入った限りの物です。物の全体ではありません。理性のカテゴリーに引っかかった限りの物の部分のみであり、これを**「現象」**と呼びます。

したがって、認識できるものは現象だけであり、物そのものではないことになります。物そのものが本当はどのようなものであるかについてはまったくわからないのです。

そしてまた、理性が持っている**12のカテゴリーに引っかからないものについては、認識ができない**のです。したがって、わたしたちは霊魂、神、自由、宇宙、時間などをはっきりと認識できないし、正確に考えたりもできないのだとカントはいうのです。

世界に衝撃を与えた哲学

カントの哲学、特に『純粋理性批判』はまず、神学に強い不安を与えました。神について理性的に考察できないとされた以上、神学はもはや学問だといえなくなるからです。

しかし、神的なものを理性で認識できないと述べたからといって、簡単にカントを唯物論者だということはできません。カントはルター派のクリスチャンであり、神の存在まで否定したわけではないからです。

さまざまなことにコメントをする癖のある哲学者ラッセル（本書31頁参照）は、カントの哲学はあまりにも主観的すぎると批判し、また、彼の著書『外部世界はいかにして知られうるか』（1914）で、カントが述べている空間や無限をまちがいだと指摘しています。

カントの『純粋理性批判』を一言にしてしまえば、**「人間は自分に備わっている認識装置だけを使って世界を見ている」**ということになります。この認識装置とは、もちろんカントが考えた限りでの理性の働きのことです。

ちなみに、人間の肉体が持っている認識の装置にも物理的な限界はあります。たとえば、（現代の科学が発見した限りでいえばですが）人間の目の網膜の錐体細胞は色彩を見分ける機能を持っていますが、光量がたりないととても認識しづらくなります。しかし、魚類、両生類、爬虫類と鳥類の錐体細胞の場合はもっと幅広い波長の光をとらえることができるので、人間よりも多くの色彩を認識できるのです。

もちろん、そういう肉体の機能と、カントがいう理性による認識は同じものではありませんが、脳の研究がもっと進めば、人間の理性による認識のヒントとなる機能が発見されるかもしれないのです。

80

『知識学への第一序論』

フィヒテ

（原題　Erste Einleitung in die Wissenschaftslehre　1797）

理性とは自我のことだ

「すべての学問についての現代の考え方を根底から変えようとすることの偉大な人（カント）の意図は全く失敗に終わっていることを確信する」

「まさにこの自我自体こそ観念論の客観なのである」

「知性とはもっぱら能動的であり絶対的なものであって、受動的なものではない」

（岩崎武雄訳）

ヨハン・ゴットリープ・フィヒテ
（Johann Gottlieb Fichte）

1762～1814　神聖ローマ帝国ザクセン選帝侯領のランメナウの紐織工の子として生まれる。苦学をして、カントのはからいで『あらゆる啓示の批判の試み』を出版できたことがきっかけとなり、イエナ大学教授に就任。ベルリン大学（のちのベルリン・フンボルト大学）の初代哲学教授、初代総長。51歳没。

カントに影響を受け、「自我」に焦点をあてた哲学を確立！

カントの哲学書を『実践理性批判』『判断力批判』『純粋理性批判』（本書367頁参照）という（頁数の少なさの）順番で読んだフィヒテは、カントにおいて哲学の体系はまだ統一されていないと考え、その統一のために『知識学への第一序論』を書きました。つまり、フィヒテ自身は自分の哲学はカントを超えたものだと思っていたのです。

本書ですでに説明しているように、カントの『純粋理性批判』は、**人間の理性ではある範囲に限られた現象しか把握できない**と説いたものです。

なぜならば、人間の理性にあらかじめ備わっているカテゴリー、要するに物を認識する装置には限界があるからです。その装置で把握した範囲でしか認識できず、その認識によって得られた物の形が現象というものであり、結果として、わたしたちは物自体を知ることがなく、現象のみを知るというわけです。

『実践理性批判』のほうは、**道徳の法則とはどういうものであるべきか**、ということについて述べられたものです。何が善であり何が悪であるかという道徳は、その道徳を実践する人の損得や事情、好みや主観を基準に判断されてはならないことは当然です。

法則であるならば、いつでもどこでも誰にでも道徳的に正当なものでなければならなくなります。であれば、導き出される法則は、**「自分の意志の格率（かくりつ）が同時に普遍的な法の原理であるように（つまり、他人が同じく行なっても正しいとしか認めることができないように）行為せよ」**というものになります。これが、道徳的行為を実践するときに理性から発せられる要求なのです。

フィヒテは以上のようなカントの哲学書を読み、人間の中に「理論理性」と「実践理性」という互いに異なる二つの理性があるのならば、その二つの理性は結局のところ**「自我」**のことではないかと批判しました。フィヒテからすれば、**「自我こそ哲学の中心にある」**というのです。その理由をごく簡単にまとめれば、次のようになります。

「物と呼ばれているものはすべて、自分が生み出した表象（ひょうしょう）でしかない。この自分から離れて独立に何かが存在することはない。すべての表象は自分の活動の所産でしかないからだ。カントはわれわれの外側に〝物自体〟という実在を認めているが、それはまちがいである。実在するのは自我だけだ」

すべては自分の表象であるとするのですから、これは**「唯心論」**（精神を、あらゆる存在の根源とみなす）と呼ばれる立場になります。

ちなみに、このようなフィヒテの哲学に対してカントは、フィヒテが述べている「自我」というのはたんなる自己意識のことにすぎず、彼の論はそれを証明する素材すら持っていないものだ、と１７９８年の友人への手紙の中で書いています。

反ユダヤ主義者でナショナリスト

ところがフィヒテの唯心論は次の本を書くたびにだんだんと内容を変えていき、ベルリンに移ってからは秘密結社フリーメーソン会員などの影響を強く受け、「自我」において**「絶対者」（要するに神のこと）が現れる**という考えにまでなっていきます。

さて、カントは音楽家メンデルスゾーンの祖父にあたるユダヤ系のモーゼス・メンデルスゾーンという哲学者とつきあいがありながら反ユダヤ的な考えを持っていましたが、フィヒテのほうは『知識学への第一序論』を書く以前からあからさまな反ユダヤ主義者でした。

１７９３年に行なわれた『フランス革命についての大衆の判断を正すための寄与』というフィヒテの講演では、ユダヤ人がドイツにもたらす害について述べ、ユダヤ人が人類全体への憎悪を持っているとか、ユダヤ人に市民権を与えるならば頭を切り取って別の頭にすげかえてやらなければならないといった暴言を吐いています。また19世紀になってからナポレオンに占領されたベルリンの学士院講堂で14回にわたって開催された講演（１８０８『ドイツ国民に告ぐ』）では、ドイツ国民の優秀さを説くというナショナリストぶりで、ドイツ人がさらに向上していくためには教育制度の改革と、青少年の祖国愛を土台にした道徳的革新が必要だと説くほどでした。

賢人のつぶやき

自由こそ、高度の教養が芽生えてくる土壌である

81 『精神現象学』

ヘーゲル

（原題　Phänomenologie des Geistes　1807）

精神が育ってきた痕跡が歴史だ

「哲学の原義である〝知への愛〟から一歩進んで、本物の知に至るべく努力すること——それがわたしのねらいとするところだ」

「真理とは全体のことだ。が、全体とは、本質が発展して完成したもの以外にはない」

「絶対的なるものがみずから生成していく現実的な主体である」

「理性がおのれ自身を世界として、また、世界をおのれ自身として意識するに至ったとき、理性は精神である」

（長谷川宏訳）

ゲオルク・ヴィルヘルム・フリードリッヒ・ヘーゲル
（Georg Wilhelm Friedrich Hegel）

1770～1831　神聖ローマ帝国の領邦国家ヴュルテンベルク公国のシュトゥットガルトの官吏の家に生まれる。テュービンゲン大学の神学科に入学。ベルンやフランクフルトで家庭教師、イエナ大学私講師。新聞編集者、ギムナジウム校長をへて、ハイデルベルク大学正教授。のちにベルリン大学教授となり、ヘーゲル学派を形成した。61歳没。

壮大かつユニークな哲学思想！

この本のタイトルにある**「現象学」**とは、ごく簡単にいえば、**外に表れているものについての考察や研究**を意味します。そして**「精神（ガイスト）」**は、英語版の翻訳ではspirit（スピリット）、もしくはmind（マインド）となっているように、意識という意味でもまたヘーゲルは使っています。

精神とか意識という言葉は人間の内部にある漠然（ばくぜん）としたものを指し、人間の外には精神も意識もないと考えるのがふつうのことです。しかしながらヘーゲルは、**精神というものが人間の中でも世界のさまざまな事柄の中でも動いて成長しているる**と本気で考え、主張したのです。（そもそも、精神を意味するGeist（ガイスト）の語源であるgaistaは「活発で、いきいきとした」という意味）

その成長とは次のようなものです。まず、精神が個人の中でくすぶっているときは**「主観」**として活動します。ところが、知識や経験によって主観がだんだんと**「理性」**へと変化していき、それがさらに高度になると、**「客観的精神」**になります。そのとき、客観的精神は**法、倫理、国家という形になって現れてくる**というのです。

また、その客観的精神が**「絶対精神」**にまで高まってくると、芸術や宗教として現れるというのです。そしてついに**「世界精神」**の段階にいたると、**歴史を動かす力そのものとなる**というのです。

つまり、**すべての現象はもとをただせば、精神のそのつどの現れの姿だ**というわけです。

だからヘーゲルは、**「歴史もまた、時間のうちに現れてきた精神そのもののことだ」**といいます。したがって、自分のいるプロイセン王国（1701〜1918）の権力の本質も、（精神が現実として姿を現したという意味で）理性的、かつ絶対的なものであり、それゆえプロイセン王国は世界的使命をはたす真実の国家になりつつあるとしました。

ヘーゲルのこの狂気じみた考えは本心からきたものです。『精神現象学』を脱稿しかけていた1806年の秋、プロイセン軍と戦闘をしていたフランスのナポレオンの軍が攻めてきたとき、ヘーゲルは馬上のナポレオンを目撃し、スポンサーであった友人の官僚に手紙を書き、その中でナポレオンのことを「世界をわしづかみにしている世界精神」とか「超人」とか呼んだくらいでした。

すべてを説明する体系的な哲学

急いで書かれた『精神現象学』はわかりやすいものではありませんでしたが、晩年に書かれた『法の哲学』では現実を支配している精神の法則について整然と説明されています。また、『エンチクロペディー』の内容は、①論理学、②自然哲学、③精神哲学を体系的に述べる構成になっていて、ここにおいても、精神の変化と働きがくわしく述べられます。

とにかくヘーゲルはあたかも全知の神であるかのようにあらゆることについて整然と説明をするのですから、その独創性、誰も知らなかった論理に周囲は圧倒されたわけです。

そのことに加えて、公国の財務官だった父親の代から体制側の人だったヘーゲルの哲学は、当時のプロイセン国家や法、またドイツ文化を正当化するのにはなはだつごうのよいものであったのでした。

マルクスやサルトルを魅了し、共産主義社会台頭につながる

ショーペンハウアーやキルケゴールはヘーゲルの思想を厳しく非難しました。ヘーゲルの発想は、誰もが納得できる論理をたどって生み出された考えとはいえないし、また、多くの人に共通する経験知から抽き出された考えでもないからです。しかし、ヘーゲルは自分の説明こそ真理だとしたのです。

ベルリン大学で教授として教鞭をとっていたヘーゲルの授業を受けていたマルクス（本書265頁参照）は、ヘーゲルの思想から「歴史の発展」という考え方を引き抜いて自説に応用し、資本主義社会の次の段階として共産主義社会が台頭するのが必然だとしました。その結果としてソ連を始めとする共産主義圏国家が実際に生まれることになったわけです。

ヘーゲル流の歴史の発展という考え方を引き継ぎ、有名になったのはフランシス・フクヤマ（アメリカの政治経済学者）の『歴史の終わり』（1992）です。しかし、歴史には方向性があるというフクヤマの考え方は多方面から批判されています。

賢人のつぶやき

我々が歴史から学ぶことは、人間は決して歴史から学ばないということだ

82

『意志と表象としての世界』

ショーペンハウアー

（原題　Die Welt als Wille und Vorstellung 1819）

自分を棄ててしまえ

「自然の中のあらゆる力を意志と考えてみよう」

「身体全体が客観化された意志、すなわち表象となった意志にほかならない」

「福音書のなかで、おのれ自身を捨てて十字架を背負え、と教えられていることも、ちょうどこの意志否定と同じことを意味しているのである」

（西尾幹二訳）

アルトゥール・ショーペンハウアー
（Arthur Schopenhauer）

1788~1860　ポーランド・リトアニア共和国のグダニスク（ダンツィッヒ）の富裕な商人の家に生まれ、のちにハンブルクに移住。ゲッティンゲン大学の医学部から哲学部に移り、イエナ大学で学位取得。ベルリン大学私講師。コレラ禍を避けてフランクフルト・アム・マインに隠棲。72歳没。

ニーチェ、ゲーテにも影響！　苦しみに満ちた人生からの救済法

この『意志と表象としての世界』の内容をきわめて簡単にしてしまうと、**「苦しみたくなかったら、意志の力がおよばない生き方をせよ」**ということになります。

しかしながら、ここにある「意志」とは、それぞれの人が何かを意欲する気持ちのことではありません。

ショーペンハウアーがいう「意志」は、**自然の中のあらゆる力（エネルギー）**を指します。

だから、原語ではWille（ヴィレ）と複数形で表現されていて、嵐や雷ばかりではなく、生命力、衝動、本能、欲望すら、この「意志」の表れだというのです。

ショーペンハウアーがいう「物自体とは意志である」とは？

それればかりか、**「意志」は「物自体」**（あるいは存在自体のこと）だといいます。

この「物自体」という表現はカントの『純粋理性批判』（本書367頁）に出てきます。それによれば次のようなことです。人間は自分が持っている知覚や理性という認識機能を使って、外界に何がどのようにあるかを理解します。これは、人間の認識の網（あみ）に引っかかる部分だけが外界に存在しているものとして理解しているということです。

しかしそれは外界に存在するものの一部分にすぎません。その部分をも含めた全体、すなわち「物自体」がどういうものであるかわかっていないことになります。よってカントは、**人間の認識機能には限界があるから「物自体」についてはわからない**と述べているのです。

ショーペンハウアーはその「物自体」こそ「意志」だというのです。

「意志のみが、物自体である」（西尾訳）

他のすべて外に表れているものは現象にすぎず、その現象とはそれぞれの「意志」がその目的のために目に見えるようになったものだというわけです。

だから、時間と空間を含め、生と死、そしてまた自分の意欲や気持ちですら、**それらあらゆる現象は実は「意志」のそのつどの表象（そこに現れた姿や形）にすぎません。**いいかえれば、世界は、現象で組み立てられている構築物なのです。したがって、この世界は**「意志と、その表象としての世界」**だというわけです。

「意志」はどこへ向かうのか?

では、この「意志」はどこに向かうどういう意志なのか。それは、**無動機、無目的、無限界の果てしのない努力のようなものだ**といいます。しかも、（ヘーゲルが『精神現象学』でいうように）一つの大きな「意志」が歴史の中でうねっているというわけではなく、てんでばらばらの無数の「意志」が動いているのです。

そして、その「意志」が無数の現象となって、闘争をくり返しているのです。人間は、こういう現象によって日々さまざまに動かされ、少しの喜びと多くの苦しみを味わうだけの存在だというのです。

では、「意志」の現象に支配された闘争と苦しみとわずかばかりの喜びに充ちたこの世界から脱することはできないのでしょうか。

それに対するショーペンハウアーの答えは、**「意志」の現象が乱舞していない場所に立てばいい**というものです。つまり、現象に支配されたこの世からの超越(ちょうえつ)です。この超越の第一歩は、(確実な)「私」というものなどないのだと認識することです。

それは、今ある自分を失うことです。自我を失い、自分の欲望と損得から離れ、他人のことを自分のことであるかのように感じ、自他の区別をいっさいなくしてしまうことです。

そのときのありありとした感覚の表現として、ショーペンハウアーはジョージ・ゴードン・バイロンの物語詩の一節「山も、波も、空もわたしの一部、わたしの魂の一部ではないだろうか。わたしがそれらの一部であると同じように」をあげ、また、ウパニシャッド(サンスクリット語で記された奥義(おうぎ)書。本書400頁参照)にある言葉「これらすべての被造物はわたしである。そしてわたしの他にはいかなるものも存在していない」もあげています。

聴講生ゼロの時も！　遅咲きの哲学者

『意志と表象としての世界』はショーペンハウアーが26歳のときから構想していたもので、30歳のときに刊行（初版には1819年の刊行とされているが実際には1818年の完成）されました。その核となっている古代のインド哲学の考え方を彼に教えたのは40歳近く年上で親交のあったゲーテでした。

自信満々で出されたこの本はしかし、フランス革命（1789～1799）とナポレオン戦争（1796～1815）による疲弊と混乱がまだ続いていたヨーロッパではまったく読まれませんでした。失意のショーペンハウアーは32歳のときにベルリン大学講師の地位を得て、学生たちを自分の授業に集めようとして講義時間をわざとヘーゲルの講義時間に合わせたのですが、逆に聴講生が一人もいないという状態が続きました。

流行が始まったコレラの感染を恐れて43歳のときにフランクフルトに移住し、愛犬とともに隠棲（いんせい）して主にイギリス人たちと交際するという生活を始めます。その間も執筆はこつこつと続けられ、『意志と表象としての世界』についてのエッセイ風の注釈書『余録と補遺』（パルエルガ・ウント・パラリポメナ）が彼の人生で初めてのベストセラーとなり、このときショーペンハウアーはもう63歳になっていました。そして、1857年からようやくドイツ国内の大学でショーペンハウアー哲学が講義されるようになりました。

その後、ショーペンハウアーの哲学は国境を越えてキルケゴール、ニーチェ、ベルクソンといった哲学者、トーマス・マンのような小説家らに強い影響を与えた他、フロイトの精神分析の中心となっている無意識が現実に力をおよぼすという発想にヒントを与えることになります。

賢人のつぶやき

人生は苦悩と退屈のあいだを、振り子のように左右に揺れ動く

83

『存在と時間』

ハイデッガー

(原題　Sein und Zeit　1927)

難易度 7

ヒトとして生きるな

「良心は、呼びかけられているものに何ごとを呼び伝えるのであろうか。厳密にいえば——何ごとをも呼び伝えはしない」

「良心は、ひたすら不断に沈黙という様態において語る」

(原佑・渡邊二郎訳)

マルティン・ハイデッガー
(Martin Heidegger)

1889～1976　帝政ドイツのバーデン大公国の南部にある小村メスキルヒの教会の家屋管理人で樽桶職人の家に生まれる。フライブルク大学神学部に入学。哲学博士号取得。1919年、フッサールの助手を務めながら教壇に立つ。マールブルク大学で助教授。1928年、フライブルク大学教授。1933年の春から約1年たらずフライブルク大学総長、ナチス入党。86歳没。

「人間とはいったい何なのか」ドイツの哲学界に衝撃をもたらした、ハイデッガーの主著

ハイデッガーの問題意識は、古代ギリシア語でいうところの**「存在」**（ousia／ウーシア）とは何か、というものです。**存在とは何かを知るために、まず人間という存在とはどういうものかと分析している**のが、ハイデッガーが38歳のときに刊行した『存在と時間』です。

人間とはいったいどういう存在かということの問いについては、古代ギリシアの時代から人間を外から見て気づいたことを人間の特徴とすることが続いてきました。それとは逆に**ハイデッガーは人間を内側から見て、人間というものがどのような存在であるか**を引き出そうとしました。そうすれば存在が何であるか、わかってくるだろうと考えたのです。

そこでまず人間を、ハイデッガーは**「現存在」**（げんそんざい）（Dasein／ダーザイン）と呼びました。これは、「そこに存在しているもの」という意味です。（ただし、これはラテン語で「事実存在」を意味するエクシステンティアをドイツ語に翻訳したもので、カントやヘーゲルも使っていました。しかし、頻繁に使ったのはハイデッガーです。ドイツ語としても一般的とはいえないこういった造語はこの本の中でも多用されています。ハイデッガーによる造語の特徴は、日常のドイツ語の意味を勝手に拡大して使っていることです。そのため、読者にとっては難解になるだけではなく、意味が深いようにも感じられてしまいます。その独特の異様さがわかるように、

また、ドイツ語を辞書で引ける人のために、この概説では造語のほんの一部のドイツ語表現も記しておくことにします）

さて、「現存在」（人間）はただ存在しているだけではなく、生きて日常の行為をしています。この行為のとき、いつも道具を使っている。だから、身の回りの事物は**「道具的存在」**（Zuhandensein）だとハイデッガーは名づけます。

「現存在」が何事かをするとき、その目的に達するための手段として道具を使っているので、「現存在」と道具の間には**「道具連関」**があるといえます。そして「現存在」はつねに「道具連関」の中で生きている、また、その「道具連関」の中でしか生きられない。

したがって、「道具連関」こそ「現存在」が生きている場所です。その場所こそがすなわち世界であり、したがって「現存在」が住んでいる場所は**「（道具連関の）世界内存在」**（In-der-Welt-Sein）だ、ということになります。その世界に「現存在」がみずからの意思で入りこんでいるのではなく、「現存在」はすでに投げこまれてしまっている状態です。これを「現存在」の**「被投性」**（Geworfenheit）といいます。

「現存在」は自分の身の回りにある道具に気遣う

「現存在」である人間は道具連関の世界の中に投げこまれて生きていますが、何か事物を道具として用いるのは、その人のそのときの欲望、必要性、関心に応じているということであり、そのことをハイデッガーは**「気遣い」**（Sorge）と名づけました。

何か物を見てこれは何々に使えると思うことも「気遣い」です。そのとき、道具として見える物は「現存在」のなんらかの可能性を実現化するものの一つとして見えているわけです。要するに、**人間は自分が生きていくために役立つ可能性のあるものを世界にある物からチョイスして自分のために利用している**ということです。

「気遣い」の意味にはその他に、関わりあうこと、探ること、論じること、問うことまでも含まれています。(これはもちろんふつうのドイツ語としてのSorgeの使い方ではなく、ハイデッガーがそういう広い意味を含んだ造語にして用いているのです)

しかも、その「気遣い」を左右しているのは「現存在」の**「情状性(じょうじょうせい)」**(Befindlichkeit(ベフィントリッヒカイト))だというのです。これは、「現存在」が何事をするにもそのときの気分に動かされているということです。しかも、その「情状性」は「気遣い」と結びついて、今ここの世界の意味(その人にとっての意味)を構成しているのです。

時間の感覚もまた、「情状性」に動かされています。退屈だったら時間が長く感じられるというふうに。そしてまた、いつものような日々がえんえんと続くかのように錯覚しているのです。自分のあり方が時間をつくっていることに気づいていないのです。また、知性すら、この「情状性」を基盤にしているとハイデッガーはいうのです。

死を意識したときに「本来性」を取り戻す

さて、「現存在」は、ずっと「気遣い」に囚(とら)われたまま生きていかなければなりません。そして、そういう状態であることに「現存在」の**不安**があります。そして、この不安は自分が**「ヒト」**（das Man）でしかなくなっていること、他の人と代替可能な、そのへんにいくらでもいるたんなる「ヒト」（これは「世人」と翻訳されていることもあります）であることに気づくことから生まれてくるものなのです。

なぜ不安を覚えるかというと、「ヒト」であることが人間として自分の本来の姿でないこと、つまり非本来的であることに漠然と気づくからなのです。今までのようにだらだらと非本来的な生を送ることを**「頽落」**（Verfallenheit）とハイデッガーは呼びます。多くの人は、ふだんは頽落の日々を送っているのです。

そして**「現存在」という本来性に気づかせてくれるのは死なのです**。死だけは、他の事柄のように誰か他人が代わりになることができない、徹底してそれは自分だけの死であり、本来的なものだということになります。したがって、「現存在」は生まれたときから**「死へと向かう存在」**（Sein zum Tode）なのです。

そして、自分の死を意識したときに**「良心の呼び声」**（Stimme des Gewissens）が自分をその本来性へと目覚めさせ、本来性へと自分を投げ入れるきっかけを与えてくれるのです。

本来性へと自分を投げ入れることを**「企投」**（Entwurf）と術語化しています。ハイデッガーはまた、本来的なあり方をしていることを**「実存」**と呼んでいます。（ですから、サルトルのいわゆる実存主義が使う実存とは意味内容がかなり異なります）

「現存在」は実は最初から死とかかわりあっているのですが、ふだんの生活で「ヒト」として頽落している間は、良心からの呼び声が聞こえてこない。**死を意識したときになって初めて自分自身というものに目覚めるのです**。なぜならば、良心は「現存在」に本来の実存を「了解」するようにほのめかすからです。良心は「現存在」に事実を開いてみせるものであり、良心のその呼び声は「本来性を奪い返せ」という「指令」なのです。ですから、ハイデッガーが使う意味での良心は、一般的にいうところの良心ではないということです。

世界的影響とナチス党員問題

『存在と時間』は未完です。当初の予定では存在一般についても書かれるはずだったのですが、「現存在」について書かれた部分、予定の3分の1程度で終わってしまっています。にもかかわらず、刊行されるとすぐに国際的に評判が高まりました。近隣のヨーロッパ人同士が殺しあう第一次世界大戦が終わって既存の価値観が破壊されたのを実感した世界の人々には人間とは何なのだろうかという深い疑問があり、そこに『存在と時間』に書かれた死を意識したときの「良心の呼び声」という謎めいた表現が深遠に響き、何かを教えてくれるかもしれないと期待したからかもしれません。

一方、ハイデッガーは哲学者シェーラー（本書50頁参照）から多くの考えを無断で引いていると批判する学者もおり、哲学者ルドルフ・カルナップ（1891〜1970）にいたっては、ヘーゲルやハイデッガーは言葉を適切に使用できていないから述べていることは無意味でしかないと批判しています。確かに人間の死について書くにしても、造語を多用するばかりか、次のように意味の濁った迷走した文章を記しています。

「死へとかかわる存在において現存在は、一つの際立った存在しうることとしてのおのれ自身へと態度をとっている」（原・渡邊訳）

なお、『存在と時間』はフランスで実存主義を提唱することになったサルトルに特に大きな影響を与え、サルトルは『存在と無』というタイトルの著書を出しています。

ハイデッガーには妻子があったのですが、マールブルク大学で助教授をしていた頃に学生のハンナ・アーレントを愛人とし、二人の交流は彼女の死まで続きました。また、ハイデッガーはフライブルク大学総長になったときにナチスに入党しました。第一次世界大戦での膨大な賠償金を命じられていたドイツを根底から社会変革しようというナチスの考え方に賛同したのです。

ナチス党員であったことを彼はのちに責められていますが、ハイデッガーの実人生にも思想にも全体的に差別的な傾向があったのはいなめないでしょう。いつまでもフランス人をドイツ人よりも下に見ていましたし、著書の『時間と存在』の中でも、気分のままに生き（ているように見え）る一般人を「非本来的」な生を送っているヒトと一方的にみなしているからです。

賢人のつぶやき

人は、いつか必ず死が訪れるということを思い知らなければ、生きているということを実感することもできない

84

『哲学』
カール・ヤスパース

(原題 Philosophie 1932)

本当の自分になれば神の暗号がわかる

「交わりを妨げる力はいずれも愛ではありえない。…中略…たとえ交わりが愛を基礎づけないとしても、交わりにおいて確証されない愛はない」

「宗教的行動は、行動として、やはり世界内での一つの現実であるが、しかし、世界内での目的をもたずに、己れのうちに超越者を現前せしめるものである」

(小倉志祥・林田新二・渡辺二郎訳)

カール・テオドール・ヤスパース
(Karl Theodor Jaspers)

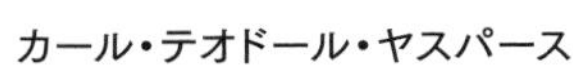

1883 ～ 1969　ドイツのオルデンブルク大公国の銀行頭取の家に生まれた。法学科を選ぶが医学に転向。ハイデルベルク大学で精神病理学を教える。哲学に転じ、1921年哲学科正教授となる。1948年スイスのバーゼル大学の哲学教授。1959年にエラスムス賞を受賞。86歳没。

20世紀ドイツの実存哲学の第一人者による「哲学すること」の意義

『哲学』は第3巻まである長大な書物ですが、その第2巻にヤスパースの哲学の特徴が集中して表現されています。この第2巻のタイトルは**「実存開明」**（Existenzerhellung）となっています。実存とは、人間の（観念ではなく）現実の存在というほどの意味であり、ヤスパースが最初（『現代の精神的状況』1931）に実存哲学という言い方を使い始めました。

実存開明とは、**人間は本来的に実存的存在なのだからそのようになっていくこと**、を意味しています。つまり、今の状態では人間は実存的存在ではないとヤスパースは考えているわけです。もっと簡単にいえば、人間は自分自身として生きていないじゃないか、そして、個としての自分に目覚めた実存となれ、というのです。なぜ自分自身として生きていないかというと、**世界についてのさまざまな知識から導かれてくる認識が、世界と自分自身を決めつけ、固定化してしまうから**です。たとえば、科学による世界認識に照らされた世界をすべてだと考えてしまい、科学が現実のとりあえずの代替物にすぎないと気づかないような生き方をしてしまうのです。

そこを超越せよとヤスパースは主張します。そうすると、固定された世界認識を持たない状態になるわけですから、不安定で浮動の状態になります。すると、**「限界状況」**がくっきりと浮き上がってきます。この「限界状況」とは、人間がそこから逃げることのできない、死・苦・争・責のことです。そのときに他の人々と真の交わりをせよ、というのです。すると、その交わりの中から「超越者」の「暗号」が読みとれてくるというのです。

このように、ヤスパースの『哲学』は、自己の実存にたどりつくことを目的とする抽象的な倫理を書いたものだといえます。また、「超越者」とか「包括者」というのは要するに神のことですから、哲学の装いで説かれた宗教的な書物だともいえます。

ナチスの弾圧と社会的活躍

ナチス政権が確立して数年後の1933年、妻ゲルトルートがユダヤ人であったためヤスパースはハイデルベルク大学の教授職から追放され、妻の強制収容所送致が決まったときには自宅に夫婦で立てこもって阻止しました。

第二次世界大戦が終わってからは、ハイデルベルクで教え子だったハンナ・アーレントから協力と援助を得てバーゼルに移り、政治についての著作や評論を多く出しました。そして、ハイデッガーとともにヤスパースはドイツの哲学界と言論界に大きな影響をおよぼし、また、「実存」という考え方はフランスのサルトルらにヒントを与えて「実存主義」という用語が生まれ、70年代頃まで流行することになりました。

賢人のつぶやき

生きることと、死ぬことを学ぶことは一つである

85

『差異と反復』

ジル・ドゥルーズ

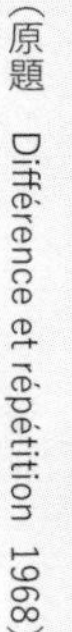
(原題　Différence et répétition 1968)

真正なものはどこにもない

「差異が、あらゆる事物の背後に存在しているのだが、しかし差異の背後には何も存在していない」

「永遠回帰の円環、すなわち差異と反復の円環」

(財津理訳)

ジル・ドゥルーズ
(Gilles Deleuze)

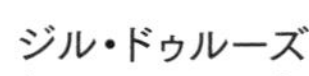

1925 ～ 1995　フランス共和国のパリの生まれ。ソルボンヌ大学で哲学を学ぶ。フーコーと親交を結んだ。パリ第8大学哲学教授。70歳没。

フランス現代思想を代表する哲学者が「プラトン主義」の伝統をひっくり返す

ドゥルーズの主著とされている『差異と反復』は、これまでの数々の哲学を踏まえたうえで複雑な内容を抽象的に展開させているので、ここではドゥルーズのその考え方の基礎となっている部分のみをピックアップし、ごく簡単に概説することになります。

この本で主張されているのは、**どんなものをも成り立たせているのは差異の集まりだ**、ということ。また、**まったく同一に見えるものであっても実際には差異が含まれているのだから同一ではない**、ということです。

これがどういう意味かは、白い色の比喩を使えば、わかりやすいかと思います。ここに白色のものがあり、向こうにも白色のものがある。そのどちらが本物の白かといった場合、より明るさを感じるほうが本物だとされるのでしょう。しかし、それよりもずっと明度(めいど)の高い白色が見つかれば、今度はそれこそが本物、純粋な白色であるということになるのでしょうか。では、赤い色の場合は、灰色の場合はいったいどうなるのでしょう。

どのような色であろうとも、ほんの少しだけならば他の色が混じっていても、別の色になってしまうということにはなりません。つまり、そこに差異があっても同じだとみなされるのです。微妙な差異がわからないからではなく、差異が含まれていてもなお、それらは白や赤なのです。

プラトンの「イデア論」とは

しかし哲学ではプラトンの頃から、単一の白色自体がすでに存在していて、それこそが真正の白といえるのではないか、といった論が主流をなしてきました。プラトンの**イデア論**のことです。この場合では、単一の白色がイデアと呼ばれるものです。

プラトンは『国家』の中にある「洞窟の比喩」で、真理（要するに、真正であるもの）はこの世界の背後にあるイデア界にのみ存在し、この世に存在しているあらゆるものはイデア界にある真理の模倣にすぎないとしました。

たとえば、完全に精確な三角形はイデア界にのみ存在していて、この世にあるどんな三角形も不精確であり、絶対に完全なもの、真正なものではないというわけです。だから、完全なる馬も完全なる愛もイデア界のみにあり、この世に存在するのはそのイデアの不正確なコピーだというのです。イデアはつねに「根拠」となっているのです。

たとえば目の前のものが魚かどうかを判断するとき、わたしたちは魚のイデアに照らし合わせている、つまりそのつどイデアを思い起こして比較しているのだといいます。そしてまた同時に、イデアに近いものほど同一性と真正の度合いが大きいのだから善に近接しており、イデアから離れているものほど悪である、という価値判断もなされているのです。（ちなみに、キリスト教の神学もまたプラトンの考え方を基盤にしているので、神がいっさいのものの規範、つまりイデアとなっています）

プラトンのこのイデア論によれば、〝知る〟ということはイデアを想起することでしかありません。また、存在することは、イデアの雑な複製を生むだけのことになります。とすれば、新しく創造されるものなどこの世には一つもないと断言しているのも同然なのです。

プラトン主義の転倒

しかしドゥルーズは、**真正なものは実際にはどこにも存在せず、世界はさまざまな差異だけで成り立っているとしました。**さまざまな差異を持った色が微妙に混ざった白色のあり方のように、ただ差異の反復がすべてを創造し、成り立たせているのです。

ドゥルーズのこういう考え方が画期的であるのは、哲学のこれまでの考え方をくつがえしているからです。それを、**「プラトン主義の転倒」**と呼びます。実はこのプラトン主義の転倒を最初に行なっていたのがニーチェです。ドゥルーズはそのことを発見し、ニーチェの「永遠回帰（永劫(えいごう)回帰と訳されている場合もある）」の思想をあらためて『差異と反復』で評価しています。

この、ニーチェの「永遠回帰」とは『ツァラトゥストラ』に初めて出てくる思想概念で、**すべては永遠にくり返される**という事態を指しています。この意味をニーチェはくわしく説明していないため、たんに詩的な表現と思われてしまうことが多かったのですが、ドゥルーズは次にまとめるように差異の考え方を用いて新しく解釈しています。

「永遠回帰は、同じもの（同一のもの）がまたそのままここに回帰してくることを意味してはいない。新たに生成されるという事態が同じなだけである。それは同じものの永遠の反復に見えるかもしれない。しかし現実には、かつてのものとの差異を含んだものが創造的に反復されているのである」

つまり、ニーチェが述べている永遠回帰は、すべてのものの微妙な変身についての表現だというわけです。

多作と難解と映画と病気……

ドゥルーズの著書は他に、『ベルクソニズム』『アンチ・オイディプス』『千のプラトー』『フーコー』などが世界的に有名であり、それらは初期の『差異と反復』や『意味の論理学』よりは読みやすいでしょう。また、度を越すほどの映画好きであったため、映画を哲学した『シネマ』などもあります。

彼の哲学はまだアクチュアルな研究対象であり古典とはされていませんが、どれも重要な哲学だとみなされています。ただし読み通すのに時間がかかるものであり、そのいいわけをするかのようにドゥルーズは『差異と反復』の最初のところで次のように書いています。

「哲学の書物は、一方では、一種独特な推理小説でなければならず、他方では、サイエンス・フィクション〈知の虚構〉のたぐいでなければならない」（財津訳）

飲酒癖のあった彼は若い頃からの肺病が晩年に悪化し、人工肺を使用しての闘病中にアパルトマンの窓から飛び降りて死にました。

賢人のつぶやき

欲望は快楽を規範としない

Part 8

宗教をめぐる考え方

『ウパニシャッド』
『新約聖書』
『告白』アウグスティヌス
『コーラン』（ムハンマド）
『善なるもの一なるもの』プロティノス
『エックハルト説教集（離脱について）』エックハルト
『神学大全』トマス・アクィナス
『キリスト者の自由』マルティン・ルター
『キリスト教綱要』ジャン・カルヴァン
『キリスト教の本質』フォイエルバッハ
『死にいたる病』キルケゴール
『プロテスタンティズムの倫理と資本主義の精神』マックス・ヴェーバー
『正法眼蔵』道元
『善の研究』西田幾多郎
『日本的霊性』鈴木大拙

100 GREAT PHILOSOPHY BOOKS
THAT CHANGED THE WORLD

『ウパニシャッド』

（アルファベット表記　Upanishads　紀元前7世紀頃〜16世紀頃）

この悦ばしき虚空よ

「このアートマンは解説によっても理解されることなく、天分によっても、はたまた多方面にわたる学殖（がくしょく）によっても、得られない。それは、その選ぶ人のみに得られ、その人だけにかのアートマンは自己の姿を現わす」

「このブラフマンといわれるものは、実に人間の外にある虚空（こくう）である。実に人間の外にある虚空こそ、人間の内部にある、この虚空である」

（岩本裕訳）

インドのヒンドゥー教の源泉となっているウパニシャッドとは「師の近くで教えを聞く」という意味（師の近くで〈ウパ〉、低い場所に〈ニ〉、座って〈シャッド〉）であり、その教えが秘伝であったため、簡単に訳すならば、宗教の「秘伝」、あるいは「奥義」ということになる。このウパニシャッドの著者は判明していない。

紀元前7世紀に成立した「インド精神文化」の源泉

宗教的で、かつ哲学的な作品の集まりである『ウパニシャッド』はいわゆる神秘的な書であり、その作品はさまざまな比喩、暗喩、換喩に満ちた師と弟子の会話となっています。それは矛盾が多く、論理的な理解の向こう側にあるものです。

この『ウパニシャッド』の中心をなしているのは、**「ブラフマン」**(brahman)と**「アートマン」**(atman)は同一である、という思想です。

ブラフマンとアートマンはそれぞれ、**「宇宙の中心」**、**「自己の中心」**を意味しています。この二つの言葉について明確な定義はされておらず、**ブラフマンを宇宙原理、アートマンを個々人の個体原理、あるいは内なる真理**といいかえることもできます。この二つ、ブラフマンとアートマンは相似形であり、本質においてどちらも同じだというのです。

このことを知性で「わかる」ことはできませんが、瞑想によって体感することはできます。それはいわば自己認識の「悟り」というべきもので、この「悟り」を体験したときに、世界のいっさいを同一だと洞察できるようになり、それが喜びをもたらすのです。

そうなるまでは、(善悪、生死、美醜などのような世間的)二元性と、そこから生まれてくる分裂した価値観にとらわれ苦しんでいるだけなのです。

広範囲な宗教の土台となる

ブラフマンとアートマンが同じだという思想は仏教を通じて日本にも入ってきており、仏教ではこれを「梵我一如（ぼんがいちにょ）」と呼んでいます。このときの「梵」がブラフマン、「我」はアートマン、「一如」が同一を意味しています。

ウパニシャッドはインドのヒンドゥー教の思想に最大の影響を与えました。その後は仏教思想の土台ともなりました。

ヨーロッパでウパニシャッド哲学についてその本質を突いたものとしてはショーペンハウアーの『意志と表象としての世界』（本書379頁参照）があり、この有名な本の最初のほうにいっさいが同一であるというくだりがわかりやすく書かれています。

ちなみにドイツ語では呼吸の息のことをAtem（アーテム）といいますが、この語源はアートマンであり、アートマンには息という意味も含まれています。

『新約聖書』

（英題 New Testament　4世紀以降）

時間は一方向へと進む

「神は愛である」ヨハネの第一の手紙

「あなたがたは神とマンモン（金銭）に兼ね仕えることはできない」マタイによる福音書

「明日のことを思いわずらってはならない」マタイによる福音書

「いつも喜びを忘れずにいなさい」テサロニケ人への第一の手紙

「語る言葉はいつも好意あふれるものであるようにしなさい」コロサイ人への手紙

西欧文化を理解する鍵、永遠のベストセラー

『新約聖書』とは、紀元33年頃にイエズスという男が政治犯として十字架刑で死んだあと約１００年にわたって収集された文書（当時の日常語のギリシア語で書かれている）がまとめられたものです。４篇の「**福音書**」（書き残した4人はマタイ・マルコ・ルカ・ヨハネ）と**「使徒行録（使徒行伝ともいう）」「使徒の手紙」「黙示録**（もくしろく）**」**など全部で27文書あります。これらの文書は３９７年に北アフリカでのキリスト教徒のカルタゴ会議で、キリスト教の聖典とされました。

いうまでもなく、『新約聖書』の人々への影響はすこぶる大きいものです。世界で24億４０００万人にも達するというキリスト教徒だけへの影響ではなく、キリスト教の信仰を持たない人々にさえ今なお強い影響を与えています。これはキリスト教の考え方や価値観が西欧文化の軸になってきたからです。

たとえば、結婚を聖なるものとして祝う価値観は宗教を超えてほとんど全世界に広がっています。江戸時代末期以降の日本の「神道（しんとう）」の結婚式ですら、キリスト教的結婚式のあからさまな模倣（もほう）なのです。

しかし多くの人は気づいていませんが、『新約聖書』からの影響の最大のものは**時間の観念**だといえるでしょう。『新約聖書』など一宗教のフィクションにすぎないと考えている無神論的現代人ですら、時間は過去から未来へと一方向に流れていると考えるのがふつうです。その考え方こそまさしく『新約聖書』の思想

に由来しているのです。『新約聖書』が現れるまでは、(日本でも) 時間や季節はぐるぐると循環するものと考えられていたのです。

キリスト教的なこの時間の特徴は未来の一点で終わるということです。未来にあるその一点のときとは、「イエス・キリスト」(キリストとは救世主という意味) が再来する日のことだというのです。この不思議な時間観念は、『新約聖書』の最終文書となっている「ヨハネの黙示録」から来ています。

ちなみに、哲学では時間がどういうものであるかは解明されてはいまん。物理学では、時間は出来事の順序を示す数字のようなものでしかありません。

「愛」の哲学書としての一面も

一般的に『新約聖書』は宗教書とみなされています。しかし、愛を最高の原理として多角的に述べている哲学書として読むこともできます。

すると、愛とはどういうものかという次の有名なフレーズにつきあたるでしょう。

「愛は寛容なもの、慈悲深いものは愛。
愛は、ねたまず、高ぶらず、誇らない。
見苦しいふるまいをせず、自分の利益を求めず、怒らず、人の悪事を数え立てない。
不正を喜ばないが、人とともに真理を喜ぶ。

すべてをこらえ、すべてを信じ、すべてを望み、すべてを耐え忍ぶ。
…中略…信仰、希望、愛、この三つ。このうち最もすぐれているのは、愛」（コリント人への第一の手紙）

この考え方と関連して、「ヨハネの第一の手紙」に書かれていることによれば、**神とは客観的に実在する人格ではなく、愛のこと**だとされています。この洞察はのちに成立したキリスト教の思想（神は、神・キリスト・聖霊の三位一体であるという神学の考え方）と鋭く対立しています。

『新約聖書』には愛とともに人助けについて多くのエピソードが書かれています。その一つである「よきサマリア人の話」から現代の法律ができてもいます。

有名なのは、「よきサマリア人法（Good Samaritan laws）」という法律であり、これは「被災者や急病人を救うために無償で善意の行ないをした場合、結果が失敗となっても責任は問われない」というものです。この「よきサマリア人法」はアメリカ、カナダ、オーストラリアなどキリスト教徒の多い国で施行されています。

『新約聖書』が書かれた時代背景

『新約聖書』の中心人物となるイエズスが現れたのは紀元前後のユダヤ教社会です。

ところが当時は、イェルサレムを中心とした一神教のユダヤ教徒たちの土地は、宗教観の大きく異なる多神教の（古代）ローマ帝国に支配されていたため、政治から税制までの多くがローマ式を強いられていました。だから、十字架刑もローマ式の処刑方法だったのです。

また、大工の息子であったイエズスがあらたにキリスト教という宗教を始めたわけではなく、イエズス自身はユダヤ教徒でした。そのイエズスが政治犯として刑死してから、周囲の人々があの男はユダヤ教徒が長い間待ち望んでいた救世主だったのではないかと言い出してキリスト教が生まれたのです。

救世主とはヘブライ語由来でメシア（メッサイアともいう）というのですが、この救世主のギリシア語読みがキリストというわけです。ただし、当時のユダヤ人が待っていた救世主とは精神的指導者のことではなく、ユダヤ人の王国を再興する政治と軍事の力を持つ者のことでした。

ユダヤ人の王国ははるか昔、紀元前1021年頃から始まっていたのですが、紀元前6世紀頃からペルシアなど外国から征服され続け、その後もマケドニアのアレクサンドロス大王、エジプトなど他国から支配され、紀元前1世紀からはローマ帝国に支配されるようになりました。

その間にユダヤ教の神殿も伝統も破壊されるばかりか、公用語もギリシア語として使わなければならなくなっていました。つまり、ユダヤ人は自分たちの歴史に基づくアイデンティティーを失い、その苦しみに耐えきれなくなっていたため、他国に軍事力で打ち勝つような救世主の登場が期待されていたのです。

しかし、イエズスはそのような意味での救世主ではありませんでした。そのため、本来とは異なった意味でイエズスを救世主とするキリスト教の考え方を多くのユダヤ人は受け入れることができず、いきおいキリスト教はユダヤ教徒以外の人々、いわば外国人を信者として獲得するようになったのです。そしてついには392年にキリスト教はそれまでキリスト教信者を迫害していたローマ帝国の国教となったのです。

『告白』
アウグスティヌス

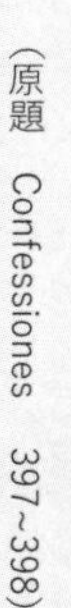

時間とは心の拡がりだ

「私はかつて青年時代、下劣な情欲をみたそうと燃えあがり、さまざまなうすぐらい情事のうちに、みずからすさんでゆきました」

「もしも未来と過去とがあるとするならば、私は知りたい。いったいどこにあるのかを」

「過ぎさった時間はもはやないものであり、来るべき時間はまだないものですから、だれが測ることができるでしょうか」

（山田晶訳）

アウレリウス・アウグスティヌス
（Aurelius Augustinus）

354～430　ローマ帝国の属領だった北アフリカのタガステ（現在のアルジェリア）生まれ。修辞学学者だったがローマに行ってからはカトリック司教となり、のちに教皇から教会博士の称号を受けた。75歳没。

ローマ帝国末期のキリスト教最大の教父が自分の半生を「告白」する

『告白』（全13巻）は、そのタイトルのとおりに**キリスト教徒となった40代半ばのアウグスティヌスが40歳頃までの自身の生き方をふり返ってあらわに告白したもの**です。

しかしラテン語の「コンフェッシオ」、つまり告白とは自分が隠していた悪行や罪の暴露という意味だけではありません。神から受けた恵みへの感謝も告白であり、自分がどういう人間でどういう考えや疑問を持っているかも告白に含まれていきます。アウグスティヌスの場合、その告白が哲学になっていくのです。

アウグスティヌスの告白によれば、盗みなど生活の乱れは15歳から始まり、カルタゴで最高教育を受けていた16歳から情欲にふりまわされて一人の女性と同棲し、あげく私生児が生まれて18歳で父親になり、マニ教（3世紀にイランのマーニーが唱えた秘教的(グノーシス)宗教で、光と闇が対立抗争するという二元論で世界を説明することを特徴とする）に入信します。

これは、ゾロアスター教（紀元前1000年頃からの、東イランのゾロアスターが開祖の二元論の宗教）に由来するマニ教に魅了されたからというのではなく、世界を知りたいという自分の知的欲求を満たそうとしたためでした。自然科学や占星術の本を読んだのも同じ理由からでした。また、当時のマニ教はキリスト教のパウロ（イエスの死後の使徒、5〜67）が手紙に残した霊肉二元論をも巧妙に取り入れていたため、専門家でなければキリスト教とほぼ見分けがつかないものになっていたという事情もあります。

アウグスティヌスは20歳あたりから修辞学を教えるようになり、その修辞学の範例となる課題図書として読んだキケロ（本書20頁参照）の『ホルテンシウス』で哲学というものを知ります。29歳からはローマに行って、アンブロシウス司教の説教や聖書解釈を聞いてカトリックにだんだんと傾きます。31歳のときは15年連れそった同棲相手を裏切るような形で捨て（彼女は身分が低かったので結婚は母親から許されなかったからです）、33歳でキリスト教の洗礼を受けることになります。

そのような過去の告白の記述が第9巻まで続きます。そして第10巻でようやく執筆時の自分を語り、第11巻から第13巻までは、聖書の「創世記」の「天地創造」についての解釈とキリスト教の教義「三位一体」などの解釈が書かれます。

哲学的問題としての「時間論」の提起

哲学的に興味深いのは、第11巻に置かれているアウグスティヌスの時間論です。時間についてアウグスティヌスが考えたことをまとめると、およそ次のようになります。

「過去は、もうここにはない。未来も、まだここにはない。現在はここにあって私に見えている。そういうふうにいつも現在だけがあるのならば、時間は過ぎていかないことになる。

なぜならば、いつもここにあるのは現在のみだからだ。

となると、現在という一つの時しか存在しないのだろうか。過去と未来という二つの時間など存在しないのではないか。

あるいは、こういうべきではないのか。過去とは私の記憶であり、未来とは私の期待だ、と。現在は、私がここで面しているものだ。

この三つの時間のいずれにも、必ず私が関与している。三つの時間が私の外側に、私と関係のないところにあるわけではないのだ。

すると、次のようにいえないだろうか。時間とは、私の心のありようではないかと。時間とは結局、私の心の拡がりのことなのではないか」

アウグスティヌスは自分の過去をつらつらと告白してきて、ついにはこういうふうに時間というものについて考えざるをえなくなったわけです。

すると、ここで新しい問題が出てくることになりました。それは、**「では、時間に関与しているこの私とはいったい何だろうか、精神とは何だろうか」**という問題です。

アウグスティヌスはこの問題に答えを与えてはいません。それは哲学の一つの問いとして引き継がれていくことになったのです。たとえば、17世紀のフランスに生きたパスカル（本書90頁参照）は過去と未来が無であると考察することになります。

賢人のつぶやき

世界は一冊の本だ。旅をしない人々は本を一ページしか読んでいないのと一緒だ

89

『コーラン』（ムハンマド）

（アルファベット表記　Qur'an）

すべてはアッラーがすでに決めている

「神の道に倒れた人々を、〝死者〟と言うな。いな、彼らは生きている。ただ、おまえたちは気がつかないだけである」

「信者のうち、なんの支障もないのに家に残っている者と、財産も生命も投げ捨て神の道のために戦う者とは、同等ではない。神は、財産も生命も投げ捨てて戦う者にたいして、家に残る者よりも一段と高い位（くらい）を授けたもう」

（藤本勝次・伴康哉・池田修訳）

ムハンマド・イブン＝アブドゥッラーフ・イブン＝アブドゥルムッタリブ

（Muḥammad ibn 'Abd Allāh ibn 'Abd al - Muṭṭalib）

570頃～632　アラビア半島メッカのクライシュ族の生まれ。6歳で孤児に、祖父や叔父に育てられる。一族の者と同じようにシリアへの隊商交易商人に参加し、25歳のときに15歳年長の寡婦であった富裕な女商人と結婚。40歳のときから洞窟の中で天使ガブリエルを通じて啓示を受け始めたという。その啓示内容が『コーラン』だとされる。71歳頃没。

アラブ人を一つにした宗教

『コーラン』とは**「詠唱すべきもの」**という意味です。最近の日本語翻訳では原語に近い発音で「クルアーン（Qur'ān）」と表記されることも多くなっています。

イスラム教の聖典とされるこの『コーラン』は、610年頃から632年まで商人ムハンマド（昭和頃までの日本語の一般表記だとマホメット）にアラビア語で断続的に下った（天使ガブリエルを通じたアッラーの）とされている「啓示」がそのつど周囲の者による口伝えなどで記録されたものになっています。

そしてそれが3代目カリフ（ムハンマド没後のイスラム共同体の指導者）であったウスマーンのときに集録され、656年頃までに編纂された全114章（スーラ）にわたる音韻を踏んだアラビア語文章が現在の形です。

その特徴は次のようなものです。

◇114章が年代順に並べられていないこと、全体を貫くストーリーがないこと。
◇アッラーへの絶対的服従を説くこと。（イスラムとは「服従」を意味している）
◇天使、サタン、ジン（神と人間の間に位置するという砂漠の霊鬼）、来世の楽園（イスラム教の天国）が存在すると前提されていること。

◇アッラーこそ真の神だと強調されていること。
◇人間の運命はあらかじめすべてが定められていること。
◇来世に比べれば、この世はとるにたらないとしていること。
◇戦死しても、本当は死んでいないとすること。
◇キリスト教や仏教を多神教と決めつけていること。
◇ユダヤ教のモーゼやキリスト教のイエスらは実はイスラム教徒だったのであり、彼らの神はアッラーだったと主張していること。
◇ユダヤ教、キリスト教はまちがっていて、イスラム教こそ正しいと主張していること。
◇世界の終末には、すべての人間が元の体に戻される「復活」があるとすること。
◇ほとんどの事柄が断定され価値づけられているが、章が変わるとその断定と価値が矛盾していること。
◇欲望などはアラブの男性戦士の視点で書かれていること。

このような聖典を持つイスラム教が生まれ、ムハンマドを最後の預言者（神の言葉を預かった者）として仰ぐ者たちの宣教と戦争によってアラブ圏の宗教がまとまりました。

それまでアラブには彼らの宗教というものがなく、それぞれが勝手に樹木や岩石、動物をかたどった像などを拝むという、古代によく見られる多神教の素朴な偶像信仰しかありませんでした。それら樹木や岩石に霊が宿ると考えられていたからです。また、死後の世界はないと思われていました。

そこにムハンマドが宗教をおこしてアラブ人の考え方、生き方を変えたのですから、**宗教観の統一と領土**

の征服が一挙に行なわれたわけです。

他宗教徒との衝突を誘発しやすい『コーラン』の表現

イスラム教の聖典となっている『コーラン』がムハンマドの口述によるものだからといってムハンマドが宗教者であったということは難しいでしょう。なぜなら、その生涯を年譜で見渡す限り、主な活動として戦争の指揮をしていたからです。

おおざっぱにいえば、ムハンマドの軍は戦争による占領と布教を同時に行ない、イスラム教に転向しない者にはイスラム教徒になった者よりも多くの税を課するという統治をしていました。したがって、『コーラン』の内容には戦いと宗教的行動をないまぜにした文章が目立っています。たとえば、次のようなものです。

「神の道のために、おまえたちに敵する者と戦え。…中略…おまえたちの出あったところで彼らを殺せ。おまえたちが追放されたところから彼らを追放せよ。迫害は殺害より悪い」（藤本・伴・池田訳以下同）

「神聖月が過ぎたならば、多神教徒どもを見つけしだい、殺せ。これを捕えよ。これを抑留せよ。いたるところの通り道で待ち伏せよ」

この多神教にはキリスト教も含まれています。そもそも、『コーラン』には特にユダヤ教とキリスト教を非難している文章が多く見られます。しかも、その際のユダヤ教とキリスト教への理解が根本からまちがい他宗教を読むことができず、他宗教についての理解が周辺の住民からの断片的な聞きかじりのものであったからでしょう。

だらけです。これは、ムハンマドが文字を読めなかったため、他宗教の聖典教を読むことができず、他宗教

イェルサレムが第三の聖地とされた理由は……

『コーラン』はイスラム教の聖典とされていますが、教徒の具体的な生活指針となっているのは、第二の聖典と呼ばれている『ハディース』です。これはムハンマドの言行録で、コーランの解釈はこの『ハディース』に依拠(いきょ)していなければならないとされます。

内容はあからさまなほど具体的で、ムハンマドが性行為を終えたあとどのように性器を洗ったかなどといったことまでも記されています。また、イスラム教徒の男性の多くが髭(ひげ)を剃らないでいるのも『ハディース』からわかるムハンマドの行ないを真似ているからです。

領土拡大を進めるイスラム教徒のアラブ軍が638年にイェルサレムを占領し、その場所に7世紀末に岩のドームを建設したため、聖地イェルサレムを奪還しようとキリスト教徒による十字軍遠征が11世紀から始まったわけですが、これはさまざまな戦争や事件を起こす一方、東西の交易を活発にし、それにつれてアラブの学問文化をキリスト教圏が知って学問思想の発展に資することになりました。

イェルサレムがイスラム教の第三の聖地とされたのは、『コーラン』の第17章に次のように記されていることが根拠になっています。すなわち、ある夜にムハンマドが天使ジブリールに連れられて、翼のある天馬に乗ってイェルサレム神殿まで飛び立ち、光の梯子(はしご)で天まで昇って神にひれ伏した、という記述です。

『善なるもの一なるもの』

プロティノス

（原題 Enneades 255～?）

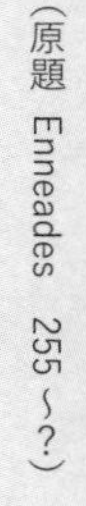

世界の源へ帰れ

「すべての存在は、一つであることによって存在なのである」

「その自己自身は、知性的な光明にみたされて、ひかり輝く自己自身であり、あるいはむしろ光そのものとなって、きよらかに、軽やかに、何の重荷もなく、神と化したというよりは、むしろすでに神であるところの自己自身なのである」

（田中美知太郎訳）

プロティノス
（Plōtinus）

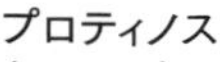

205頃～270頃　エジプト生まれだが、どの民族に属するかは不詳。アレクサンドリアで学び、ペルシア・インドの哲学に接したいと、39歳で遠征に参加してメソポタミア（現在のイラク）まで行ったが、1年後に敗走してローマに移り、ガリエヌス帝の援助もあって学問の共同体を主催した。64歳頃没。

「万能の一者が世界を創造している」キリスト教に大きな影響を与えた古代ギリシア哲学者の代表作！

プロティノスがまったく見直すことなく書き流し、あとで弟子がまとめた『善なるもの一なるもの』は、「9つ（9は神学の頂点という意味）で一組」を意味するタイトルを持つ論文集『エネアデス』54篇の最後部に位置します。

「善なるもの一なるもの」とは、最高存在のことです。これをプロティノスは**「一者」**（ギリシア語で「ト・ヘン」）と呼び、この一者が万物の究極的根源だというのです。同時にこの一者は最高の善です。要するに一者とは神のことです。

しかし、一者は客観的実在ではなく、知性でもなく精神でもない。世界は命を帯びたものですが、独立した存在ではなく、この一者から流出したものです。**世界のあらゆる有限の存在は一者から流出した力とエネルギーによってできている**のです。

プラトン（本書231頁参照）ではイデア界にあるとされた「真・善・美」の美もまた、プロティノスによれば一者から流出したものなので、次のように説明しています。

「（何ゆえに）生きている多少醜い人のほうが、美しい人の肖像よりも美しいのか。それは、これ（生きているもの）のほうが、より好ましいものであるからだ。そしてそれは、これが魂をもっているからだ。そして

それは（魂が）より善めいたものだからだ」（田中訳）

何もかもが一者から流れ出てくる。そして、この一者の下位にあるのは知性であり、知性の下位にあるのは人の魂です。

わたしたちがこの一者へ傾くほど存在の度合いが大きくなるが、一者から遠ざかるほどに存在の度合いが小さくなります。だから、人は一者へと向かわなければならないというわけです。**哲学とは、その一者へと帰っていく過程**だというのです。

そのとき、人が「神を発見する」のではなく、**人自身がすでに神である**状態になります。この状態にあって、人は没我（ぼつが）（エクスタシスといい、短時間の恍惚（こうこつ）状態）を経験します。プロティノスは生涯に四度だけ、この状態になったといいます。（その体験は東洋ではいわゆる悟りと呼ばれるものだったと思われます）

キリスト教神学の土台となった神秘哲学

２４３年、プロティノスは18歳の皇帝ゴルディアヌス3世の遠征隊に加わりました。ペルシア（現在のイラン）との戦いの間に皇帝は死亡しましたが、この遠征でプロティノスはペルシア哲学やインド哲学、仏教を学び、思想に神秘的な要素が加わったと思われます。さらに、プロティノスはプラトンの哲学を継承していると自認していました。

あとになってプロティノスの考え方を理論武装として盛んに利用したのは、アウグスティヌスをはじめとしたキリスト教の神学者たちでした。キリスト教は今でも人間の肉体よりも魂のほうがすぐれているとみなしていますが、それこそはまさしくプロティノスが描いた哲学の世界観です。

その他に、キリスト教の特徴となる事柄、たとえば、神は一人であること、神のみが純粋な善であること、創造する力を持っていること（プロティノスにおける「流出」説）、天上界があること（プロティノスは月よりも上が天上界だとした）、神はどこにでもいること（プロティノスによると、一者は人の中にも他の存在の中にもいる）など多くの説をキリスト教独自の神学的説明として取り入れたのです。

これが、**「キリスト教神学は新プラトン主義（プロティノスがその頂点）の影響を受けている」**と学問的にいわれる理由なのです。

また、キリスト教神学者たちはアリストテレス（本書34頁参照）の学問の方法をも取り入れました。そのことは、つまりプラトン、その弟子のアリストテレス、プロティノスの一派に続くギリシア哲学（しかも東洋哲学を含んだ）がなければ、現在あるキリスト教の世界観と神学はありえなかったということを示しています。

賢人のつぶやき

真に愛されるものはかの上方に存在する

91

『エックハルト説教集（離脱について）』

エックハルト

（異端処分の際に多くの関係文書が廃棄されたため、残された文書の制作年は不詳）

内なる人はいつも幸福

「神をある仕方でさがす人は、その仕方を手に入れるだけで、その仕方のうちに隠れる神をとらえることがない」

「あなたの内に多くのものがあるあいだは、神があなたの内に住むことも働くこともできない」

「あなたがたをこのような完全性へと運びゆく最も足の速い動物は、苦しみである」

（田島照久編訳）

マイスター・エックハルト
（Meister Eckhart）

1260頃～ 1328頃　神聖ローマ帝国のテューリンゲンのホーホハイムの貴族、あるいは騎士の家系の生まれ。神学者、パリ大学正教授。異端として告発される。マイスターは尊称。68歳頃没。

後に異端とされた中世ドイツのキリスト教神学者による「神秘体験」をもとにした宗教哲学

キリスト教の神学を世間的な道徳訓示に加工して信者たちに教えるのがふつうの聖職者であるならば、エックハルトは自分の体験を隠すところなく述べた人です。

その中でも「離脱について」という短い論では、**「離脱」によって人生の苦しみや悲しみを超え、永遠の生命の中にいられるのだ**と述べています。


エックハルトは「離脱」（あるいは離在）という独特な表現を使っていますが、これは他の表現に変えても内容はちがいません。たとえば、「無」「いっさいの放擲」「世に死ぬ」「彼岸」「（神との）合一」であり、仏教の禅での表現にすれば、「不動心」「円寂」「諦観」「寂静」「滅私」「涅槃」「人牛倶忘」となります。

自分を何から離脱させるかというと、**「この世」**から離脱させるというのです。この場合のこの世とは、社会の日常を埋めているさまざまな価値判断、常識、宗教的因習、習慣、などのことです。ここには時間と空間についてのふつうの人の感覚も含まれます。

それらからすっかり離れてしまうのが「離脱」です。つまり、エックハルトのいう「離脱」とは東洋の表現でいえば「悟り」にあたります。そして、「離脱」の感覚や自己の状態も、悟りと同じです。

悟りと同じ「離脱」の状態はしかし、俗に想像されているような超然とした非人間的なもの、ではありません。エックハルトの表現によれば、**一人の人間には二種類の人がいて、そのうちの外なる人はふつうに社会的に活動し、内なる人はただ「不動のままでいる」だけ**なのです。

この「不動のままでいる」ことが「離脱」です。「不動のままでいる」とは、人の喜怒哀楽（きどあいらく）と欲を誘発するものに内なる人は少しも動かされないということです。

エックハルトはこれを説明するときに、ドアの蝶番（ちょうつがい）をたとえに出しています。ドアがいくら開閉しても、蝶番の軸となっている釘（くぎ）（内なる人）は不動のままだからです。

内なる人がこの不動心に充たされているため、内なる人はずっと平安と安息（あんそく）の中に住んでいます。このことをエックハルトは聖書の「シラの書」にも「すべてのものの内に、わたしは安息を求める」と書かれていると指摘しています。

ゲーテ、ショーペンハウアー、ニーチェ、ユング、鈴木大拙……後世の思想家に影響

エックハルトはいまだ、神秘主義者、神秘家とみなされています。

そういうふうにあたかも正統ではないかのように呼ばれてきたのは、深い体験のない学者たちがエックハルトの述べたことをまるで理解できなかったことを示しています。もちろん、組織の維持と自分の利権しか考えていなかった当時の教会関係者たちにも理解力がなかったから、エックハルトを異端として告発したのです。

しかし、後代の本物の智者たちはエックハルトが述べたことについて同感していました。そして、詩人ではゲーテらが、哲学者ではショーペンハウアー、ニーチェ、ブーバーらが、心理学者ではユング、フロムらが影響を受け、日本では鈴木大拙がエックハルトについて親しみと敬愛の文を残しています。また、苦しみが人を高く変えていくという思想はフランクルに通じるものとなっています（本書57頁参照）。

ところで、エックハルトが述べている、内なる人が安らかな不動心を持ったまま、外なる人はふつうに活動する、という蝶番的な生き方は現代のわたしたちにも大いに役立つし、信仰の有無にまったく関係なく、応用もできるはずです。

なぜならば、自分の内奥に不動の心くらい置いていなければ、休みなき競争と獲得と成功の強迫観念に満ちみちた現代の狂気社会にあって、もはや個人的な救いや安らぎは地上のどこにも見出せなくなってしまうからです。

賢人のつぶやき

神が人間に求めるものは、平和な心である

92

『神学大全』

トマス・アクィナス

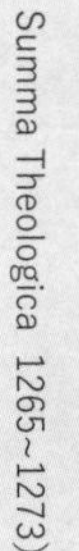
(原題　Summa Theologica　1265~1273)

神とは存在だ

「そこで私はこういいたい。〝神が在る〟という命題は、それ自体としては自明である。なぜならこの命題の述語は主語と同じものだからである。…中略…神はその存在そのものなのである」

「神においては本質とその存在とは別のものではない。ゆえに神の本質はその存在である」

（山田晶訳）

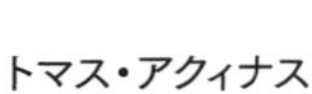
トマス・アクィナス
(Thomas Aquinas)

1225頃～ 1274　シチリア王国のロッカセッカ城で生まれる。ナポリ大学で学び、パリ大学で神学教授資格を得る。ドミニコ会士、パリの大学の神学部で教えたスコラ学の代表的哲学者。49歳頃没。

「神とは何か」中世ヨーロッパを代表する大著

この本は全体で第３部まで予定されていましたが、第３部の途中のところでアクィナスに重大な心境の変化（いわゆる神秘体験）が生じ、そしてまもなく没したので未完となっています。それでもなお、翻訳版で39冊もあります。

８年に渡って書かれた第３部までの内容は、**第１部は神について、第２部は神への人間の道について、第３部は神にいたる道としてのキリストについて**、という体系的な構成です。

さて、キリスト教は、新旧の聖書に記されていることを歴史上の事実、あるいは真実としています。その（旧約）聖書の「出エジプト記」には次のような記載があります。

部族長のモーゼが羊の群れを連れてシナイ山に着いたとき、神から呼びかけられ、これから何をすべきかを教えられました。

するとモーゼは、イスラエルの民から神の名をたずねられたとき、民にどのように答えるべきかと問います。神は答えます。

「私は、〝在すもの〟である」

これはフェデリコ・バルバロ訳ですが、聖書へブライ語の「エフェエー　アシェル　エフェエー」をフランシスコ会聖書研究所は「わたしは『ある』ものである」と訳しています。

要するに、**神の名は「存在」だと神自身がいう**のです。この「存在」について、いったいどういう存在のことなのだろうかとアクィナスは考えたのです。

「存在」と「本質」のちがい

アクィナスはそして、存在と本質のちがいということに着目し、本質があっても存在がないものがあるということを指摘しました。

たとえば、思考上の「最大の素数（すそう）」やドラゴンなど「（想像上の）怪物」には本質がありますが、現に存在しているものではありません。一方、三角形などの図形には本質があり、その図形は現に存在もします。他の多くのものについても同じです。

では、神についてはどうか。神の本質について人は考えることができません。しかし、聖書の「出エジプト記」の記述によれば、神は本質であると同時に存在でもあります。

すると、神以外のものは、本質と存在を分けて考えることが容易にできるのですが、神に限っては、本質と存在が区別できないということになります。なぜならば、神はただ「在るもの」であり、その在り方に神の存在も本質も混ざっているからです。

したがって、アクィナスは**「神においては本質とその存在とは別のものではない。ゆえに神の本質はその存在である」**（第3問4項／山田訳）と規定したのです。

カトリックの教義の基礎となる

神学というのはプラトン（本書231頁参照）やプロティノス（本書417頁参照）らの哲学を用いて考究するのがそれまでは通常の方法だったのですが、アクィナスはアリストテレスの哲学（存在について探究すること）を初めて応用しました。

それができたのは、十字軍（1096年から1272年まで断続的に行なわれた中東、東欧に向けてのキリスト教徒による軍事遠征）をきっかけとして、イスラム教圏、アラブ世界との広汎（こうはん）な交流が生まれていたからでした。その際に、それまでイスラム教圏にとどまっていたアリストテレスの哲学と、その研究者ら、たとえば、アヴィケンナ（イブン＝シーナー　980〜1037　医学者、哲学者）やアヴェロエス（イブン＝ルシュド　1126〜1198　アリストテレスの注釈者）の文献にもヨーロッパの研究者たちが触れることになったからです。

そのアリストテレスの考え方を応用したアクィナスの思想は、現代のカトリック教会の教義を基礎づけることになりました。

それからまた、アクィナスの思想は、スイスの神学者カール・バルト（1886〜1968）の考え方などに強い影響を与えています。

賢人のつぶやき

人の思考がどんな努力をしても、たった一匹のハエの本質さえ語りきることはできない

『キリスト者の自由』

マルティン・ルター

(原題 Von der Freiheit eines Christenmenschen 1520)

信仰のみでOK

「キリスト者は自分自身のうちに生きるのでなく、キリストと自分の隣人とにおいて生きる」
「見よ、これが真の、霊的なキリスト者の自由であって、心をあらゆる罪と律法と戒めから自由にする」

(塩谷饒訳)

マルティン・ルター
(Martin Luther)

1483 ～ 1546　神聖ローマ帝国のザクセンのアイスレーベン村の鉱夫の家に生まれる。エアフルト大学で哲学を学び、ヴィッテンベルク大学で神学博士号取得。エアフルト大学、ヴィッテンベルク大学で教える。聖アウグスチノ修道会司祭。62歳没。

ドイツ宗教改革者ルターによる「宗教改革三大文書」の一篇

ドイツ語とラテン語の二つの言語で書かれた『キリスト者の自由』は、短くて文章も読みやすいものです。内容に難しさはなく、要するに、**「教皇庁から下されているおびただしい規則や戒律と各クリスチャンの信仰生活は関係がない。たいせつなのは心の信仰と隣人愛だけであり、信仰だけで充分である」**とするルターの主張です。

当時、キリスト教の信者がなすべきこととして、あまりにも多くの行為と献金が教皇庁から要求されていました。これは他の宗教と同じく、キリスト教もまた職業的聖職者たちのための利権商売になってしまっていたからです。

この状況に対してルターは反旗をひるがえしたのです。そして彼は何についてどう反対しているかを説明するために、『ドイツのキリスト者貴族に与える書』『教会のバビロニア捕囚（ほしゅう）』『キリスト者の自由』という三つの著書をあいついで著したわけです。

人は信仰によってのみ神から「義（正しい）」と認められる

ルターは信者を管理する職であるはずのキリスト教祭司や関係者について、「この管理職から、あんな現世的な、表面的な、はでな、**恐るべき支配と権力が生じ**」(塩谷訳以下同)ていると怒りを表しています。さらには、「**われわれは地上でもっとも無能な人々の奴隷と**」なっているとまで嘆きます。

そのような奴隷状態から脱するためには、教皇庁から下された多くの行動規範、戒律、掟(おきて)を守ることで自分がキリスト教の信者になれるというこれまでの考え方から脱しなければならない、とルターはいいます。

当時の多くの庶民は字を知らなかったので聖書など読めない(そもそも、聖書はヘブライ語とギリシア語で書かれていた)のですが、聖書を入手することが困難だったし、入手したとしても聖書はヘブライ語とギリシア語で書かれていた)のですが、聖書を入手することが困難だったし、入手したとしても聖書は読めないのは、洗礼を受けて信者となっていなければ地域共同体の一員としての日々の生計が困難になるからです。また、政治と教会があらゆる権力を手にしていました。

そういう状況にあって、ルターは次のことを主張しました。

◇「義(ぎ)」と認められるのは信仰のみによる。
◇個々のキリスト者は自由な主人であって誰にも従属してはいない。しかしながら同時に、誰にでも奉仕する僕(しもべ)である。

ここにあるキリスト教的意味での「義」というのは、**神から見て「正しい」とか「誠実」**という意味です。具体的には、教会を通じて教皇庁から求められる義務や献金に応じるからキリスト者として認められるのではないのだとルターはいい、**教会から命じられた行為がなくても、各人の「信仰のみで充分である」**というわけです。

要するに、利権商売と化したカトリック教会は信仰の有無や質を条件で判断するシステムを固めていたのですが、このシステムの欺瞞と無意味さをルターが暴いたわけです。

もう一つの主張は、キリスト者は教会に従属しているのではない、ということです。そうであるにもかかわらず「誰にでも奉仕する僕だ」というのは、誰かの命令や義務にしたがうのではなく、まったく自分の自由意思のみで、心から、愛から行動するということを意味しています。

それは、自分も隣人に対してキリストのようになることであり、そういう行ないにのみ自由と喜びがあるというわけです。

まさしくその行ないこそ、「あなたがたは天が開けて、人の子の上に神の使いたちが上り下りするのを見るであろう」というふうに「ヨハネによる福音書」第一章51節に書かれていることなのだとルターはこの本の最後で述べています。

プロテスタントの誕生と反ユダヤ主義の悪影響

ルターが書いた『キリスト者の自由』は、個々の信者の内面的な信仰改革のように見えます。しかし、その内面的な信仰改革が教会の制度や儀式によって妨害されるのならば、それら制度や儀式は排除されるべきだと述べてもいます。

これは教会の既存の制度の拒否です。また、ローマの教皇庁を頂点とするカトリック教会への反抗です。だから、ここにおいてプロテスタント（抗議する者の意味）と呼ばれるキリスト者（そして、その集団であるキリスト教宗派）が生まれたというわけです。

ただし、ルター派の教会は、カトリックの伝統にしたがうのではなく、福音（聖書）にしたがうということでみずからを福音派と名のりました。

その後ルターは新約聖書をドイツ語に翻訳し、このドイツ語が標準ドイツ語として広まることになりました。ルターの悪影響として挙げられるのは、ユダヤ人を悪魔の手先だとまでヘイトする発言と文書と説教を残しており、これが反ユダヤ主義というものを生み出して拡大させたことです。それを再利用して大きく宣伝に使ったのが400年後のドイツのヒトラー政権です。

賢人のつぶやき

たとえ明日世界が滅亡しようとも、今日私はリンゴの木を植える

『キリスト教綱要』

ジャン・カルヴァン

（原題　Institutio christianae religionis　1536）

救いは神によって選ばれている

「天が私たちの祖国であるなら、この地は亡命の地でなくて何であろうか」

「敬虔な信者はどのようなことが起ころうとも、すべてが主によって予定されていることを知って、平和と感謝の念をもってそれを受け入れ……」

（有馬七郎訳）

ジャン・カルヴァン
（Jean Calvin）

1509～1564　フランス王国の北部のノワイヨンの裕福な中産階級の法律家の子として生まれる。パリ大学とブルージュ大学で法学や神学を学んだのちにスイスのジュネーブで改革派教会創立者となる。54歳没。

天国に行けるかどうかはもう決まっている!? カルヴァンによるプロテスタント最初の体系的教理書

日本語訳の「綱要」とは基本の教えという意味ですが、原題ラテン語にあるInstitutioを意味に含めると、**「教理問答」**ということになります。そして、副題は「**敬虔さに関するほぼ完全な要約と、救いの教説において知る必要があるすべてのこと**」（佐々木勝彦他訳）となっています。

その内容は、罪の告解は人を偽善者にさせるなど危険なものとして否定するなど反カトリック的なものであり、また先にプロテスタントとなったルター派をも攻撃するものでした。

すでに有名だったルター（本書429頁参照）の著作を参考にしながら独自な聖書解釈でこの本を書いたカルヴァンは『キリスト教綱要』をフランス王国の王フランソワ一世（1494〜1547　在位1515〜1547）に献呈しました。身長が2メートル以上あったというフランソワ一世はフランスのルネサンス期を代表する人で、レオナルド・ダ・ヴィンチ（1452〜1519）ら芸術家や文人たちを保護したことでも有名です。

しかし、カトリック教徒のフランソワ一世はプロテスタント各派を異端としてパリで迫害し始めたため、カルヴァンはスイスのバーゼルまで逃げることになったのです。そのため、そのバーゼルの地で『キリスト教綱要』が出版され、その後訪れたジュネーブにカルヴァンの教えに基づくプロテスタント一派であるジュネーブ教会が興って広まることになりました。

当時のヨーロッパのキリスト教は、従来のローマ・カトリック教会の他に数々のプロテスタント教会の諸派がありましたが、互いを異端とみなして対立し、重大な内政問題となっていました。そういう状況のところに、さらには新興のカルヴァンの教会が加わり、混沌（こんとん）としつつ互いに殺し合い、これがやがて宗教戦争、もしくはユグノー戦争（本書69頁参照）と呼ばれるようになったのです。（ユグノーはフランスのカルヴァン派プロテスタント）

救いや滅びはあらかじめ神によって選ばれているという「予定説」

カルヴァンは、『キリスト教綱要』はキリスト教を理解するための書物ではなく、**敬虔な生活をするための書物**だということを強調しています。それは、「われわれの心の中に埋め込まれ、われわれの生活態度に移行されなければならない」（佐々木他訳）しかも、「**完全は私たちが目指している最終的な目印であり、私たちの努力目標でなければならない**」（有馬訳）というのです。

したがって、この厚い本の焦点は全4篇中の第3篇になります。この第3篇は、信者たちの生活の仕方についての細かい教えであり、信者のためにこの部分だけ『黄金の小冊子（しょうさつし）』というタイトルの薄いハンドブックとして印刷され、主に中流階級に広まっていたカルヴァン支持者の実生活に大きな影響を与えました。

当時のカルヴァンの教えのきわだった点と見られたのは、いわゆる「予定説」と呼ばれている有名な部分です。これは、起きていることのいっさいがっさいが神によってすでに予定されているという教えです。

これを要約すると、「神は、ある者には恵みを与え、ある者には与えない。誰が救われるかも予定されている。人生上で起きるわざわいも繁栄も予定されている。信仰に入ったのならば、それは神から選ばれたという証拠だ、そこには各人の努力や運命などいっさい関係がない」という教えです。神は恐ろしい支配者であり、神の予定が摂理なのです。

ちなみに、この考え方はイスラム教の『コーラン』（本書412頁参照）の教えとよく似ています。『コーラン』では、天の書にすべての事柄が書かれていてその通りにしか現実で物事が起きないとされているからです。

カルヴァンの「神権政治」

またカルヴァンは、『キリスト教綱要』に書かれてあることがすべて真実なのだから、人は勝手に自分で考えてはいけないといいます。したがって彼は、自由な思想を持った人たち（リベルタンと呼ばれた）を強く攻撃しました。たとえば、三位一体説（神は、神・神の子イエス・聖霊の三つのペルソナを持つという説）を否定したスペイン人医師のミゲル・セルベートは異端として告発され、カルヴァンの指示で生きたまま火刑に処されました。

カルヴァンによれば神がすべてを計画し現実にしているわけですが、そうならば、なぜカルヴァンがわざわざ手を下さなければならないのか、誰も理解できません。カルヴァンがすべてを知っていて、かつ他人を殺すことができるというのなら、カルヴァン自身が神だということになってしまいます。こういう論理のおかしさは現代にいたってもなお、多くのカルト宗教に必ず見られる教説の特徴的な矛盾となっています。

カルヴァンは信者たちの生活についても厳格な規律を求め、生活の細部まで監視したり尾行したりするなど一種の恐怖政治で統治しました。統治といってもカルヴァンが政治家として関わったわけではなく、カルヴァン派の市長が続き、そのつど行政はカルヴァンからの強い影響と指示を受けたということです。ジュネーブも他の地と同じように教会の権力と政治権力は同じでした。それは、ジュネーブ市が『キリスト教綱要』を「誰も反対できない聖なる教理」と布告したほどで、これが歴史の教科書などで**「カルヴァンの神権政治」**とされているものです。しかし実際にはたんなる政治などではなく、簡単に殺される可能性の高い恐怖政治でした。

ヨーロッパ各国にカルヴァン派が登場！　現代にまで続く影響

カルヴァンの教えは十数万人の人口を持ったジュネーブで広がりを見せ、その教会は「改革派教会」と名のるようになり、1559年にはジュネーブアカデミー（のちのジュネーブ大学）を創設して、神学部でカルヴァンの教えを学ばせました。

カルヴァンの思想は世界へと広がり、教派としては改革派教会、長老派教会が受けつぎ、16世紀中にフランス、南ドイツ、オランダ、スコットランドへも伝わりました。北アイルランドでは長老派教会が強かったため、カトリックのアイルランド共和国と不和になり、その敵対状態が現代までつながっています。

イギリスのピューリタン（清教徒）もカルヴァンから影響を受けた大きなプロテスタント教会であり、その一部が1620年にメイフラワー号に乗ってアメリカに移住したため、アメリカのプロテスタント（福音主義派の教会）もカルヴァンの思想を汲んでいるといえます。

95 『キリスト教の本質』

フォイエルバッハ

（原題　Das Wesen des Christentums 1841）

ガラクタ倉庫としての神

「宗教は人間の最初の自己意識である。宗教が神聖視されるのは、まさにそれが最初の意識の伝承だからである」

「神は単に人間の本質の対象化されたものにすぎない」

（出隆訳）

ルートヴィヒ・アンドレアス・フォイエルバッハ
（Ludwig Andreas Feuerbach）

1804～1872　神聖ローマ帝国バイエルン選帝侯領の学者一家に生まれる。神学、ヘーゲル哲学を学び、エアランゲン大学で博士号を取得、26歳でその私講師を辞め、著述業。68歳没。

独自の人間学に基づいた宗教哲学の傑作！マルクスの思想形成に大きな影響

フォイエルバッハは、長いけれどもたいへんに読みやすい『キリスト教の本質』で、キリスト教の内容と対象は神にかかわるものではなく、実は人間にかかわるものなのだと論じました。

したがってフォイエルバッハによれば、これまで**神学と呼ばれてきたものは神についての研究ではなく、人間についての研究だ**ということです。キリスト教はいかにも神がどこかに存在しているように表現するのが常ですが、神は人間の自意識と人間の本質の反映にすぎず、**人間があがめてきた神の性質はすべて人間の性質が映ったもの**ということになります。それなのに、これまでの人間は神についてはまったく別の超越的存在だと考え、そのように信じようとしてきたのです。

たとえば、人間は自分が完璧(かんぺき)に備えることができないと感じているもの、完全性、正義、公正さ、愛を神の中に求めるのです。そういう理想、そしてまた現実においてどうしても満たされがたい願望を、神への信仰という形で持ってきたのです。そのように神を永遠の存在とみなすのも、実は自分の命をいとおしむ気持ちが表れたものです。

こういう屈折した態度が宗教を必要とし、そのことが同時に宗教を用いている人間自身の自己疎外の形にほかならないというわけです。

また、信仰のある人は自分にとってはなはだつごうの悪いこと、あるいは原因のはっきりしないことが起きたりすると、これは神からの試練だと考え、それ以上は追究しないようにします。また、よいことが起きると、神からの恵みだとしてしまいます。

このように事実についてよく考えようとしようとしない態度、不幸や幸運についてのこういう心理的な処理の仕方をフォイエルバッハは**「神は理論の夜である」**と皮肉(ひにく)っています。

無神論共産主義思想への影響

宗教の構造をこのように考える『キリスト教の本質』によってもっとも強い影響を与えられたのは、マルクスとエンゲルスです。この二人が共産主義の徹底した無神論を形成したといえるでしょう。

エンゲルスはその著書『フォイエルバッハ論』の中で、『キリスト教の本質』は「解放的効果」があったと述べ、マルクスは『聖家族』の中で「フォイエルバッハが初めて宗教の批判を完成させた」とし、それによって人間の数ある自己疎外のうちの一つである宗教という神聖な姿が仮面をはがされたと述べています。

賢人のつぶやき

神が人をつくったのではない。人が神をつくったのだ

『死にいたる病』

キルケゴール

（原題 Sygdommen til Døden 1849）

絶望の正体は自己疎外だ

「死にいたる病（やまい）とは絶望のことである」

「彼が自己自身から脱け出ることができないという苦悩なのである」

「人間のうちになんら永遠なものがないとしたら、人間はけっして絶望することができなかったであろう」

（桝田啓三郎訳）

セーレン・オービエ・キルケゴール

（Søren Aabye Kierkegaard）

1813～1855　デンマーク王国の首都コペンハーゲンの裕福な毛織商人の家に生まれる。父からの遺産を使って、しばしば偽名で著書を刊行しながら著述を続けた。42歳没。

実存主義の創始者による「人間の本質」を追究した重厚な書

キルケゴールは、人間には根本的な病にかかっており、その病とは「**絶望**」である、といいます。しかも、絶望は死に至る病だというのです。もちろん、この表現は暗喩です。

具体的にこの絶望とは、**聖書に書かれた「永遠の生命」への約束を信じることができないこと、信仰がない状態**を指しています。つまり、キルケゴールはキリスト教信仰（の救い）を前提にして書いています。

しかし『死にいたる病』がたんに信仰者だけの問題にはとどまらない哲学的な広がりを持つ書物になっているのは、いったい人間はどういう存在なのかという「実存」の問題を初めて打ち出しているからなのです。

人は誰もが同じように生きているわけではありまん。たとえば、感性と肉体のみで自由奔放に生きている人がいます。現実を見失いがちなこの人たちの裏には深い不安と絶望があり、その生き方が乱れ始めると絶望がもろに顔を出してきます。なぜなら、**自分が本当は絶望していることを知らないでいるという絶望**がずっと底にあったからです。

また、世間と一体となり、世間に埋没して生きている人がいます。何事も世間並みにしていれば不幸に襲われないだろうと考えているのです。そういう人は周囲の社会を一種の神とみなしているのです。しかし、世間は神ではありません。

また、愛や社会的地位といったものにあこがれているものの得られず、しかしそれらにいつまでも執着する自分というものに絶望している人もいます。彼らは孤独であり、社会に向かわずに自分に閉じこもってしまいがちです。

また、自分の苦悩を誇りとする人もいます。彼らはそのためにかえって悪魔的な反抗の態度を示します。

彼らがそれぞれの生き方において絶望している原因は、**人間の有限性にある**とキルケゴールは指摘します。人間は時間の中に生きているため、肉体も幸福も有限でうつろいやすく、何一つ永続しないからです。絶望の根底にあるのはそこであり、つまるところどんな人間も死と永遠の問題にかかわっているからなのです。

しかし人間が、無限性と有限性、偶然性と必然性、肉体と精神という矛盾して相反するものにまたがった存在であるのは神の定めなのです。そのような人間存在はあたかも罰を受けたように見えますが、神は人間が自己の内なる永遠性に目覚めるきっかけを与えてくれています。それが、信仰なのです。

信仰することによって、人間は世のうつろいやすいものに自分の生の根拠を置くのではなく、永遠なる神に自分の根拠を置くことができるからです。**信仰のその態度にこそ、多彩な絶望の苦悩から解放され、永遠性を獲得する可能性が生まれてくる**のです。それは、冒険なのです。

「今の自分は本当の自分ではない」——現代に通じる絶望に言及

キルケゴールが**「実存」**という考え方を打ち出したのは、当時の思想の主流であったヘーゲルの考え方に強い異議をとなえるためでした。つまり、ヘーゲルやフォイエルバッハたちは何事も「理性」（という観念）の発展で説明し、社会全体こそ理性の表れなのだとして、個人のそれぞれの存在を社会の発展の一過程にあるものにすぎないととらえるか、ほとんど無視していたからです。

もちろん、人間を階級で規定してしまうマルクスの思想にもその傾向があります。それから、マルクスは自己疎外について問題にして商品の生産と結びつけましたが、同時代のキルケゴールはまったく別の内的次元で自己疎外を絶望という言葉で表現しています。

理性や理念ではなく人間そのものを考察するキルケゴールのこういう考え方はそののちに出てくるサルトルやマルセルに強い影響をおよぼしています。

また、**キルケゴールによる人間の苦悩の分析は、現代においてもまだ通じるところがあります**。というのも、現代人に特有の「自分探し」こそ、絶望の淵におちいらないためのあがきの一種だともいえるからです。終点にたどりつかない「自分探し」をさせているのは、絶望への坂道にある不安や不全感だからです。

賢人のつぶやき

人生は後ろ向きにしか理解できないが、前を向いてしか生きられない

97

『プロテスタンティズムの倫理と資本主義の精神』

マックス・ヴェーバー

（原題　Die protestantische Ethik und der Geist des Kapitalismus　1905）

難易度 5

勤勉の生活スタイルの源泉とは

「とくに当時経済生活において興隆しつつあった市民的中産階級がピュウリタニズムの、かつてその比をみないほどの専制的支配を受け入れたのは、いったいなぜだったのか」

「近代資本主義の精神の、いやそれのみでなく、近代文化の本質的構成要素の一つというべき、天職理念を土台とした合理的生活態度は…中略…キリスト教的禁欲の精神から生まれ出たのだった」

（大塚久雄訳）

マックス・ヴェーバー
（Max Weber）

1864～1920　プロイセン王国のエアフルトの上流階級の家に生まれ、のちにベルリンに移る。ハイデルベルク大学とベルリン大学で学び、30歳でフライブルク大学経済学正教授に就任。ヤスパースらと親密に交際。東西の宗教の社会学的研究を進める。56歳没。

宗教倫理が厳しかったヨーロッパで「資本主義が発達した理由」とは

『プロテスタンティズムの倫理と資本主義の精神』は、ヨーロッパ人の宗教、特にプロテスタントと信者たちの労働観のかかわりについて述べたものです。

ヨーロッパ人の大半が属している宗教とはもちろんキリスト教のことであり、このキリスト教はカトリックとプロテスタントの二派に分けることができます。

キリスト教はそもそも全世界的単一組織であるカトリックしかありませんでした。しかし、16世紀初期にドイツの神学者ルター（本書429頁参照）がカトリック教皇の改革（宗教改革）をとなえ、1517年になると福音主義という思想を打ち出してカトリック法皇に対して抗議書を出したため、それ以来彼らはプロテスタント（抗議する者）と呼ばれるようになりました。

少し遅れて、スイスではカルヴァン（本書434頁参照）が改革派教会を立ち上げ、カトリックとは異なった救いを教え始めたのですから、これもプロテスタントと呼ばれることになります。カルヴァンの考えはフランス、オランダ、イギリスへと急速に広がりました。そしてイギリスではカルヴァン派信者がイングランド国教会の改革を唱え、その人たちがピューリタン（清教徒（せいきょうと）ともいう）と呼ばれました。ピューリタンはアメリカ大陸に渡り、アメリカという新しい国の宗教観に多大なる影響を与えることになりました。

ヴェーバーが問題としたのは、このプロテスタント信者たちの倫理がヨーロッパの近代資本主義経済の発達の原動力の一つになったのではないかということです。

ふつうは、資本主義経済の発達は利益の追求の姿勢だろうと考えます。しかし実際には、キリスト教が広まっていなかったインドや中国の広い地域では資本主義は発達しなかったのです。逆に、キリスト教徒が多かったヨーロッパにおいて資本主義が発達しました。

しかも、ヨーロッパではキリスト教から導かれた商業規制（たとえば、暴利の規制、利息の禁止など）はとても厳しかったのに資本主義が発達しました。これはどういうことかとヴェーバーは考えたのです。

ヴェーバーが注目したのは、商売にかかわったプロテスタント信者たちに共通する内面です。当時の彼らが抱いていた特徴的な倫理思想は二つありました。ルターの思想の一つである**「神の召命説（しょうめいせつ）」**とカルヴァンの思想の一つの**「予定説」**です。

「神の召命説」とは、各人の職業（ルターのドイツ語ではBeruf（ベルーフ）、英語ではcalling、あるいはvocationで、どちらも「神から呼ばれた」という意味を持つ）は、その人が神から召（め）されたことの証明だという考え方です。これは新約聖書の「コリント人への第一の手紙」（パウロの手紙）の第7章にある「おのおの神に召された時の状態のままとどまれ」という言葉について、ルターが「召された時の状態」をそのときの各人の職業のことだと読みとったことから生まれてきた思想です。

「予定説」というのは、神から救われる人はあらかじめ決定されているのだという、カルヴァンの考えから生まれた思想です。この思想は社会的な（分断の）心理を生んでいきます。それにくわえて、カルヴァンもまた「神の召命説」を当然のこととしていました。

こういう宗教的な思想でプロテスタンティズムは信者を心理的に支配し、興隆しつつあった中産階級の家庭生活と社会生活の全体にわたって（信者の義務は決まりきった宗教行事だけであったカトリックよりもはるかに）厳しい内面の規律を要求し、それが「世俗内的禁欲」となり、人々はそれにしたがうようになったのです。というのも、自分だけは神から救われる予定の人間でありたいという心理が働いたからです。

つまり、自分が救われる予定の人間であり、かつ自分の職業が（神から召された）天職（Beruf）だと確信できるためには、職業労働に献身（けんしん）をして現実に商売や仕事に成功していなければならず、幸運や人間関係に恵まれ、金銭的にも豊かになっていなければならないのでした。

この心理的な動因は経営者のみならず、雇われて働く労働者にも同じように働きました。それは長い間のプロテスタント教育の結果だったというのです。こういった内因に動かされて多くの人が経済活動に精を出し、ヨーロッパ全体として資本主義経済が発達したとヴェーバーは考えます。

よって、『プロテスタンティズムの倫理と資本主義の精神』というタイトルにある「資本主義の精神」とは、「利潤の追求」を主な内容とする一般的な「資本主義」の「精神」（あくなき貪欲や金銭欲が中心になる）という意味などではまったくなく、**「初期の資本主義をになった中産階級の人々を内面から動かした精神」**（つまりは独特なプロテスタンティズムのこと）という意味を持った用語としてヴェーバーは使っているのです。

経済活動の要因に宗教倫理を持ち出してくるユニークさ

ヴェーバーの結論は、プロテスタントの倫理思想が労働意欲と合理性をはぐくみ、それがキリスト教圏での資本主義を大きく発達させたということです。

こういうユニークな観点は歴史社会学に新しいアプローチを生む刺戟（しげき）となり、またヴェーバーの結論が意表をつくものだったので、『プロテスタンティズムの倫理と資本主義の精神』はいちやく有名な書物となりました。

しかし、この本の終わりでヴェーバーは宗教的な意味での「資本主義の精神」は失われていくことになったと書いています。なぜならば、巨大化した資本主義経済は利益を増大し続けなければ立ちゆかないようになり、もはや内面的な力は必要なく、そのため個々人の信仰が薄れていくことになったからです。ヴェーバーはこう書いています。

「営利のもっとも自由な地域であるアメリカ合衆国では、営利活動は宗教的・倫理的な意味を取り去られていて、今では純粋な競争の感情に結びつく傾向があり、その結果、スポーツの性格をおびることさえ稀（まれ）ではない」（大塚訳）

賢人のつぶやき

(国家とは)正当な物理的暴力行使を独占する共同体である

98

『正法眼蔵(しょうぼうげんぞう)』

道元

(1231 ～ 1253)

自分も世界も存在しない

「漸源仲興大師(ぜんげんちゅうこうだいし)に、あるとき僧が問うた、〝古仏心とはどういうものでしょうか〟。

師は云った、〝世界崩壊(ほうかい)である〟。

僧は云った、〝世界崩壊とはどうなるのですか〟。

師は云った、〝我が身は無くなろう〟」


(石井恭二訳)

道元(どうげん)

1200 ～ 1253　京都の公卿の久我家に生まれる。師を求めて24歳で南宋（中国王朝1127 ～ 1279年）に渡り、修行して悟りを得て27歳で帰国。京都の深草に興聖寺を開き、入門者が増えたために比叡山から弾圧を受ける。（現在の福井県に）永平寺(えいへいじ)を開く。日本曹洞宗開祖。53歳没。『正法眼蔵』は文化13年（1816）まで永平寺に秘蔵されていた。

曹洞宗の開祖による「悟りの体験」からの世界観

タイトルの正法眼蔵の意味は、**「仏法の正しい核心」**とでもいうべきものです。するると、仏法として確立された体系が定まっているかのように思われますが、そういうものはありません。あるのは、**個々の悟りの体験**だけです。

しかし、悟ったときに体験する世界がどんな体験者にも共通しているので、それが仏法と呼ばれているわけです。(ただし、悟りの体験についての表現は人によって異なります。であるにもかかわらず、体験した世界が同じだと体験者にはわかるのです)

若い修行僧が悟りを体験する一助として書かれた『正法眼蔵』はどこを開いても、同じことが書いてあります。文章も内容も異なっていながら同じことが書かれているのです。何が同じかというと、いい表されている悟りの体験者から見た世界観がいつもそこに開かれてあるということです。

前頁に引用した短い一節にも悟りのその世界観が書かれています。

師に向かって、弟子の禅僧が質問をする。「古仏心」(かつて悟りを得た人たちの世界観)とは何ですか、と。すると、師は返答をする。「(古仏心とは)**世界崩壊である」**(石井訳以下同)と。

世間的な論理で理解することしかできないふつうの人の感覚からすれば、これはあまりにもナンセンスな会話です。だから、「それではまるで禅問答だ」という世間的な言い方は、「わけがわからない無駄な会話」という意味になっているのです。

しかし、ここで返答している師はふつうの人の感覚で答えてはいません。悟りを体験した人の感覚で、まじめに、何も隠すところなく、あからさまに答えているのです。

悟りの境地「心身脱落（しんしんだつらく）」とは

さて、「古仏心とは何か」という問いは要するに**「悟ったときに世界はどう見えるのですか」**というものです。その返答は「世界崩壊」と「自分がなくなる」です。これは、悟りの体験の際に誰もが一瞬から数十秒にわたって経験する感覚そのもののことです。この大師もまた悟りを体験していたからこそ、明白に述べることができたわけです。

道元が悟りを体験したときの言葉として**「身心脱落（しんしんだつらく）」**という言葉がのこされていますが、これは自分がなくなることの道元なりの表現です。自分が消えてしまうのではなく、霧のようにいたるところに散っていくのを感じるのです。同時に世界全体が、花が咲いたかのようにすばらしく輝き、水滴一つにいたるまであらゆるものが同一の永遠の生となり、これまで知っていた意味と時間がなくなってしまう様相（ようそう）が眼前に開かれるのです。

さきほどの引用は昔からの修行僧が気づきを得るための問答でしたが、悟りの体験をした道元自身の次のような言葉にも同じ世界観が表現されています。

「自然のすべての諸現象には自我はない［人の自我は幻想にすぎないのであって本来は］迷いもなく覚りもなく、覚りえた人々もなく覚りえない人々もない、生も滅びもないのである。」

これは有名な「色即是空、空即是色」とまったく同じ意味であり、これが仏法（サンスクリット語でダルマ）なのです。つまり、仏法とは少しも難しいものではなく、その内容はいつも悟りの体験のときに見た世界についてのさまざまな感動表現のことなのです。

人間として体験できる悟り

多くの人がイメージする仏教は今なお、仏教を商売の種とする人たちによってこしらえられた神秘的な幻想にいろどられた儀式や行事であり続けています。

しかし、本当の仏教はそのようなものではなく、道元が『正法眼蔵』で「仏教といふは、万像森羅也」と述べているように、世界のすべてが仏教なのです。その意味で、（本書347頁で説明した「暗黙知」のように）論理的な言語で説明することが不可能であり、個々人が仏教そのものを体験するしかないのです。

では、その体験は特殊で地域的なものなのでしょうか。

おそらくそうではなく、キリスト教など西洋の宗教で神秘家と呼ばれた人たちと同じ体験の質だろうと思われます。彼らの一部は哲学者や芸術家であり、たとえば、エックハルト、アクィナス、パスカル、スピノザ、バイロン、ゲーテ、リルケ、ブーバー、モネらが道元とほぼ同じ体験をしていることが彼らの作品に表れている思想や描写からうかがうことができるのです。

『善の研究』

西田幾多郎

(1911)

純粋経験が善を生む

「善とは一言にていえば人格の実現である。これを内より見れば、眞(しん)摯(し)なる要求の満足、即ち意識統一であって、その極みは自他相忘れ、主客相没するという所に到らねばならぬ」

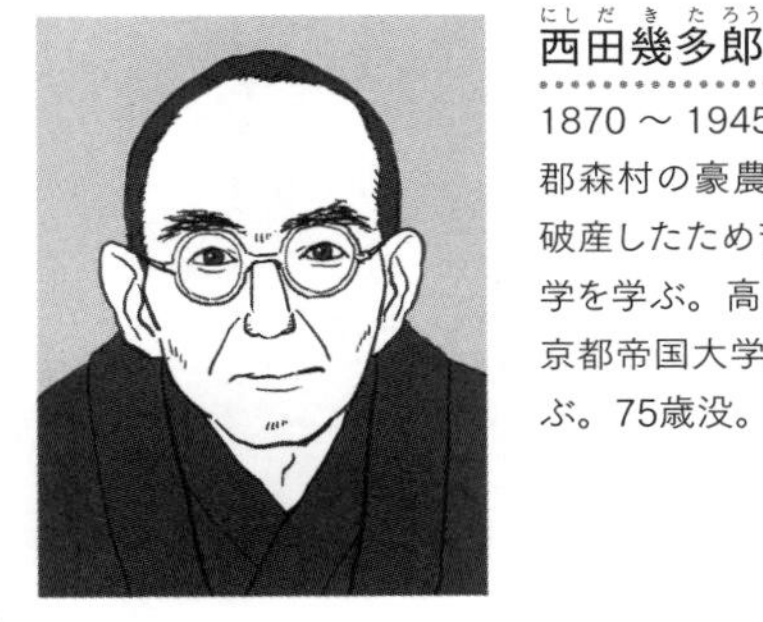

西田幾多郎(にしだきたろう)

1870～1945 加賀国(現在の石川県)河北郡森村の豪農であった庄屋に生まれる。父親が破産したため苦学して東京帝国大学の専科で哲学を学ぶ。高等学校講師、高等学校教授をへて京都帝国大学教授。仏教家鈴木大拙(だいせつ)と親交を結ぶ。75歳没。

東洋思想と西洋哲学を融合させた「新たな思想」を編み出す！

哲学書というものは著者の考えをたどっていけば少しずつ理解されてくるものが多いのがふつうですが、『善の研究』はそのようにはいかないため「難解」だとされています。これは、著者の西田幾多郎が**自身の「禅定体験」を基盤にして、この本を書いたから**という事情があります。

禅定とは、別の言い方では悟りのことです。悟りに入ったとき、西田が表現している「**自他相忘れ、主客相没する**」状態となり、「主客合一」の状態になります。

これは、自分も自分の外にあるものもその境目をなくしてしまう状態です。（つまりこれは、悟りのときの体験にほかなりません。世界と自分が溶けあうという体験であり、これについてまずは本書460頁の鈴木大拙の項を先に読んでください）本書で説明している道元も『正法眼蔵』で同じことを述べています。これが洋の東西を問わないことだと示すために、西田はイギリスの詩人アルフレッド・テニスン（1809〜1892）の体験例などを引いています。

主観・客観が分離する以前の原初的な「純粋経験」

西田の用語でいえば、これこそが「**実在を経験する**」こととなります。しかしながらこの経験は、この自分が何かを経験することではありません。つまり、自分が主体となって自分の外にある何かを客観的に経験することではないのです。

まず、**経験という実在が先にあり、自分がそれを経験しているという自覚はあとから意識して初めてわかることだ**というのです。そういうふうに経験することが、西田がいうところの「**純粋経験**」というものなのです。そのときに自分の中から出てくるものが「**善**」だというわけです。

したがって、西田がいうところの善とは、わたしたちが考える一般概念としての善ではないことになります。10代の頃から西田幾多郎の親友だった鈴木大拙（本書460頁参照）がいうところの**霊性の人としての善**なのです。その善はもちろん、一般的な善悪の善ではありません。すべてを肯定する状態になった人のいっさいを善といいかえているのです。

その善を自分で体験したとき、**知と愛がいっしょになり、人間としての自己が発展して完成されるといいます。**この自己の発展完成について、西田はわざわざ self-realization という英語を添えています。この言い方は現代では「**自己実現**」と訳されていますが、西田にあっては、本来の自己の発露という意味になっています。それは禅でいうところの本来の自己であり、原初の自己なのです。

そして、この自己に出会うことが真理を知ることだと西田はいいます。

「**真理を知るということはどういうことか。大いなる自己にしたがうことである。自分の中にある大いなる自己をこの世で実現させること。それが真理を知ることなのである**」

ここにある「大いなる自己」とは、この世に生きている自己のことではなく、世界と溶けあった状態での自己のことを意味しています。したがって、「大いなる自己をこの世で実現させること」とは、悟りの状態に入ることを意味しており、「それが真理を知ることなのである」の「知る」とはありありと「体感」することを指しているのです。

よって、「善の研究」の「善」とは、世界との溶けあいの状態に入った人のありかたから生まれてくるものなのです。

旧制高校生たちの必読書

知性と論理だけでは理解しがたいという意味で、『善の研究』は一般的な意味での哲学書ではなく、宗教書に近いものかもしれません。

難解でありながらも『善の研究』が有名になったのは、戯曲『出家とその弟子』で当時の人気作家となっていた倉田百三（1891〜1943）がその著書『愛と認識の出発』でほめちぎったからで、そのため、すでに絶版だった『善の研究』が岩波書店から復刊（1921）されて旧制高校生の必読書となったのでした。

そもそも『善の研究』の初版は弘道館から出たのであり、タイトルは版元がつけたものです。西田がつけていたタイトルは『純粋経験と実在』といい、だから純粋経験が主題となっていたわけです。そのため、構成は最初に「第一編　純粋経験」が置かれ、次から「第二編　実在」「第三編　善」「第四編　宗教」となっているのです。西田の思想の根幹となった体験は禅定によるものだったのですが、そのため難解な書物になったことはいなめません。

西田は26歳の夏（１８９６年）から禅の修行（しゅぎょう）を始め、33歳のときに一定の段階にパスしています。国際的に禅の思想を広めていた鈴木大拙とは旧制第四高等中学校の同級生で二人の間には終生の友情が続き、西田が尿毒症により他界したとき、鈴木大拙は柱を背に号泣したといいます。

なお、西田幾多郎の哲学は、三木清、和辻哲郎、九鬼周造らに大きな影響を与えましたが、その中でも三木清とは対談までもしています。

賢人のつぶやき

物を知るには、これを愛さねばならず、物を愛すには、これを知らねばならない

100

『日本的霊性』

鈴木大拙

(1944)

理解はされないが体験できる

「霊性は無分別智(むふんべつち)である」

「宗教意識は霊性の経験である」

「山は山でない、川は川でない、それゆえに、山は山で、川は川である」

鈴木大拙(すずきだいせつ)

1870 ～ 1966　現在の石川県金沢市の藩医の家に生まれる。本名は鈴木貞太郎(ていたろう)。四高で西田幾多郎と親交を深め、終生の友となる。21歳のとき東京専門学校（早稲田大学の前身）に入り、生涯のパトロンとなる安宅弥吉(あたかやきち)（安宅産業の創業者）と知りあう。鎌倉の円覚寺(えんがくじ)に参禅。帝国大学哲学科選科で学ぶ。ヨーロッパ各国を歴訪。学習院大学教授、大谷大学教授。外国の諸大学でZEN（禅）についての講演や講義。コロンビア大学客員教授。文化勲章受章。95歳没。

禅の精神を世界に広めた知の巨人による現代仏教学の頂点をなす著作

生涯の多くの時間を海外での講演と講義についやし、禅をZENとして紹介した鈴木大拙が74歳のときに刊行したのが『日本的霊性』であり、これが主著とされています。

霊性とは**「精神の奥に潜在しているはたらき」**だというのですが、これは要するに禅でいうところの「無分別智」のことです。あとでくわしく説明することになりますが、「無分別智」とは一般的な知性とはまったく異なるもので、わたしたちの奥にひっそりと隠れているものなのですが、宗教的なものに触れてそれが働きだす人もいるし、まったく働かない人もいるのです。また、日本人であるならばこの霊性に目覚めやすいというわけでもありません。おおかたの人はいつまでも目覚めないのです。

さて、この本の重要点となっていて、鈴木大拙によるZENの特徴がもっともはっきり出ているのは、**霊性の側からの考え方、世界の見方、それを「即非の論理」と称していること**でしょう。これは、悟りを体験した人の霊性的な見方と、ふつうの人の考え方の大きな落差のありようを説明するために、同時に禅でよくいわれる「無分別智」とはどういう智恵であるかを説明するために、くふうをこらして短く言語化してみせたものです。

霊性の人が知る「即非の論理」

第5篇の「般若の論理」に書かれているこの「即非の論理」は「論理」とされてはいるものの、実際には論理などというものではありません。それは鈴木大拙自身が自覚していて、「これは論理か何かわからんが、とにかくまあそう言っておく」と書いています。

その「即非の論理」をまとめると次のようになります。

◇AはAだというのは、AはAではない、だから、AはAなのである。

◇仏は三十二相を持っているといわれるが、その三十二相は三十二相ではない、それだからこそ、三十二相があるといわれる。

◇『金剛（般若波羅蜜）経』にある命題）仏の般若波羅蜜（智慧のこと）を説くのだが、これは般若波羅蜜ではない、だから般若波羅蜜と名づける。

◇（『金剛経』にある命題）世界は世界ではない、だからこれが世界である。

◇このようにすべての観念がまず否定され、それからまた肯定に帰る。

この言い方、AがAであるのはAがAではないからだ、のAを山に置きかえれば、山は山ではないから山は山だ、というふうになります。仏の三十二相の場合も同じです。

これを非論理的なメチャクチャだとか、混乱しているとか矛盾していると思うのは当然のことです。というのも、わたしたちは（学校教育を通じて）論理に沿った分析的な知性で考えるように習慣づけられているからです。その分析知性では、A＝Aは絶対にA≠Aではありえません。つまり、ふつうの人たちは、物事についていつも（分節化作用のある言語や観念による論理を使って）知性的判断をして生活をしているのです。

わたしたちは物事について分析して判断し、物事をあれとこれというふうにきっぱりと分けてしまうばかりではありません。さらに、物事について価値をも決めつけてしまうのです。そこから、物事の軽重、善悪、前後、なども生み出し、決定づけてしまいます。

そしてそこから生み出された観念のもろもろを、あたかも今ここに直面している現実であるかのようにわたしたちはとらえてしまうという癖があります。またさらに、それら観念から生まれてきたものの姿や価値によって結局わたしたち自身の気持ちが揺れ動かされるのです。そうしてわたしたちは、苦しんだり迷ったり、おびえたりしてしまうことになります。（この状態が仏教でいうところの、いわゆる「迷い」です）物事がたんにそこにあるというだけで、わたしたちは勝手に苦しんでしまうというわけです。

このような知性的判断を、仏教では**「分別智（ふんべつち）」**と呼びます。物事や状況を論理や世間の常識で仕分けしてしまう。そういうふうに分析してしまうから、「分別（ふんべつ）」の「智」なのです。

ところが、霊性においては、つまり悟りの体験のある人は、「分別智」ではなく、**「無分別智（むふんべつち）」**を用いて生きようとするのです。「無分別智」とは「分別」をしないことです。物事や状況や意味をわざわざ分けて考えたり、それぞれに価値づけたりしないのです。

その二つの「智」には天地ほどの大きなちがいがあります。たとえば、「分別智」を用いる人はこの世に生まれてきてやがて体が弱ってきて死ぬのだ、とあたりまえのように考えます。一方、「無分別智」では、初めから生も死もどこにもないとします。「無分別智」においては、どんな物事にもどんな状況にも判断や価値を与えない。したがって、生も死も同じなのです。すると、死を人生の最後に待ち受けている恐怖だと思わなくなります。これこそが霊性の人の見方、考え方なのです。

だから、「無分別智」の人にとっては「即非の論理」はまったくふつうのこととなります。山は山でないから山なのです。それどころか、この自分は山でもあり、川でもあるのです。すべてが一つでしかないのです。何一つ分けられていないのです。

なぜ、そのように思えるかというと、悟りの瞬間を体験しているからです。悟りのとき、自我はなくなり、すべてが一体となり、すべてが生命となる体験をします。その体験をしてしまうと、自然と「無分別智」の人、霊性の人になってしまうのです。このような霊性の人は洋の東西と時代を問わずにいて、本書ではエックハルトやブーバーらがそれにあたります。

実際に「霊性の人」であり続けた人

ふだんの生活においてずっと純粋な霊性の人であり続けた例として、鈴木大拙は才市(さいち)を紹介しています。この人は現在の島根県大田市小浜の下駄職人で浄土真宗(じょうどしんしゅう)の在俗信者であった浅原才市(1850～1932)のことで、カンナ屑(くず)や紙片に方言混じりで書き残された約7000首の信心の詩や歌によって才市が霊性の人として生きききったということがわかっています。

その詩とはこのようなものです。

「わしが阿弥陀にならるじゃない、阿弥陀のほうからわしになる。なむあみだぶつ」

「わしのこころはあなたのこころ、あなたのこころが、わたしのこころ。わしになるのが、あなたのこころ」

「りん十まだこの〈来ぬ〉、このはずよ、すんでをるもの。りん十すんで、なむあみだぶつ」

「今がりん十、わしがりん十、あなたのもので、これがたのしみ、なむあみだぶつ」

ここに引用した後ろの2首にある「りん十」とは「臨終」のことであり、死を意味しています。才市は、自分の死がまだこないのはすでに死がすんでしまっているからだといい、また、今こそ死であり、自分自身が死だと歌っているのです。つまり、いっさいが仏の中で一つだというこの喜びの感性が、霊性の人のあらわな感性、世界観なのです。

世界に向けてZENの神髄を発信する

鈴木大拙は、第二次世界大戦における日本の敗戦の遠因は、**日本的な霊性を自覚しなかったことにある、**と序文で述べています。（これは霊性を自覚していれば戦争に勝ったはずだという意味ではありません）また、既成の宗教はたんなる形式に堕していると批判しています。そして、霊性の人は世界のどこにでもいるということを知っていました。

鈴木大拙は生涯の多くの時間を海外での講演と講義についやして、英文での著書は30冊にもおよび、妻となったアメリカ人ベアトリスの手伝いもあってZENという言葉を世界に知らしめ、東洋思想を広め伝え、その影響力には多大なものがありました。それにもかかわらず、日本では霊性がどういうものなのか正しく理解されていません。というのも、分節作用を持たざるをえない言語表現と分析的な論理で決して説明されえない事態が霊性だからです。

ちなみに、安宅弥吉とともに歩いて東京から鎌倉の円覚寺に参禅していたときに、鈴木大拙は同じく参禅に来ていた夏目漱石に英文を見てもらっています。のちに結婚することになるベアトリスと知り合ったのも円覚寺です。

その後、アメリカのシカゴのオープン・コート出版で働き、37歳のときに英文の『大乗仏教概論』をロンドンで出版することになります。39歳からはヨーロッパ各国を歴訪し、ハイデッガー、ヤスパースらと会談しています。スウェーデンボルグの『天界と地獄』を翻訳して初めて日本に紹介したのも鈴木大拙です。

賢人のつぶやき

仕事の最中、仕事そのものにとって、評価は重要ではない。第二義の問題である

哲学と世界の歴史

刊行年(あるいは書かれたと推定される時期)と書名(本書収録の書名は太字網かけ)、★哲学者名(あるいは重要著作者名)。○主な歴史的事件

紀元前7世紀頃〜	『**ウパニシャッド**』★著者不詳
紀元前6世紀頃〜	『**老子**』★老子
紀元前5世紀頃〜	『**論語**』★孔子
紀元前4世紀頃	『**国家**』★プラトン
紀元前4世紀頃	『**ニコマコス倫理学**』★アリストテレス
紀元前330頃	○アレクサンドロス大王、ペルシアへ遠征
紀元前4〜3世紀頃	『**荘子**』★荘子
紀元前4〜3世紀頃	『**教説と手紙**』★エピクロス
紀元前1世紀頃	『**義務について**』★キケロ
	○ナザレのイエス誕生
49	『**人生の短さについて**』★セネカ
64	○ローマ帝国皇帝ネロによるキリスト教徒迫害
1〜2世紀	『語録』★エピクテトス
2世紀	『**自省録**』★アウレリウス
3世紀	『**善なるもの一なるもの**』★プロティノス
303	○ローマ皇帝ディオクレティアヌスによるキリスト教徒迫害
313	○ローマ帝国がキリスト教を公認
4世紀頃	『**新約聖書**』★各記者
392	○キリスト教がローマ帝国国教となる
395	○ローマ帝国が東西に分裂する
400頃	『**告白**』★アウグスティヌス
476	○西ローマ帝国滅亡
525頃	『哲学の慰め』★ボエティウス
650年頃	『**コーラン**』(★ムハンマド)
962	○神聖ローマ帝国成立
1054	○ギリシア教会がローマ教会から独立する
1096	○西欧キリスト教勢力による十字軍遠征(第1回)
1190頃	『迷える人々の導き』★マイモニデス
11世紀〜	○ヨーロッパに大学が誕生する(ボローニャ大学1088、オックスフォード大学1167、サラマンカ大学1218、ナポリ大学1224、パリ大学1257)
1204〜	○第4回十字軍が現イスタンブールを占領し、ラテン帝国をたてる
1231〜	『**正法眼蔵**』★道元
1265〜	『**神学大全**』★アクィナス
1267〜	『大著作』『小著作』『第三著作』★ロジャー・ベーコン
1291	○十字軍最後の拠点が陥落し、十字軍失敗に終わる
1299	『東方見聞録』★マルコ・ポーロ
14世紀頃	『**エックハルト説教集**』★エックハルト
14〜15世紀	○ルネサンスの三大改良(火薬・羅針盤・印刷技術)
1337〜1453	○英仏100年戦争
1455	○グーテンベルクの活版印刷による『聖書』出版

1452〜1519	○レオナルド・ダ・ヴィンチの活躍
1453	○オスマン帝国が東ローマ帝国を滅ぼす
1486	『**人間の尊厳について**』★ピコ
1492	○コロンブスが新大陸を発見
1498	○ヴァスコ・ダ・ガマがインド航路を発見
1511	『**痴愚神礼讃**』★エラスムス
1517	○ルターによる宗教改革の開始
1516	『**ユートピア**』★モア
1520	『**キリスト者の自由**』★ルター
1532	『**君主論**』★マキアヴェリ
1536	『**キリスト教綱要**』★カルヴァン
1541〜	○カルヴァンがジュネーブで神権政治を行なう
1543	○コペルニクスの地動説
1581〜	○オランダがスペインから独立
1588	○イングランドがスペイン無敵艦隊を撃破
	『**エセー**』★モンテーニュ
1618〜	○ドイツ30年戦争
1619	『世界の和声学』★ケプラー
1620	『**ノヴム・オルガヌム**』★ベーコン
	○清教徒（ピューリタン）が北米に移住を始める
1625	『戦争と平和の法』★グロティウス
1628	『動物の心臓ならびに血液の運動に関する解剖学的研究』★ハーヴィ
1632	『天文対話』★ガリレオ
1637	『**方法序説**』★デカルト
1942〜	○イギリスでピューリタン革命（チャールズ1世処刑）
1643	○フランスでルイ14世（太陽王）即位
1649	『情念論』★デカルト
1651	『**リヴァイアサン**』★ホッブズ
1660	○イギリスで王政復古
1665〜	『**道徳的省察、または格言および箴言集**』★ラ・ロシュフコー
1670	『**パンセ**』★パスカル
	『神学政治論』★スピノザ
1677	『**エチカ**』★スピノザ
17世紀後半	○ライプニッツとニュートンが微積分を発見
1686	『形而上学序説』★ライプニッツ
1687	『自然哲学の数学的原理（プリンキピア）』★ニュートン（万有引力の法則）
1688	○イギリスで名誉革命
1689	『**人間知性論**』★ロック
1710	『**人知原理論**』★バークリー
1714	『**蜂の寓話**』★マンデヴィル
1720	『**モナドロジー**』★ライプニッツ
1733〜	○イギリスで繊維工業から産業革命が始まる
1739	『**人性論**』★ヒューム
1740	○プロイセンでフリードリッヒ2世（大王）即位
1747	『人間機械論』★ラ・メトリ
1748	『法の精神』★モンテスキュー
1750	『美学』★バウムガルテン
1750頃	○フランクリンが避雷針を発明する
1755	『人間不平等起源論』★ルソー
1762	『**社会契約論**』★ルソー
1765	○ワットが現代の蒸気機関を発明する
1776	○アメリカが独立宣言
1781	『**純粋理性批判**』★カント

1788	『実践理性批判』★カント
1789	『化学原論』★ラヴォワジェ
	『道徳および立法の諸原理序説』★ベンサム
1789	○フランス革命
1792	『女性の権利の擁護』★ウルストンクラフト
1797	『知識学への第一序論』★フィヒテ
1798	『人口論』★マルサス
1799	『宗教論』★シュライエルマッハー
1800	『超越論的観念論の体系』★シェリング
1804	○ナポレオンがフランス皇帝となる
1806~	『ファウスト』★ゲーテ
1807	『精神現象学』★ヘーゲル
1809	『動物哲学』★ラマルク(生物学という用語を導入)
1815	○ナポレオン、ワーテルローの戦いで敗れる
1819	『意志と表象としての世界』★ショーペンハウアー
1821	『法の哲学』★ヘーゲル
1826	『人間の教育』★フレーベル
1832	『戦争論』★クラウゼヴィッツ
1835	『アメリカにおけるデモクラシーについて』★トクヴィル
1840~1842	○イギリスと清の間でアヘン戦争
1841	『キリスト教の本質』★フォイエルバッハ
1842	○マイヤーらがエネルギー保存の法則を主張する
1843	『あれかこれか』★キルケゴール
1844	『実証的精神論』★コント
	『経済学・哲学草稿』★マルクス
1845	『唯一者とその所有』★シュティルナー
1848	『共産党宣言』★マルクス、エンゲルス
1849	『死にいたる病』★キルケゴール
1859	『種の起源』★ダーウィン
	『自由論』★ミル
1861~1865	○アメリカで南北戦争
1865	○メンデルの遺伝の法則
1867	『資本論』★マルクス
	○ノーベルがダイナマイトを発明する
1868	○日本で明治維新
1869	○スエズ運河が開通する
1871	『神と国家』★バクーニン
1872	『悲劇の誕生』★ニーチェ
1875	○ベルが電話を発明する
1877~	○エジソンが蓄音機・白熱電球を発明する
	『概念記法』★フレーゲ
1882	○コッホが結核菌を発見
1883	『ツァラトゥストラ』★ニーチェ
1886	『フォイエルバッハに関するテーゼ』★エンゲルス
1887	『道徳の系譜学』★ニーチェ
1889	『道徳的認識の源泉について』★ブレンターノ
1891	○エジソンが活動写真を発明する
1893	○ディーゼルが内燃機関を発明する
1895	○レントゲンがX線を発明する
	○マルコーニが無線電信を発明する
1896	○近代第一回オリンピック大会(アテネ)
	『物質と記憶』★ベルクソン
1897	『自殺論』★デュルケーム
1898	○キュリー夫妻がラジウムを発見

1903	○ライト兄弟が飛行機を発明する
1904〜1905	○日露戦争
1905	**『プロテスタンティズムの倫理と資本主義の精神』**★ヴェーバー
1907	**『プラグマティズム』**★ジェイムズ
	『創造的進化』★ベルクソン
1909	『唯物論と経験批判論』★レーニン
1910	『言語・真理・論理』★エイヤー
	『プリンキピア・マテマティカ』★ラッセル、ホワイトヘッド
1911	**『善の研究』**★西田幾多郎
	『厳密な学としての哲学』★フッサール
1913	『倫理学における形式主義と実質的価値倫理学』★シェーラー
1914〜1918	○第一次世界大戦
1915	○アインシュタインが一般相対性理論を発表
1916	**『一般言語学講義』**★ソシュール
	『民主主義と教育』★デューイ
1917	**『精神分析入門』**★フロイト
1918	**『同情の本質と諸形式』**★シェーラー
1919	『ローマ書講解』★バルト
1917〜1922	○ロシア革命〜ソビエト連邦成立
1922	**『論理哲学論考』**★ヴィトゲンシュタイン
	『人間性と行為』★デューイ
1923	**『我と汝』**★ブーバー
1923	『歴史と階級意識』★ルカーチ
1927	**『存在と時間』**★ハイデッガー
1927	○ハイゼンベルクが不確定性原理を発表

1928	**『プロポ』**★アラン
	『友情論』★ボナール
	○フレミングがペニシリンを発明
1929	『イデオロギーとユートピア』★マンハイム
	『大衆の反逆』★オルテガ
1929〜1932	○世界的な経済恐慌発生
1930	**『幸福論』**★ラッセル
1932	**『哲学』**★ヤスパース
	『道徳的人間と非道徳的社会』★ニーバー
1933	○ドイツでヒトラーが首相に就任
1934	『現代における人間の運命』★ベルジャーエフ
	『新しい科学的精神』★バシュラール
1935	**『存在と所有』**★マルセル
	『偶然性の問題』★九鬼周造
	○湯川秀樹が中間子理論を発表
1937	『実践論』『矛盾論』★毛沢東
1938	『弁証法的唯物論と史的唯物論』★スターリン
1939〜1945	○第二次世界大戦
1941	『新約聖書と神話』★ブルトマン
	『ローマ書講解』★バルト
	『自由からの逃走』★フロム
	『理性と革命』★マルクーゼ
1942	『シジフォスの神話』★カミュ
	『大衆国家と独裁』★ノイマン
1943	『存在と無』★サルトル
1944	**『隷属への道』**★ハイエク

1944	『**日本的霊性**』★鈴木大拙
1945	『**知覚の現象学**』★メルロ＝ポンティ
1946	『**実存主義とは何か**』★サルトル
	『心の概念』★ライル
1948	『史的唯物論とベネデット・クローチェの哲学』★グラムシ
1949	『**第二の性**』★ボーヴォワール
1950	『**権威主義的パーソナリティ**』★アドルノ
	『孤独な群集』★リースマン
1951	『**大衆運動**』★ホッファー
	『全体主義の起源』★アーレント
	『科学哲学の形成』★ライヘンバッハ
1952	『**死と愛**』★フランクル
1953	『論理的観点から』★クワイン
1955	『抑圧と自由』★ヴェーユ
	『**悲しき熱帯**』★レヴィ＝ストロース
	『現象としての人間』★ティヤール・ド・シャルダン
1958	『マルクス主義の現実的諸問題』★ルフェーブル
1961	『**全体性と無限**』★レヴィナス
	○ベルリンに壁が築かれる
1962	○キューバ危機
	『**言語と行為**』★オースティン
1964	○アメリカで公民権法が成立する
1965	○ベトナム戦争激化
	『甦るマルクス』★アルチュセール
1966	『**暗黙知の次元**』★ポランニー
	『否定的弁証法』★アドルノ
	『**正常と病理**』★カンギレム
	『**言葉と物**』★フーコー
1967	『**声と現象**』★デリダ
1968	『**差異と反復**』★ドゥルーズ
1969	『言語行為』★サール
1970	『**消費社会と神話の構造**』★ボードリヤール
1971	『**正義論**』★ロールズ
1972	『名指しと必然性』★クリプキ
1973	○アメリカ軍がベトナムから撤兵する
1974	『**アナーキー・国家・ユートピア**』★ノージック
1978	『**オリエンタリズム**』★サイード
1979	『**ディスタンクシオン**』★ブルデュー
	『**思考について**』★ライル
1979～1989	○ソ連がアフガニスタンに軍事介入
1985	○ソ連のゴルバチョフ書記長が改革を開始する
1989	○ベルリンの壁撤去(翌年、東西ドイツ統一)
	○アメリカとソ連、冷戦終結声明
1991	○湾岸戦争とクウェート解放
	○ソ連消滅と独立国家共同体の結成
1993	『**私たちはどう生きるべきか**』★シンガー
2000	○プーチンがロシア大統領になる
2004	『**マルチチュード**』★ネグリ
2005	『**ウンコな議論**』★フランクファート
2008	○ネパールが王政を廃止する
2009	『**これからの「正義」の話をしよう**』★サンデル
2010	○アラブの春(アラブ諸国の反政府・民主化運動)
2011	『**ファスト&スロー**』★カーネマン
2013	『**なぜ世界は存在しないのか**』★ガブリエル

ま

や

ら

人名検索

あ

か

さ

た

な

は

た

な

は

ま

や

ら

索　引

キーワード検索

あ

か

さ

『ワイド版世界の大思想Ⅱ－4』「ノヴム・オルガヌム」ベーコン／服部英次郎訳／河出書房新社
『方法序説・情念論』デカルト／野田又夫訳／中央公論社
『世界の名著51』「厳密な学としての哲学」フッサール／小池稔訳／中央公論社
『民主主義と教育』〈上・下〉デューイ／松野安男訳／岩波書店
『フロイト著作集1　精神分析入門』フロイト／懸田克躬・高橋義孝訳／人文書院
『精神分析入門』〈上・下〉フロイト／高橋義孝・下坂幸三訳／新潮社
『新しい科学的精神』G・バシュラール／関根克彦訳／中央公論社
『正常と病理』ジョルジュ・カンギレム／滝沢武久訳／法政大学出版局
『暗黙知の次元』マイケル・ポラニー／佐藤敬三訳／紀伊國屋書店
『思考について』ギルバート・ライル／坂本百大・井上治子・服部裕幸・信原幸弘訳／みすず書房
『ファスト＆スロー』〈上・下〉ダニエル・カーネマン／村井章子訳／早川書房
『ユートピア』トマス・モア／沢田昭夫訳／中央公論社
『世界の名著25』「モナドロジー」ライプニッツ／清水富雄・竹田篤司訳／中央公論社
『純粋理性批判』〈上・中・下〉カント／篠田英雄訳／岩波書店
『世界の名著43』「知識学への第一序論」フィヒテ／岩崎武雄訳／中央公論社
『精神現象学』ヘーゲル／長谷川宏訳／作品社
『意志と表象としての世界』〈Ⅰ～Ⅲ〉ショーペンハウアー／西尾幹二訳／中央公論新社
『存在と時間』〈Ⅰ～Ⅲ〉ハイデガー／原佑・渡辺二郎訳／中央公論新社
『哲学』ヤスパース／小倉志祥・林田新二・渡辺二郎訳／中央公論新社
『差異と反復』〈上・下〉G・ドゥルーズ／財津理訳／河出書房新社
『原典訳　ウパニシャッド』岩本裕編訳／筑摩書房
『新約聖書』フランシスコ会聖書研究所訳注／中央出版社
『世界の名著14』「告白」アウグスティヌス／山田晶訳／中央公論社
『コーラン』〈Ⅰ・Ⅱ〉藤本勝次・伴康哉・池田修訳／中央公論新社
『ハディース――イスラーム伝承集成』〈上・中・下〉牧野信也訳／中央公論社
『世界の名著15』「善なるもの一なるもの」プロティノス／田中美知太郎訳／中央公論社
『エックハルト説教集』エックハルト／田島照久編訳／岩波書店
『神学大全』〈Ⅰ・Ⅱ〉トマス・アクィナス／山田晶訳／中央公論新社
『世界の名著18』「キリスト者の自由」ルター／塩谷饒訳／中央公論社
『黄金の小冊子・真のキリスト教的生活』（キリスト教綱要）ジャン・カルヴァン／有馬七郎訳／三省堂書店
『キリスト教神学の主要著作』R. A. クライン他編／佐々木勝彦・佐々木悊・濱崎雅孝訳／教文館
『世界大思想全集12』「キリスト教の本質」フォイエルバッハ／出隆訳／河出書房
『死にいたる病』キルケゴール／桝田啓三郎訳／中央公論新社
『プロテスタンティズムの倫理と資本主義の精神』マックス・ヴェーバー／大塚久雄訳／岩波書店
『正法眼蔵』〈1～3〉道元／石井恭二訳／河出書房新社
『善の研究』西田幾多郎／岩波書店
『日本的霊性』鈴木大拙／中央公論新社

『物質と記憶』アンリ・ベルクソン／田島節夫訳／白水社
『世界の名著 51』「道徳的認識の源泉について」ブレンターノ／水地宗明訳／中央公論社
『プラグマティズム』W・ジェイムズ／桝田啓三郎訳／岩波書店
『知覚の現象学』〈1・2〉モーリス・メルロー＝ポンティ／竹内芳郎・小木貞孝訳／みすず書房
『なぜ世界は存在しないのか』マルクス・ガブリエル／清水一浩訳／講談社
『悲しき熱帯』〈I・II〉レヴィ＝ストロース／川田順造訳／中央公論新社
『オリエンタリズム』〈上・下〉エドワード・W・サイード／今沢紀子訳／平凡社
『政治学』アリストテレス／山本光雄訳／岩波書店
『第二の性』〈1〜5〉ボーヴォワール／生島遼一訳／新潮社
『女性の権利の擁護』メアリ・ウルストンクラーフト／白井堯子訳／未来社
『消費社会の神話と構造』ジャン・ボードリヤール／今村仁司・塚原史訳／紀伊國屋書店
『大衆国家と独裁』シグマンド・ノイマン／岩永健吉郎・岡義達・高木誠訳／みすず書房
『大衆運動』エリック・ホッファー／高根正昭訳／紀伊國屋書店
『大衆の反逆』オルテガ／寺田和夫訳／中央公論新社
『ウンコな議論』ハリー・G・フランクファート／山形浩生訳／筑摩書房
『これからの「正義」の話をしよう』マイケル・サンデル／鬼澤忍訳／早川書房
『正義論』ジョン・ロールズ／川本隆史・福間聡・神島裕子訳／紀伊國屋書店
『国家』〈上・下〉プラトン／藤沢令夫訳／岩波書店
『論語』貝塚茂樹訳注／中央公論新社
『君主論』マキアヴェリ／池田廉訳／中央公論新社
『リヴァイアサン』〈I・II〉ホッブズ／永井道雄訳・上田邦義訳／中央公論新社
『蜂の寓話——私悪すなわち公益』バーナード・マンデヴィル／泉谷治訳／法政大学出版局
『世界の名著 30』「社会契約論」ルソー／井上幸治訳／中央公論社
『世界の名著 49』「道徳および立法の諸原理序説」ベンサム／山下重一訳／中央公論社
『世界の名著 40』「アメリカにおけるデモクラシーについて」トクヴィル／岩永健吉郎訳／中央公論社
『経済学・哲学草稿』マルクス／長谷川宏訳／光文社
『世界の名著 49』「自由論」ミル／早坂忠訳／中央公論社
『アナーキー・国家・ユートピア』ロバート・ノージック／嶋津格訳／木鐸社
『隷属への道』F・A・ハイエク／西山千明訳／春秋社
『マルチチュード』〈上・下〉アントニオ・ネグリ、マイケル・ハート／幾島幸子訳／日本放送出版協会
『論理哲学論考』ヴィトゲンシュタイン／丘沢静也訳／光文社
『論理哲学論考』ルートヴィヒ・ヴィトゲンシュタイン／木村洋平訳／社会評論社
『一般言語学講義』フェルディナン・ド・ソシュール／小林英夫訳／岩波書店
『言語と行為』J・L・オースティン／坂本百大訳／大修館書店
『声と現象』ジャック・デリダ／高橋允昭訳／理想社
『言葉と物』ミシェル・フーコー／渡辺一民・佐々木明訳／新潮社

引用・参考文献

『自省録』マルクス・アウレーリウス／神谷美恵子訳／岩波書店
『人生の短さについて』セネカ／茂手木元蔵訳／岩波書店
『キケロー選集９』「義務について」キケロー／中務哲郎・高橋宏幸訳／岩波書店
『エピクロス――教説と手紙』エピクロス／出隆・岩崎允胤訳／岩波書店
『プロポ』〈1・2〉アラン／山崎庸一郎訳／みすず書房
『幸福論』アラン／神谷幹夫訳／岩波書店
『ラッセル幸福論』ラッセル／安藤貞雄訳／岩波書店
『ニコマコス倫理学』〈上・下〉アリストテレス／高田三郎訳／岩波書店
『世界の大思想Ⅱ－１』「老子」木村英一・加地伸行訳／河出書房新社
『九鬼周造全集　第二巻』「偶然性の問題」九鬼周造／岩波書店
『現代日本思想体系 24』「驚きの情と偶然性」九鬼周造／筑摩書房
『シェーラー著作集８　同情の本質と諸形式』シェーラー／青木茂・小林茂訳／白水社
『友情論』アベル・ボナール／大塚幸男訳／白水社
『死と愛』フランクル／霜山徳爾訳／みすず書房
『私たちはどう生きるべきか』ピーター・シンガー／山内友三郎監訳／筑摩書房
『世界の大思想６・7』「随想録〈エセー〉」〈上・下〉モンテーニュ／松浪信三郎訳／河出書房新社
『運と気まぐれに支配される人たち』(原題)「道徳的省察または格言および箴言集」ラ・ロシュフコー／吉川浩訳／角川書店
『世界の名著 27』「人間知性論」ロック／大槻春彦訳／中央公論社
『世界の名著 27』「統治論」ロック／宮川透訳／中央公論社
『痴愚神礼讃』エラスムス／渡辺一夫・二宮敬訳／中央公論新社
『ニーチェ全集９・10　ツァラトゥストラ』〈上・下〉ニーチェ／吉沢伝三郎訳／筑摩書房
『パンセ』パスカル／由木康訳／白水社
『人間の教育』〈上・下〉フレーベル／荒井武訳／岩波書店
『現代社会学大系 12　権威主義的パーソナリティ』アドルノ／田中義久・矢沢修次郎・小林修一訳／青木書店
『全体性と無限』エマニュエル・レヴィナス／藤岡俊博訳／講談社
『聖書』フェデリコ・バルバロ訳／講談社
『人間の尊厳について』ピコ・デラ・ミランドラ／植田敏郎訳／創元社
『サルトル全集　第 13 巻』「実存主義とは何か――実存主義はヒューマニズムである」サルトル／伊吹武彦訳／人文書院
『世界の名著 75』「存在と所有」マルセル／山本信訳／中央公論社
『世界の名著 58』「自殺論」デュルケーム／宮島喬訳／中央公論社
『ディスタンクシオン――社会的判断力批判』〈Ⅰ・Ⅱ〉ピエール・ブルデュー／石井洋二郎訳／藤原書店
『我と汝／対話』マルティン・ブーバー／田口義弘訳／みすず書房
『我と汝』マルティン・ブーバー／野口啓祐訳／講談社
『荘子』〈Ⅰ・Ⅱ〉荘子／森三樹三郎訳／中央公論新社
『エチカ』〈上・下〉スピノザ／畠中尚志訳／岩波書店
『人知原理論』ジョージ・バークリー／宮武昭訳／筑摩書房
『世界の名著 27』「人性論」ヒューム／土岐邦夫訳／中央公論社

写真提供：Rijksmuseum Amsterdam, The Metropolitan Museum of Art, National Gallery of Art, Library of Congress, Deutsche Digitale Bibliothek ／ The New York Public Library（p255, 268, 446）／ PPS 通信社（p28, 31, 50, 63, 103, 114, 127, 184, 194, 201, 211, 222, 276, 301, 309, 322, 336, 355, 384, 391） ／ p 421 © Raimond Spekking / CC BY-SA 4.0 (via Wikimedia Commons)
イラスト：asaumi nina

超要約(ちょうようやく)
哲学書(てつがくしょ)100冊(さつ)から世界(せかい)が見(み)える！

著　者――白取春彦（しらとり・はるひこ）
発行者――押鐘太陽
発行所――株式会社三笠書房
〒102-0072 東京都千代田区飯田橋3-3-1
電話：(03)5226-5734（営業部）
：(03)5226-5731（編集部）
https://www.mikasashobo.co.jp
印　刷――誠宏印刷
製　本――若林製本工場

編集責任者　本田裕子
ISBN978-4-8379-2928-4 C0010